ODES ET BALLADES
LES ORIENTALES

ODES ET BALLADES

LES ORIENTALES

HUGO dans la collection GF :

Quatrevingt-treize.
Les Chansons des rues et des bois.
Les Misérables, tome I.
Les Misérables, tome II.
Les Misérables, tome III.
Notre-Dame de Paris.
La Légende des Siècles, tome I.
La Légende des Siècles, tome II.

Sur la couverture :
Paysage oriental. Dessin de Victor Hugo.
Paris, Maison de Victor Hugo.
Cliché Bulloz.

VICTOR HUGO

ODES ET BALLADES
LES ORIENTALES

Chronologie et introduction
par
Jean Gaudon
professeur de langue et littérature françaises
à l'Université de Londres

GARNIER-FLAMMARION

CHRONOLOGIE

1802 : Naissance à Besançon de Victor-Marie Hugo, troisième fils de Léopold Sigisbert, militaire de carrière, et de Sophie, née Trébuchet (26 février); Delille (1738-1813) : *L'Homme des champs* ou *Les Géorgiques françaises*.

1803 : Naissance à Paris d'Adèle Foucher qui deviendra en 1822 Adèle Hugo. Baour-Lormian (1770-1850) : *Poésies diverses*. Clotilde de Surville : *Poésies*.

1804 : Delille : traduction du *Paradis perdu*.

1805 : Luce de Lancival (1764-1810) : *Achille à Scyros*.

1806 : Naissance à Fougères de Julienne Gauvain plus connue sous le nom de Juliette Drouet (voir ci-dessous à la date de 1833). Delille : *L'Imagination*. Millevoye (1782-1816) : *L'Invention poétique*.

1807 : Sophie part pour l'Italie avec ses fils pour se rapprocher de son mari, major au service de Naples. Chênedollé (1769-1833) : *Le Génie de l'Homme*.

1808 : Parny (1753-1814) : *Les Rose-croix. Œuvres complètes*.

1809 : Retour d'Italie. Installation aux Feuillantines. Campenon (1772-1843) : *La Maison des champs*. Chateaubriand (1768-1848) : *Les Martyrs*. Lemercier (1771-1840) : *Essais poétiques sur la théorie newtonienne*.

1811 : Voyage en Espagne et séjour à Madrid où Léopold Hugo est au service de Joseph Bonaparte, roi d'Espagne, avec le grade de maréchal de camp (général de brigade). Soumet (1788-1845) : *Hymne à la Vierge*. Ecouchard-Lebrun, dit Lebrun-Pindare (1729-1807) : *Œuvres*.

1812 : Retour à Paris, aux Feuillantines. Millevoye : *Elégies ; Charlemagne*.

1814 : Léopold, redevenu major dans l'armée française, défend la place de Thionville. La première Restauration lui redonne son grade de maréchal de camp mais le met en non-activité.

1815 : Pendant les Cent-Jours Léopold défend pour la seconde fois Thionville. Victor est enfermé avec son frère Eugène à la pension Cordier et commence à écrire des vers royalistes. Dans le conflit qui oppose ses parents, il prend vigoureusement le parti de sa mère.

1816 : Béranger (1780-1857) : *Chansons morales et autres.*

1817 : Hugo, toujours pensionnaire, reçoit une mention au concours de poésie de l'Académie française pour sa pièce sur *Le Bonheur que procure l'étude dans toutes les situations de la vie.* Fontanes (1757-1821) : *Les Tombeaux de Saint-Denis.* Loyson (1791-1821) : *Le Bonheur de l'étude et autres poésies.*

1818 : Rétablissement sur le Pont-Neuf de la statue de Henri IV. Victor Hugo est libéré par sa mère de la pension Cordier. Inscription à la Faculté de droit. *Bug Jargal.* Géraud (1780-1831) : *Poésies.* Lemercier : *La Mérovéide.* Delavigne (1793-1843) : *Trois Messéniennes.*

1819 : Récompenses à l'Académie des Jeux floraux de Toulouse. Amour pour Adèle Foucher. Fondation du *Conservateur littéraire* dont Victor Hugo et ses frères seront à peu près les seuls rédacteurs. Chénier (1762-1794) : *Œuvres complètes* publiées par H. de Latouche. Marceline Desbordes-Valmore (1786-1859) : *Elégies, Marie et Romances.* Lemercier : *Panhypocrisiade.*

1820 : Assassinat du duc de Berry, espoir de la branche aînée de la dynastie régnante. Victor Hugo reçoit pour l'ode qu'il a écrite à cette occasion une gratification royale. Il est nommé Maître-ès-Jeux floraux, mais est séparé d'Adèle à qui il écrit en cachette. Nouvelle mention à l'Académie française. Chênedollé : *Etudes poétiques.* Lamartine (1790-1869) : *Méditations poétiques.*

1821 : Hugo prend part aux activités de la Société des bonnes lettres. Début de la révolte grecque contre les Turcs. Mort de Napoléon et de Sophie Hugo. Voyage de Victor Hugo à Dreux (à la poursuite d'Adèle), à Montfort-l'Amaury, à La Roche-Guyon. Béranger : *Chansons.*

1822 : *Odes et poésies diverses*. Séjour à Gentilly. Pension sur la cassette royale (1.000 francs). Mariage. Vigny (1797-1863) : *Poèmes*.

1823 : *Han d'Islande ; Odes* (seconde édition). Naissance et mort d'un premier enfant, Léopold. Hugo joue un rôle important dans la fondation de la *Muse française*. Intervention française en Espagne. Lamartine : *La Mort de Socrate ; Nouvelles Méditations*.

1824 : *Nouvelles Odes*. Début des réunions à l'Arsenal chez Nodier. Byron meurt à Missolonghi assiégé par les Turcs. La *Muse française* disparaît. Victor Hugo polémique avec Hoffmann, critique des *Débats*. Léopoldine Hugo naît. Louis XVIII meurt. Fauriel (1772-1844) : *Chants populaires de la Grèce moderne*. Guiraud (1788-1847) : *Chants hellènes*. Vigny : *Eloa*.

1825 : Victor Hugo reçoit la Légion d'honneur et voyage. Il va à Blois (chez son père), à Reims (pour le sacre de Charles X), dans les Alpes et à Montfort-l'Amaury. Béranger : *Chansons nouvelles*. Lamartine : *Le Dernier Chant du pèlerinage d'Harold*. Desbordes-Valmore : *Elégies et poésies nouvelles*.

1826 : *Bug Jargal* (deuxième version). Missolonghi tombe. Exposition de peinture au profit des Grecs. Naissance de Charles Hugo. *Odes et Ballades*. Dumas (1803-1870) : *Canaris*. Tastu (1798-1885) : *Poésies*. Vigny : *Poèmes antiques et modernes*.

1827 : Début de l'amitié avec Sainte-Beuve. L'armée turque prend Athènes. Bataille de Navarin. *Cromwell*. Nerval (1808-1855) : *Elégies nationales et satires politiques*. Nodier (1780-1844) : *Poésies diverses*.

1828 : Mort du général Hugo. Naissance du second fils, Victor, dit François-Victor. Edition définitive des *Odes et Ballades*. Fontaney (1803-1837) : *Ballades, mélodies et poésies diverses*. Lebrun (1785-1873) : *Le Voyage de Grèce*. Rességuier (1788-1862) : *Tableaux poétiques*.

1829 : *Les Orientales. Le Dernier Jour d'un condamné*. Victor Hugo fait la connaissance de Théophile Gautier. Réception de *Marion de Lorme* au Théâtre-Français et interdiction ministérielle. Hugo refuse les compensations offertes et préfère la bataille. Traité d'Andrinople avec les Turcs. Sainte-Beuve (1804-1869) : *Vie, poésies et pensées de Joseph Delorme*.

1830 : Traité de Londres consacrant l'indépendance de

la Grèce. *Hernani*. Alger capitule devant le corps expéditionnaire français. Adèle, seconde fille de Victor Hugo, naît pendant la révolution de Juillet. Gautier (1811-1872) : *Poésies*. Lamartine : *Harmonies poétiques et religieuses*. Musset (1810-1857) : *Contes d'Espagne et d'Italie*. Sainte-Beuve : *Consolations*.

1831 : *Notre-Dame de Paris. Marion de Lorme. Les Feuilles d'automne*. Barbier (1805-1882) : *Iambes et poèmes*.

1832 : *Le Roi s'amuse* est interdit après la première représentation. Pétrus Borel (1809-1859) : *Rhapsodies*. Brizeux (1803-1858) : *Marie*. Gautier : *Albertus*.

1833 : *Lucrèce Borgia*. Début de la liaison de Victor Hugo avec Juliette Drouet. *Marie Tudor*. Musset : *Rolla*. O'Neddy (1811-1875) : *Feu et Flamme*. Quinet (1803-1875) : *Ahasvérus*.

1834 : *Etude sur Mirabeau. Littérature et philosophie mêlées. Claude Gueux.*

1835 : *Angelo*. Hugo voyage en Picardie et en Normandie. Séjour dans la vallée de la Bièvre. *Les Chants du crépuscule*. Musset : *Nuit de mai; Nuit de décembre*.

1836 : Hugo échoue deux fois à l'Académie française. Voyage en Bretagne et en Normandie. *La Esmeralda* (musique de Louise Bertin). Lamartine : *Jocelyn*. Musset : *Nuit d'août*.

1837 : Mort d'Eugène Hugo. *Les Voix intérieures*. Victor Hugo officier de la Légion d'honneur. Voyage en Belgique et en Normandie. Sainte-Beuve : *Pensées d'août*. Barbier : *Satires et poèmes*. Musset : *Nuit d'octobre*.

1838 : *Ruy Blas*. Voyage en Champagne. Gautier : *La Comédie de la mort*. Lamartine : *La Chute d'un ange*.

1839 : Hugo obtient la grâce de Barbès, condamné à mort. *Les Jumeaux*, drame inachevé. Voyage en Alsace, Suisse et Provence. Lamartine : *Recueillements poétiques*.

1840 : Hugo, président de la Société des Gens de lettres. Echec à l'Académie. *Les Rayons et les Ombres*. Voyage au Rhin, dans la vallée du Neckar et en Forêt-Noire. Retour des cendres de Napoléon. Maurice de Guérin (1810-1839) : *Le Centaure*. Musset : *Poésies nouvelles*. Sainte-Beuve : *Poésies complètes*. Soumet : *La Divine Epopée*.

1841 : Election et réception à l'Académie. Lamartine : *La Marseillaise de la paix*.

1842 : *Le Rhin*. Aloysius Bertrand (1807-1841) : *Gaspard de la nuit*. Banville (1823-1891) : *Les Cariatides*. Mort du duc d'Orléans, héritier du trône.

1843 : Mariage et mort de Léopoldine Hugo. *Les Burgraves*. Voyage en Espagne et aux Pyrénées. Baudelaire (1821-1867) : Premiers poèmes dans une publication collective. Sainte-Beuve : *Le Livre d'amour*. Vigny : *Le Mont des Oliviers ; La Mort du loup*, etc.

1844 : Courte excursion à Nemours et à Montargis. H. de Latouche (1785-1851) : *Les Agrestes*. Vigny : *La Maison du berger*.

1845 : Hugo est nommé pair de France. Flagrant délit d'adultère avec Léonie Biard. Début de la rédaction de *Jean Tréjean (Les Misérables)*. Baudelaire : Poèmes dans des publications diverses. Brizeux : *Les Bretons*. Gautier : *España*.

1846 : Mort de Claire Pradier, fille de Juliette Drouet. Hugo écrit de nombreux poèmes. Banville : *Les Stalactites*. A. des Essarts (1811-1893) : *Les Chants de la jeunesse*.

1847 : L'Académie française couronne Amédée Pommier (1804-1877) pour son poème sur *La Découverte de la vapeur*.

1848 : Révolution de février. Hugo, candidat de droite, est élu à l'Assemblée constituante. Journées de juin. Fondation du journal *L'Evénement* inspiré par Hugo. Louis-Napoléon Bonaparte est élu président de la République.

1849 : Hugo élu à l'Assemblée législative. Voyage dans la Somme et l'Oise. Rupture avec la droite.

1850 : Grande activité politique de Hugo. Mort de Balzac.

1851 : Coup d'Etat du 2 décembre. Hugo se réfugie en Belgique. Bouilhet (1821-1869) : *Melaenis*.

1852 : Installation à Jersey. *Napoléon le Petit*. Gautier : *Emaux et Camées*. Leconte de Lisle (1818-1894) : *Poèmes antiques*.

1853 : Initiation de la famille Hugo aux tables tournantes. *Châtiments*.

1854 : Bouilhet : *Les Fossiles*. Nerval : *Les Filles du feu* (ce volume contient la plupart des sonnets des *Chimères*).

1855 : *Lettre à Louis Bonaparte*. Expulsé de Jersey le

27 octobre, Hugo se réfugie à Guernesey. Du Camp (1822-1894) : *Les Chants modernes*. Ménard (1822-1901) : *Poèmes*.

1856 : *Les Contemplations*.

1857 : L'éditeur Hetzel refuse de publier *Dieu* et *La Fin de Satan*, terminés, sous leur première forme, l'année précédente. Banville : *Odes funambulesques*. Baudelaire : *Les Fleurs du mal*.

1859 : Hugo refuse l'amnistie offerte aux proscrits par Napoléon III. *La Légende des siècles* (première série). Bouilhet : *Festons et Astragales*. Mistral (1830-1914) : *Mirèio*. Villiers de l'Isle-Adam (1840-1889) : *Premières poésies*.

1860 : Glatigny (1839-1873) : *Les Vignes folles*.

1861 : Voyage en Belgique. Désormais Hugo fera un voyage sur le continent tous les ans.

1862 : *Les Misérables*. Leconte de Lisle : *Poèmes barbares*. Mallarmé (1842-1898) : *Le Guignon, Le Sonneur*.

1863 : *Victor Hugo raconté par un témoin de sa vie* (Adèle Hugo).

1864 : *William Shakespeare*. Dierx (1838-1912) : *Poèmes et poésies*. Mendès (1843-1909) : *Philomela*. Vigny : *Les Destinées*.

1865 : *Les Chansons des rues et des bois*. Sully Prudhomme (1839-1907) : *Stances et poèmes*.

1866 : *Les Travailleurs de la mer*. Premier fascicule du *Parnasse contemporain*. Coppée (1842-1908) : *Le Reliquaire*. Verlaine (1844-1896) : *Poèmes saturniens*.

1867 : *Paris-Guide*. Dierx : *Les Lèvres closes*.

1868 : Mort de Mme Hugo. Coppée : *Intimités*.

1869 : *L'Homme qui rit*. Lautréamont (1846-1870) : *Les Chants de Maldoror* (cette première édition imprimée n'a pas été publiée). Verlaine : *Fêtes galantes*.

1870 : Dès la chute de l'Empire, Victor Hugo rentre à Paris. Glatigny : *Poésies*.

1871 : Elu à l'Assemblée nationale, Victor Hugo démissionne. Il se rend en Belgique, puis au Luxembourg. En juillet il est battu aux élections. En septembre, retour à Paris.

1872 : Nouvel échec aux élections. *L'Année terrible ; Actes et Paroles* (1870, 1871, 1872). En août, Hugo part pour

Guernesey. Cazalis dit Jean Lahor (1840-1909) : *Le Livre du néant*. Coppée : *Les Humbles*. Dierx : *Poésies*.

1873 : Cros (1842-1888) : *Le Coffret de santal*. Rimbaud (1854-1891) : *Une saison en enfer*.

1874 : *Quatrevingt-treize ; Mes fils*. Verlaine : *Romances sans paroles*.

1875 : *Actes et Paroles (Avant l'exil. Pendant l'exil)*. Sully Prudhomme : *Les Vaines Tendresses*.

1876 : Victor Hugo est élu sénateur. *Actes et Paroles (Depuis l'exil)*. Mallarmé : *L'Après-midi d'un faune*. Richepin (1849-1930) : *La Chanson des gueux*.

1877 : *La Légende des siècles* (nouvelle série); *L'Art d'être grand-père ; Histoire d'un crime* (première partie).

1878 : *Histoire d'un crime* (deuxième partie); *Le Pape*. Après une attaque de congestion cérébrale (nuit du 27 au 28 juin) Hugo cesse à peu près totalement d'écrire.

1879 : *La Pitié suprême* (écrit en 1870). Rodenbach (1855-1898) : *Les Tristesses*.

1880 : *Religions et Religion* (écrit en 1870); *L'Ane* (écrit en 1857-1858). Début des « mardis » de Mallarmé.

1881 : *Les Quatre Vents de l'esprit*. Verlaine : *Sagesse*.

1882 : *Torquemada* (écrit en 1869).

1883 : Mort de Juliette Drouet. *La Légende des siècles* (tome cinquième et dernier); *L'Archipel de la Manche* (écrit en 1865). Rollinat (1853-1903) : *Les Névrosés*. Verhaeren (1855-1916) : *Les Flamandes*.

1884 : Leconte de Lisle : *Poèmes tragiques*.

1885 : Atteint d'une congestion pulmonaire, Victor Hugo meurt le 22 mai. Funérailles nationales. René Ghil (1862-1925) : *Légendes d'âmes et de sang*. Laforgue (1860-1887) : *Complaintes*. Henri de Régnier (1864-1936) : *Lendemains*. Viélé-Griffin (1864-1937) : *Les Cygnes*. Moréas (1856-1910) : *Les Syrtes*.

INTRODUCTION

On peut toujours, avec un peu d'imagination et beaucoup de mauvaise foi, retrouver dans les petits menuets
écrits à l'âge de six ans par un jeune musicien salzbour-
geois, tout Mozart, ou tout Racine dans les lettres d'Uzès.
Avec Hugo, il est tentant de se livrer à la même opération
et de rechercher, dans les essais de jeunesse ou dans les
Odes et Ballades, tout ce qui préfigure l'œuvre de la matu-
rité. Ne nous y a-t-il pas encouragé lui-même en dessinant,
sur la couverture d'un de ses cahiers de vers juvéniles, un
œuf accompagné de la légende : oiseau ? Dans la mesure
pourtant où de telles considérations sont d'ordre historique, il est important de rester attentif aux détails et de
respecter les étapes de la découverte. Parler des *Odes et
Ballades* autrement qu'en termes d'extase ou de dénigre-
ment exige que l'on examine un à un les recueils succes-
sifs et profondément différents qui finirent par se fondre,
en novembre 1826, en un volume unique.

Si l'on parvient à oublier ce qui suit — bataille d'*Hernani*, exil, barbe blanche et corbillard des pauvres —
jamais livre de vers ne fut plus transparent dans ses intentions que les *Odes et poésies diverses* de 1822 : on n'est pas
impunément à vingt ans lauréat de l'Académie française,
Maître-ès-Jeux floraux et membre de la Société des
Bonnes Lettres. Certes, Hugo n'arrive jamais à parler tout
à fait le même langage que les Duviquet ou les Géraud,
qui se distinguent, dans les milieux royalistes, par leur
zèle réactionnaire. Mais il ne semble pas avoir de peine à
accepter la théorie selon laquelle la restauration des légitimités littéraires va de pair avec celle des légitimités politiques, et s'il fait allusion à la phrase de M. de Bonald sur
la littérature expression de la société, c'est pour lui donner
une signification conservatrice : les bonnes littératures font

les bonnes sociétés. Peut-être ne va-t-il pas, à l'instar de
Geoffroy ou de Féletz, jusqu'à faire du critique littéraire
une sorte de policier auxiliaire, attaché à la brigade de
l'intellect, mais la manière dont il reproche à Lamartine
ou à Chénier, dans ses articles du *Conservateur littéraire*,
de ne pas respecter assez scrupuleusement les règles de la
prosodie française est d'un Fouquier-Tinville jacobite
auquel il ne manque que le pouvoir. Le « bonnet rouge au
vieux dictionnaire » sera pour plus tard. Pour le moment,
on arbore la cocarde blanche, avec toutes les conséquences
que cela entraîne.

Conséquences politiques, bien sûr : les odes de 1822
chantent la Vendée, Quiberon, les vierges de Verdun,
déplorent la mort du duc de Berry, célèbrent la naissance
et le baptême du duc de Bordeaux (l'enfant du miracle),
proclament l'alliance du trône et de l'autel. Conséquences
poétiques, surtout : bien loin de heurter volontairement
et systématiquement les conventions sur lesquelles est fondée la littérature officielle, Hugo fait montre, à leur égard,
de souplesse et d'humilité. Lorsque le secrétaire perpétuel
des Jeux floraux, Pinaud, lui reproche des duretés, des
impropriétés ou des audaces, il corrige sans trop disputer
les vers incriminés. Lors même qu'il résiste (cela lui arrive
rarement) c'est en respectant les règles d'un jeu poétique
qui ne saurait être objet de discussion.

Le conformisme fondamental n'empêche pas ce premier
recueil d'être une sorte de creuset où se rencontrent et
s'affrontent des tentations dont on n'arrive pas toujours à
distinguer si elles sont celles de Hugo ou celles de l'époque.
De fait, la distance était considérable entre les théories
défendues par les ultras de la critique et la pratique poétique. La Restauration, en acceptant la Charte, avait
renoncé à restaurer et l'on peut dire qu'il en va de même
en littérature. Le premier poème du volume, *Le Poète dans
les révolutions*, montre, par son titre même, que ces *Odes*
respectueuses de la tradition ne sont pas des bergeries nos-
talgiques. Hugo, d'ailleurs, n'a que mépris pour les « poésies érotiques » qu'il écrase en quelques phrases dédai-
gneuses dans la dix-septième livraison du *Conservateur
littéraire*. Il n'a guère de goût non plus pour le genre descriptif illustré par Delille. De toutes les traditions, il choisit la plus exigeante : l'ode historique ou moderne, celle de
Lebrun-Pindare et de Jean-Baptiste Rousseau, genre difficile où la chaleur des convictions est de peu de recours
et où règne la rhétorique. Ainsi prend-il le goût et l'habi-

tude de méditer sur l'événement, et de le considérer selon
les lois d'une perspective plus vaste. Ces lois changeront,
mais l'attitude demeurera. Des odes politiques à celles que
l'on appelle habituellement « frénétiques » comme *Le Cauchemar* ou *La Chauve-souris* il n'y a, malgré les apparences,
qu'un pas à franchir. Il est tout à fait naturel en effet que
le poète-prophète qui fustige son « siècle criminel » cherche
à créer une thématique de l'effroi ou plutôt à en reconnaître
et à en choisir quelques composantes. Mal intégrée à l'effort général, cette tentative paraît timide et gratuite, surtout si l'on songe à ce qu'est, à la même époque, *Han
d'Islande*. Elle n'en est pas moins significative et promet-
teuse.

Et puis, il y a les odes que Sainte-Beuve baptisera joli-
ment les « odes rêveuses ». Ce jeune homme sévère, un peu
fanatique, un peu gourmé, avait déjà en lui des coins
ombreux, une propension à la rêverie nonchalante. Là
encore, il reste accroché à des poncifs, à des attitudes, à
un ton presque continûment dolent. Réflexe d'époque ?
Bien sûr. Mais aussi savoir profond, reconnaissance d'un
lieu commun hugolien dont se nourrira l'œuvre d'exil, que
bonheur et gloire sont incompatibles. Dans *Les Contemplations*, le poème *Trois ans après* ne dira pas autre chose. Le
manque d'originalité n'empêche donc pas des lignes de
force de se dessiner, qui informeront l'œuvre entière. C'est
pour cela que cet enfant vieilli, qui atteint rarement au
sublime, est si touchant, si fragile. Sans le savoir, il a déjà
tout dit, et Hoffmann qui juge, dans le *Journal des Débats*,
de ses premières odes a tout dit également : « Le luxe poétique de M. Hugo lui fait rencontrer des écueils : souvent
il tombe dans l'obscurité, quelquefois il s'élève jusqu'à
l'exagération romantique. » A cette date, l'accusation est
prophétique. Elle le sera moins en 1824, à l'époque des
Nouvelles Odes. En dehors de la poursuite de la veine
intime et rêveuse qui est, somme toute, rassurante,
trois facteurs troublants caractérisent le recueil : l'efface-
ment de l'ode historique, la montée de l'ode métaphysique,
le développement de l'ode pittoresque.

Sur le premier point il est difficile de faire le départ entre
les motivations politiques et les motivations littéraires. Que
Hugo prenne déjà, vis-à-vis du pouvoir, ses distances,
n'est qu'à demi surprenant ; qu'il cherche à se renouveler,
à élargir son clavier serait tout à fait naturel. Mais l'absence
à peu près totale d'odes franchement politiques a pour
effet de découvrir le poète, et cela dans la mesure même

où les nouveaux développements de sa poésie sont moins
compatibles avec les credos poétiques de la restauration
littéraire.

La poésie métaphysique avait, dans les milieux royalistes,
une situation ambiguë. Au moment où étaient parues les
Méditations poétiques de Lamartine, on avait vu d'un assez
bon œil le succès d'une poésie qui, enfin, s'écartait du
matérialisme païen. Mais les critiques les plus conserva-
teurs avaient refusé de s'extasier : les légitimités littéraires
ne s'accommodent pas du vague, ni de l'obscur, et le genre
biblique est à priori suspect, quoi qu'en pense M. de Ge-
noude. Le recours à la poésie métaphysique, de la part d'un
poète qui a déjà agacé ou inquiété les aristarques, n'est
donc pas fait pour rassurer. Il est la marque d'une tenta-
tion répréhensible, que libéraux et ultras s'unissent pour
condamner : celle de la rupture avec les « saines doctrines ».
C'en est fini de la lune de miel entre le jeune prodige et
les piliers de la restauration littéraire. « Je n'y ai rien
compris, sinon que l'auteur est un fou, qui croit parler à
des fous, comme lui », grommelle Géraud, parlant de *L'Ame*.
Et Hoffmann triomphe : « les romantiques cherchent leurs
formes et leurs couleurs dans le monde idéal et fantastique ». Donc Hugo est un romantique.

La question est mal posée, mais il suffit qu'elle soit posée
pour que se produise un mouvement irréversible. Géraud
le sait bien qui, après avoir persiflé *L'Antéchrist*, ajoute :
« D'autres y verront peut-être d'ineffables beautés. » Et
Hugo lui-même, après avoir refusé les étiquettes et avoir
tenté — c'était de bonne guerre — de se mettre au-dessus
de la mêlée, se fait assez vite une raison. Il sera romantique... comme tous les grands poètes du passé. D'ailleurs
il ne proteste même pas lorsque le baron d'Eckstein, qui
a réussi à s'emparer pour un temps des *Annales de la littérature et des arts*, organe de là Société des Bonnes Lettres,
parle, dans le numéro de janvier 1823, de la « nouvelle
école » fondée par « MM. de Lamartine, A. Guiraud, Soumet, Hugo et leurs émules ». Les jeux sont faits.

Il n'y entre, de la part de Hugo, aucun fanatisme, et
même aucun dogmatisme. Il paraît s'être montré plutôt
surpris des réactions hostiles, peiné de se trouver seul, en
butte aux sarcasmes des adversaires de toujours (comme
Stendhal dont les articles de l'*Edinburgh Review* sont d'une
violence incroyable) et aux attaques des amis d'hier. Pouvait-il s'attendre, alors qu'il tenait tellement à diversifier
sa poésie, à voir une de ses expériences prendre une telle

signification historique ? Pouvait-il s'attendre même à trouver là le chemin de ses plus grandes réussites futures ? Vues a posteriori, des odes comme *L'Ame* ou *L'Antéchrist* portent en elles tout l'avenir, et ce que le lyrisme hugolien a de plus personnel : les grandes parousies de l'exil, les tempêtes métaphysiques des *Contemplations*. Elles sont le premier abandon à la « pente de la rêverie », le premier contact de Hugo avec ce qui va devenir son univers : un paysage cosmique « plus loin que la terre », parcouru par la « comète rayonnante »,

> Traînant sa chevelure éparse dans les cieux.

Ce pourrait n'être qu'un pressentiment obscur, mais la maîtrise du poète sur son matériel imaginaire est impressionnante. Malgré les traces, pour nous gênantes, de la diction poétique traditionnelle, le sens tout nouveau de la juxtaposition qui fait image, sans intervention des catégories de la rhétorique, suffit à conférer à ces odes « métaphysiques » une valeur propre et une signification historique. Les réussites ne sont pas toujours voyantes, mais pour qui peut oublier les grincements dus à l'époque, les moments miraculeux ne manquent pas :

> On verra l'arène inféconde
> Sous ses pieds de fleurs s'émailler,
> Et les astres sur lui descendre en auréoles.

Hugo a-t-il, à vingt-deux ans, trouvé ce qui sera sa voix ?

De cela, Hugo n'a pas lui-même conscience. Pour lui, et malgré ce que disent les critiques hostiles, l'imaginaire ne peut être objet de poésie que s'il est appuyé et complété par la « poésie des images », au sens classique du terme. Il le dit dans une conversation avec Nodier rapportée dans son « journal » par Ulrich Guttinguer. Il le montre en écrivant plusieurs séries de poèmes « pittoresques » dans lesquels les impressions de l'âme ne jouent à peu près aucun rôle. Les uns, *Chant de l'arène*, *Chant du cirque*, *Chant du tournoi*, sont des exemples parfaits d'une poésie totalement faite pour les yeux, à l'opposé, en somme, des odes historiques et politiques ; d'autres, comme la première ballade *(Une Fée)* ou les poèmes archaïsants à la manière de Nodier *(Le Sylphe)*, illustrent l'offensive, contre les mythologies anciennes, du folklore occidental ; *Mon enfance*, poème à part, évoque avec splendeur l'épopée impériale dans un décor mouvant.

Cette diversité est parfaitement naturelle. Pour Hugo, toutes les voies doivent être essayées, tous les genres de poésie conquis. Le troubadour, le pittoresque, comme l'apocalyptique et l'intime. Parce qu'il faut prouver sa force, dans tous les domaines. Et aussi parce que toutes ces expériences sont nécessaires pour que finisse par s'élever le chant inimitable. Echo sonore, à l'écoute de toutes les voix, pour n'être, au bout du chemin, que son propre écho. De toutes ces tendances, certaines ont plus d'avenir que d'autres. Le « troubadour » ne dépassera guère les *Ballades* ; le pittoresque, au-delà des *Orientales*, nourrira la *Légende des siècles*. Un poème comme *Mon enfance* atteste un sens de l'épique et un don de l'évocation qui sont d'un poète sûr de ses moyens.

Pour le lecteur moderne, les *Ballades* sont peut-être ce qui a le plus mal vieilli. La surabondance du bric-à-brac d'époque tend à voiler leur qualité. Elles ont pourtant beaucoup fait pour établir la réputation de Hugo parmi la jeunesse qui se cherchait un roi et qui avait moins de sympathie pour les figures mythologiques de la Restauration (Mlle de Sombreuil ou le duc de Bordeaux) que pour un Moyen Age que l'on imaginait gaillard. Ce n'est d'ailleurs pas simplement une question de thématique, et il faut savoir gré à Hugo d'avoir contribué à déplacer le problème. Jusque-là, la révolution littéraire s'était contentée de variations classiques sur des thèmes relativement nouveaux. Le vers était resté à peu près intact. Les *Ballades*, non sans agressivité, passaient du plan thématique au plan technique : questions métriques et problèmes de rime.

Evidemment, l'enrichissement de la rime (que Sainte-Beuve, dans *Joseph Delorme*, mettra au premier rang des acquisitions du « romantisme ») et la création de rythmes variés et sautillants permettaient de révolutionner la technique à bon compte, sans attaquer les grands problèmes de la langue poétique. Mais c'était empiriquement une assez bonne méthode. L'alexandrin traditionnel appelait le remplissage. Ces vers courts, à rime riche, demandaient d'autres qualités : en particulier l'économie. C'est grâce à ces exercices d'assouplissement que la concision sera rendue possible et que « ce grand niais d'alexandrin » sera finalement disloqué. On pourrait évidemment regretter que ce soit à cause de ces acrobaties verbales que Sainte-Beuve a appelé Hugo « le plus grand inventeur de rythmes lyriques qu'ait eu la Poésie française depuis Ronsard ». Car la vraie richesse rythmique ne dépend pas de la variété des mètres employés. Mais il suffit qu'on l'ait cru, parmi les jeunes écrivains, pour que les *Ballades* soient historiquement justifiées. Ainsi jouent-elles leur rôle dans la libération d'une vigueur future. Il n'est pas indifférent que toute une génération ait trouvé dans *Le Pas d'armes du roi Jean* ou dans *La Chasse du burgrave* une source de bonne humeur. Pour les troupes de la « bataille d'Hernani » ce sera un aliment. Ce n'est, bien sûr, que de la petite histoire. Mais le « libéralisme en littérature » pourrait bien être une robe sans couture.

Hugo restera, quelque temps encore, attaché à ces dangereuses prouesses qui lui valent un tel succès : il les poussera même plus loin encore, dans un poème comme *Les Djinns* où les variations du mètre ont une valeur figurative beaucoup plus accusée que dans les poèmes précédents (Sainte-Beuve avait comparé, dans les *Ballades*, les brisures du rythme au morcellement d'un vitrail). Mais l'essentiel est ailleurs : dans le fait que les poèmes en vers courts donnent le souffle large. *Les Orientales* marquent, sur ce point, un incontestable progrès. Un poème comme *Vœu* (mais il y en a beaucoup d'autres) est un chef-d'œuvre rythmique, un des premiers exemples dans lesquels le souffle paraisse inépuisable. Et que de science de la strophe dans *Lazzara !*

Malgré les efforts de Hugo pour désamorcer son titre (« livre inutile de pure poésie »... « une idée qui lui a pris ; et qui lui a pris d'une façon assez ridicule, l'été passé, en allant voir coucher le soleil »), il est difficile d'oublier totalement l'insurrection grecque, Byron à Missolonghi, la mode. Mais ce rappel (que Hugo fait lui-même discrètement dans la préface) est à double tranchant. On s'aperçoit, à la lecture, que le philhellénisme compte à peine, et que l'on pourrait, sans trop amoindrir le recueil, l'amputer de toute allusion au passé immédiat, à l'exception des pièces sur Napoléon, si prophétiques que Hugo les réimprimera en tête de son anthologie napoléonienne de 1840, à l'occasion du retour des cendres de l'empereur. Il faut chercher ailleurs.

La préface constitue dans le cas des *Orientales* un assez bon moyen d'approche : « livre inutile de pure poésie », n'est-ce pas une belle définition de ce que l'on a nommé depuis l'art pour l'art ? Si l'on joint à cette déclaration agressive les enthousiasmes d'un Gautier ou les dénonciations indignées de tous ceux qui voient dans *Les Orien-*

tales le triomphe de la poésie matérialiste, la cause paraît
entendue : *Les Orientales* sont la continuation des *Ballades*
et la négation des *Odes*, que caractérisait l'engagement.
De nombreux passages, catalogue des vaisseaux dans Navarin, variations sur les villes espagnoles dans *Grenade*, inven-
taire plein d'humour de ce qu'eût donné, pour l'amour
d'une belle jeune fille, « le vieux Omer, pacha de Nègre-
pont », confirment cette impression. Mais cette prise de
position violente n'a de sens que dans le contexte historique. Le grand mérite des *Orientales*, c'est de lever l'hypo-
thèque de la poésie descriptive.

Importé d'Angleterre par les traducteurs de Thomson,
et de la Rome antique par les traducteurs de Virgile (le
chapitre des *Misérables* sur *L'Année 1817* contient sur ce
point quelques ironies rétrospectives), le goût du descriptif avait joué, dans l'histoire de la poésie française, un rôle
ambigu. Il était de bon ton de se moquer de l'abbé Delille,
qu'on accusait d'avoir édulcoré Virgile et d'avoir accumulé
les périphrases alambiquées. Le *Conservateur littéraire*
avait raillé la manie du descriptif par une citation percu-
tante :

> Un âne, sous les yeux de ce rimeur maudit,
> Ne peut passer tranquille ; il faut qu'il soit décrit.

Mais les sarcasmes faciles ne suffisent pas. Delille est certainement, avec Hugo, un des poètes qui ont fait passer le
plus de mots nouveaux dans la poésie, et l'usage immodéré
de la périphrase est moins une faiblesse ou une timidité
qu'un parti pris. Il n'est pas interdit d'employer en vers
le mot « café » (Delille, d'ailleurs, l'emploie, agrémenté, il
est vrai, d'une épithète parasite), mais il est beaucoup plus
poétique de le remplacer par une périphrase, qui permettra
au poète de faire preuve de virtuosité et au lecteur de sub-
tilité. En dépit des moyens employés, qui sont la marque
de l'époque, les poètes descriptifs avaient pourtant introduit dans une poésie énervée par l'abstraction et par les
préjugés antipoétiques un sens du concret, une présence
du monde extérieur dont les poètes plus jeunes ne pouvaient ignorer l'existence. A l'époque où fleurissait la querelle du mot propre et de la couleur, les solutions de l'abbé
Delille, pour contestables qu'elles fussent, constituaient
un défi. *Les Orientales* sont une manière de relever le gant,
en battant les descriptifs sur leur propre terrain, en « faisant » des mosquées comme Delille « faisait » des bilbo-
quets.

Cette partie-là ne peut se gagner qu'en économisant autant que possible les ronds de jambe qu'imposait la diction poétique traditionnelle, et en recherchant mots propres et rythmes expressifs. Il faut que le poète cesse d'être celui qui donne à deviner (ou à penser) pour devenir celui qui donne à voir. Hugo n'y réussit pas toujours. Mais lorsqu'il montre, dans Grenade, la lune qui « sème les murs de trèfles blancs » ou qu'il évoque

> La grande peau de tigre où pend son carquois d'or
> Hérissé de flèches mogoles

il est à la fois l'héritier des poètes descriptifs et leur fossoyeur.

Recueil-charnière, Les Orientales est aussi un livre secret, un livre d'ombre où la lune joue un plus grand rôle que le soleil, un livre trop souvent crépusculaire pour que l'on ne puisse y discerner des choix profonds de l'imagination. Ce qu'ici Hugo nomme fantaisie n'est pas un jeu gratuit, mais un abandon à des pentes personnelles, une acceptation de soi-même. Cette note-là n'est pas toujours totalement claire, et des poèmes comme Mazeppa ou Le Feu du ciel ne sont pas absolument transparents : faute de savoir ce que Hugo deviendra, ils peuvent n'avoir pas sur le lecteur la totalité du pouvoir qu'une connaissance de l'œuvre entière leur confère. Mais le sens du mouvement, ce soleil qui tourne « comme une roue de marbre aux veines d'or », ces serpents qui créent dans les deux poèmes des torsions berninesques, ce voyage cosmique, à la fin de Mazeppa, la Babel écroulée, « spirale infinie », les reptations, les surgissements, l'œil qui se perd dans les « profonds détours » des villes maudites, les entassements d'architectures, constituent, dans un cadre narratif, les linéaments de l'univers imaginaire dont l'œuvre d'exil proclamera le pouvoir. C'est pour cela que Les Orientales sont à la fois une évasion et une invasion. Les poèmes méditatifs, comme Novembre, qui clôt le recueil, et surtout comme Rêverie, disent avec un bonheur variable cette ambiguïté. Il y a la réalité parisienne automnale, que Hugo évoque en termes quasi lamartiniens. Il y a aussi un rêve exotique, un ailleurs éclatant et doré. Mais cette image rêvée est étrangement assourdie. Tandis que l'ombre « s'amasse au fond du corridor », la vision que le poète appelle de ses vœux s'éteint « en rumeurs étouffées ». C'est dire que la poésie « matérielle » des Orientales est aussi poésie de l'âme, et que s'efface l'antinomie entre le dedans et le dehors. Cela, les poètes descriptifs n'avaient pas su le faire. Il ne s'agit plus, on le voit, de menuets et d'échos anticipés, mais d'une œuvre majeure, qui trouve en elle-même sa justification. La première où le désir de donner à voir s'insère presque parfaitement dans une structure imaginaire.

Jean GAUDON.

NOTE BIBLIOGRAPHIQUE

I. ODES ET POÉSIES DIVERSES

(Pélicier, 1822.)

a) *Odes.*

1. *Le Poète dans les révolutions.*
2. *La Vendée.*
3. *Les Vierges de Verdun.*
4. *Quiberon.*
5. *Le Rétablissement de la statue de Henri IV.*
6. *La Mort du duc de Berry.*
7. *La Naissance du duc de Bordeaux.*
8. *Le Baptême du duc de Bordeaux.*
9. *Vision.*
10. *Buonaparte.*
11. *La Lyre et la Harpe.*
12. *Moïse sur le Nil.*
13. *Le Dévouement.*
14. *L'Homme heureux.*
15. *Le Génie.*
16. *A l'Académie des Jeux floraux.*
17. *La Fille d'O-Taïti.*
18. *Regret.*
19. *Au vallon de Chérizy.*
20. *A toi.*
21. *La Chauve-souris.*
22. *Le Nuage.*
23. *Le Cauchemar.*
24. *Le Matin.*

b) *Poésies diverses.*

1. *Raymond d'Ascoli.*
2. *Idylle.*
3. *Les Derniers Bardes.*

II. Odes

(Persan, 1823.)

Aux vingt-quatre odes du recueil précédent ont été ajoutées deux odes nouvelles :
1. *Jéhovah*.
2. *Louis XVII*.

III. Nouvelles Odes

(Ladvocat, 1824.)

Il s'agit d'un recueil entièrement nouveau, comportant
vingt-huit pièces :
1. *A mes vers* (dans l'édition définitive : *A mes odes*).
2. *Le Poète*.
3. *L'Histoire*.
4. *La Bande noire*.
5. *A mon père*.
6. *Le Repas libre*.
7. *La Liberté*.
8. *La Guerre d'Espagne*.
9. *A L'Arc de Triomphe* (dans l'édition définitive :
   A l'Arc de triomphe de l'Etoile).
10. *La Mort de Mademoiselle de Sombreuil*.
11. *L'Ame*.
12. *Le Chant de l'arène*.
13. *Le Chant du cirque*.
14. *Le Chant du tournoi*.
15. *Le Sylphe*.
16. *La Grand-mère*.
17. *Epitaphe*.
18. *Mon enfance*.
19. *Ballade* (dans l'édition définitive : *Une Fée*) .
20. *A G...y*.
21. *Paysage*.
22. *Encore à toi*.
23. *Son nom*.
24. *Actions de grâces*.
25. *A mes amis*.
26. *A l'ombre d'un enfant*.
27. *L'Antéchrist*.
28. *Le Dernier Chant*.

IV. Odes et Ballades

(Ladvocat, 1826.)

Cette première édition collective comprend, outre les odes déjà publiées en 1822 et 1823, treize odes nouvelles et dix ballades.

a) *Odes.*

1. *A Alphonse de Lamartine.*
2. *A M. de Chateaubriand.*
3. *Les Funérailles de Louis XVIII.*
4. *Le Sacre de Charles X.*
5. *Au colonel Gustaffson.*
6. *Les Deux Iles.*
7. *Un Chant de fête sous Néron.*
8. *A **** (dans l'édition définitive : *A Ramon, duc de Benav.*).
9. *A une jeune fille.*
10. *Le Portrait d'une enfant.*
11. *Aux ruines de Montfort-l'Amaury.*
12. *Le Voyage.*
13. *Promenade.*

b) *Ballades.*

1. *A Trilby, le lutin d'Argail.*
2. *Le Géant.*
3. *La Fiancée du timbalier.*
4. *La Mêlée.*
5. *Les Deux Archers.*
6. *L'Aveu du châtelain* (dans l'édition définitive : *Ecoute-moi, Madeleine*).
7. *Hymne oriental* (repris dans *les Orientales* sous le titre : *La Ville prise*).
8. *La Ronde du Sabbat.*
9. *La Fée et la Péri.*
10. *A un passant.*

V. Odes et Ballades

(Bossange, 1828.)

Edition définitive comprenant, outre les pièces de l'édition de 1826, l'*Ode à la Colonne* et dix pièces nouvelles :

a) *Odes.*

  1. *A la colonne de la place Vendôme.*
  2. *Fin.*
  3. *La Demoiselle.*
  4. *A mon ami* [Sainte-Beuve].
  5. *Premier soupir.*
  6. *A Madame la comtesse A* [bel] *H* [ugo].
  7. *Pluie d'été.*
  8. *Rêves.*

b) *Ballades.*

  1. *La Chasse du Burgrave.*
  2. *Le Pas d'armes du roi Jean.*
  3. *La Légende de la Nonne.*

L'*Hymne oriental* a été éliminé.

VI. LES ORIENTALES

(Gosselin, 1829.)

Nous avons reproduit pour les *Odes et Ballades* le texte de
la quatrième édition (Bossange, 1828), c'est-à-dire de la
première édition complète. Pour *Les Orientales,* nous avons
suivi le texte de l'édition originale (Gosselin, 1829). Les
préfaces des autres éditions ont été imprimées en appen-
dice.

ODES

PRÉFACE

Ce recueil n'avait été jusqu'ici publié que sous le format in-18, en trois volumes. Pour fondre ces trois volumes en deux tomes dans la présente réimpression, divers changements dans la disposition des matières ont été nécessaires; on a tâché que ces changements fussent des améliorations.

Chacun des trois volumes des précédentes éditions représentait la manière de l'auteur à trois moments, et pour ainsi dire à trois âges différents; car sa méthode consistant à amender son esprit plutôt qu'à retravailler ses livres, et, comme il l'a dit ailleurs, *à corriger un ouvrage dans un autre ouvrage*, on conçoit que chacun des écrits qu'il publie peut, et c'est là sans doute leur seul mérite, offrir une physionomie particulière à ceux qui ont du goût pour certaines études de langue et de style, et qui aiment à relever, dans les œuvres d'un écrivain, les dates de sa pensée.

Il était donc peut-être nécessaire d'observer quelque ordre dans la fusion des trois volumes in-18 en deux in-8°.

Une distinction toute naturelle se présentait d'abord, celle des poèmes qui se rattachent par un côté quelconque à l'histoire de nos jours, et des poèmes qui y sont étrangers. Cette double division répond à chacun des deux volumes de la présente édition. Ainsi le premier volume contient toutes les Odes relatives à des événements ou à des personnages contemporains; les pièces d'un sujet capricieux composent le second. Des subdivisions ont ensuite semblé utiles. Les Odes historiques, qui constituent le premier volume, et qui offrent sous un côté le développement de la pensée de l'auteur dans un espace de dix années (1818-1828), ont été partagées en trois livres. Chacun de ces livres répond à un des volumes des précédentes éditions, et renferme, dans leur ancien

classement, les Odes politiques que ce volume contenait.
Ces trois livres sont respectivement l'un à l'autre comme
étaient entre eux les trois volumes. Le second corrige le
premier; le troisième corrige le second. Ainsi le petit
nombre de personnes que ce genre d'études intéresse
pourra comparer, et pour la forme et pour le fond, les trois
manières de l'auteur à trois époques différentes, rappro-
chées, et en quelque sorte confrontées dans le même
volume. On conviendra peut-être qu'il y a quelque bonne
foi, quelque désintéressement à faciliter de cette façon les
dissections de la critique.

Le deuxième volume contient le quatrième et le cinquième livre des Odes, l'un consacré aux sujets de fantaisie, l'autre à des traductions d'impressions personnelles.
Les Ballades complètent ce volume, qui, de cette manière,
est, comme l'autre, divisé en trois sections. Les poèmes
sont le plus souvent rangés par ordre de dates.

Pour en finir de ces détails, peut-être inutiles et à coup
sûr minutieux, nous ferons observer que les préfaces qui
avaient accompagné les trois recueils aux époques de leur
publication ont été imprimées à la suite de celle-ci, dans le
premier volume, également par ordre de dates. On pourra
remarquer, dans les idées qui y sont avancées, une progres-
sion de liberté qui n'est ni sans signification ni sans enseignement.

Enfin dix pièces nouvelles, sans compter l'*Ode à la
colonne de la place Vendôme*, ont été ajoutées à la présente
édition.

Il faut tout dire. Les modifications apportées à ce
recueil ne se bornent pas peut-être à ces changements
matériels. Quelque puérile que paraisse à l'auteur l'habi-
tude de *faire des corrections* érigée en système, il est très
loin d'avoir fui, ce qui serait aussi un système non moins
fâcheux, les corrections qui lui ont paru importantes;
mais il a fallu pour cela qu'elles se présentassent naturelle-
ment, invinciblement, comme d'elles-mêmes, et en quelque
sorte avec le caractère de l'inspiration. Ainsi bon nombre
de vers se sont trouvés refaits, bon nombre de strophes
remaniées, remplacées ou ajoutées. Au reste, tout cela ne
valait peut-être pas plus la peine d'être fait que d'être
dit.

Ç'aurait sans doute été plutôt ici le lieu d'agiter quelques-
unes des hautes questions de langue, de style, de versification, et particulièrement de rythme, qu'un recueil de
poésie lyrique française au dix-neuvième siècle peut et doit

soulever. Mais il est rare que de semblables dissertations ne ressemblent pas plus ou moins à des apologies. L'auteur s'en abstiendra donc ici, en se réservant d'exposer ailleurs les idées qu'il a pu recueillir sur ces matières, et, qu'on lui pardonne la présomption de ces paroles, de dire ce qu'il croit que l'art lui a appris. En attendant, il appelle sur ces questions l'attention de tous les critiques qui comprennent quelque chose au mouvement progressif de la pensée humaine, qui ne cloîtrent pas l'art dans les poétiques et les règles, et qui ne concentrent pas toute la poésie d'une nation dans un genre, dans une école, dans un siècle hermétiquement fermé.

Au reste, ces idées sont de jour en jour mieux comprises. Il est admirable de voir quels pas de géant l'art fait et fait faire. Une forte école s'élève, une génération forte croît dans l'ombre pour elle. Tous les principes que cette époque a posés, pour le monde des intelligences comme pour le monde des affaires, amènent déjà rapidement leurs conséquences. Espérons qu'un jour le dix-neuvième siècle, politique et littéraire, pourra être résumé d'un mot : la liberté dans l'ordre, la liberté dans l'art.

Août 1828.

ODES

Quelque chose me presse d'élever la voix,
et d'appeler mon siècle en jugement.

F. DE LA MENNAIS.

Ecoutez : je vais vous dire des choses du
cœur.

HAFIZ.

LIVRE PREMIER

1818-1822

Vox clamabat in deserto.

ODE PREMIÈRE

LE POÈTE DANS LES RÉVOLUTIONS

A M. Alexandre Soumet.

> Mourir sans vider mon carquois!
> Sans percer, sans fouler, sans pétrir dans leur fange
> Ces bourreaux barbouilleurs de lois!
> ANDRÉ CHÉNIER, *Iambe.*

« Le vent chasse loin des campagnes
Le gland tombé des rameaux verts;
Chêne, il le bat sur les montagnes;
Esquif, il le bat sur les mers.
5   Jeune homme, ainsi le sort nous presse.
Ne joins pas, dans ta folle ivresse,
Les maux du monde à tes malheurs;
Gardons, coupables et victimes,
Nos remords pour nos propres crimes,
10   Nos pleurs pour nos propres douleurs! »

Quoi! mes chants sont-ils téméraires ?
Faut-il donc, en ces jours d'effroi,
Rester sourd aux cris de ses frères ?
Ne souffrir jamais que pour soi ?
15   Non, le poète sur la terre
Console, exilé volontaire,

Les tristes humains dans leurs fers ;
Parmi les peuples en délire,
Il s'élance, armé de sa lyre,
20   Comme Orphée au sein des enfers !

« Orphée, aux peines éternelles
Vint un moment ravir les morts ;
Toi, sur les têtes criminelles,
Tu chantes l'hymne du remords.
25   Insensé ! quel orgueil t'entraîne ?
De quel droit viens-tu dans l'arène
Juger sans avoir combattu ?
Censeur échappé de l'enfance,
Laisse vieillir ton innocence,
30   Avant de croire à ta vertu ! »

Quand le crime, Python livide,
Brave, impuni, le frein des lois,
La Muse devient l'Euménide :
Apollon saisit son carquois !
35   Je cède au Dieu qui me rassure ;
J'ignore à ma vie encor pure
Quels maux le sort veut attacher ;
Je suis sans orgueil mon étoile ;
L'orage déchire la voile :
40   La voile sauve le nocher.

« Les hommes vont aux précipices !
Tes chants ne les sauveront pas.
Avec eux, loin des cieux propices,
Pourquoi donc égarer tes pas ?
45   Peux-tu, dès tes jeunes années,
Sans briser d'autres destinées,
Rompre la chaîne de tes jours ?
Epargne ta vie éphémère ;
Jeune homme, n'as-tu pas de mère ?
50   Poète, n'as-tu pas d'amours ? »

Eh bien ! à mes terrestres flammes,
Si je meurs, les cieux vont s'ouvrir.
L'amour chaste agrandit les âmes,
Et qui sait aimer sait mourir.
55   Le poète, en des temps de crime,
Fidèle aux justes qu'on opprime,
Célèbre, imite les héros ;

Il a, jaloux de leur martyre,
Pour les victimes une lyre,
60   Une tête pour les bourreaux!

« On dit que jadis le Poète,
Chantant des jours encor lointains,
Savait à la terre inquiète
Révéler ses futurs destins.
65   Mais toi, que peux-tu pour le monde ?
Tu partages sa nuit profonde :
Le ciel se voile et veut punir;
Les lyres n'ont plus de prophète,
Et la Muse, aveugle et muette,
70   Ne sait plus rien de l'avenir! »

Le mortel qu'un Dieu même anime
Marche à l'avenir, plein d'ardeur;
C'est en s'élançant dans l'abîme
Qu'il en sonde la profondeur.
75   Il se prépare au sacrifice;
Il sait que le bonheur du vice
Par l'innocent est expié;
Prophète à son jour mortuaire,
La prison est son sanctuaire,
80   Et l'échafaud est son trépied!

« Que n'es-tu né sur les rivages
Des Abbas et des Cosroës,
Aux rayons d'un ciel sans nuages,
Parmi le myrte et l'aloès!
85   Là, sourd aux maux que tu déplores,
Le poète voit ses aurores
Se lever sans trouble et sans pleurs;
Et la colonne, chère aux sages,
Porte aux vierges ses doux messages
90   Où l'amour parle avec des fleurs! »

Qu'un autre au céleste martyre
Préfère un repos sans honneur!
La gloire est le but où j'aspire;
On n'y va point par le bonheur.
95   L'alcyon, quand l'Océan gronde,
Craint que les vents ne troublent l'onde
Où se berce son doux sommeil;
Mais pour l'aiglon, fils des orages,

Ce n'est qu'à travers les nuages
100   Qu'il prend son vol vers le soleil !

Mars 1821.

ODE DEUXIÈME

LA VENDÉE

A Monsieur le Vicomte de Chateaubriand.

Ave, Cæsar, morituri te salutant.

I

« Qui de nous, en posant une urne cinéraire,
N'a trouvé quelque ami pleurant sur un cercueil ?
Autour du froid tombeau d'une épouse ou d'un frère
          Qui de nous n'a mené le deuil[1] ? »
5   — Ainsi, sur les malheurs de la France éplorée
          Gémissait la Muse sacrée
          Qui nous montra le ciel ouvert,
Dans ces chants où, planant sur Rome et sur Palmyre,
Sublime, elle annonçait les douceurs du martyre
10   Et l'humble bonheur du désert !

Depuis, à nos tyrans rappelant tous leurs crimes,
Et vouant aux remords ces cœurs sans repentirs,
Elle a dit : « En ces temps la France eut des victimes ;
          Mais la Vendée eut des martyrs[2] ! »
15   — Déplorable Vendée, a-t-on séché tes larmes ?
          Marches-tu, ceinte de tes armes,
          Au premier rang de nos guerriers ?
Si l'Honneur, si la Foi n'est pas un vain fantôme,
Montre-moi quels palais ont remplacé le chaume
20   De tes rustiques chevaliers !

Hélas ! tu te souviens des jours de ta misère !
Des flots de sang baignaient tes sillons dévastés,
Et le pied des coursiers n'y foulait de poussière
          Que la cendre de tes cités !

25 Ceux-là qui n'avaient pu te vaincre avec l'épée
          Semblaient, dans leur rage trompée,
          Implorer l'enfer pour appui;
   Et, roulant sur la plaine en torrents de fumée,
   Le vaste embrasement poursuivait ton armée,
30   Qui ne fuyait que devant lui!

                           II

   La Loire vit alors, sur ses plages désertes,
   S'assembler les tribus des vengeurs de nos rois,
   Peuple qui ne pleurait, fier de ses nobles pertes,
          Que sur le Trône et sur la Croix.
35 C'étaient quelques vieillards fuyant leurs toits en flammes,
          C'étaient des enfants et des femmes,
          Suivis d'un reste de héros;
   Au milieu d'eux marchait leur Patrie exilée,
   Car ils ne laissaient plus qu'une terre peuplée
40   De cadavres et de bourreaux.

   On dit qu'en ce moment, dans un divin délire,
   Un vieux prêtre parut parmi ces fiers soldats,
   Comme un saint, chargé d'ans, qui parle du martyre
          Aux nobles anges des combats;
45 Tranquille, en proclamant de sinistres présages,
          Les souvenirs des anciens âges
          S'éveillaient dans son cœur glacé;
   Et, racontant le sort qu'ils devaient tous attendre,
   La voix de l'avenir semblait se faire entendre
50   Dans ses discours pleins du passé.

                          III

   « Au-delà du Jourdain, après quarante années,
   Dieu promit une terre aux enfants d'Israël;
   Au-delà de ces flots, après quelques journées,
          Le Seigneur vous promet le ciel.
55 Ces bords ne verront plus vos phalanges errantes.
          Dieu, sur des plaines dévorantes,
          Vous prépare un tombeau lointain;
   Votre astre doit s'éteindre, à peine à son aurore;
   Mais Samson expirant peut ébranler encore
60   Les colonnes du Philistin!

« Vos guerriers périront. Mais, toujours invincibles,
S'ils ne peuvent punir, ils sauront se venger :
Car ils verront encor fuir ces soldats terribles,
      Devant qui fuyait l'étranger !
65 Vous ne mourrez pas tous sous des bras intrépides ;
      Les uns, sur des nefs homicides,
      Seront jetés aux flots mouvants ;
Ceux-là promèneront des os sans sépulture,
Et cacheront leurs morts sous une terre obscure,
70   Pour les dérober aux vivants [3] !

« Et vous, ô jeune Chef, ravi par la victoire
Aux hasards de Mortagne, aux périls de Saumur,
L'honneur de vous frapper dans un combat sans gloire
      Rendra célèbre un bras obscur.
75 Il ne sera donné qu'à bien peu de nos frères
      De revoir, après tant de guerres,
      La place où furent leurs foyers ;
Alors, ornant son toit de ses armes oisives,
Chacun d'eux attendra que Dieu donne à nos rives
80   Les lis, qu'il préfère aux lauriers.

« Vendée, ô noble terre ! ô ma triste patrie !
Tu dois payer bien cher le retour de tes rois !
Avant que sur nos bords croisse la fleur chérie,
      Ton sang l'arrosera deux fois.
85 Mais aussi, lorsqu'un jour l'Europe réunie
      De l'arbre de la tyrannie
      Aura brisé les rejetons,
Tous les rois vanteront leurs camps, leur flotte immense,
Et, seul, le Roi Chrétien mettra dans la balance
90   L'humble glaive des vieux Bretons !

« Grand Dieu ! — Si toutefois, après ces jours d'ivresse [4],
Blessant le cœur aigri du héros oublié,
Une voix insultante offrait à sa détresse
      Les dons ingrats de la pitié ;
95 Si sa mère, et sa veuve, et sa fille éplorées,
      S'arrêtaient, de faim dévorées,
      Au seuil d'un favori puissant,
Rappelant à celui qu'implore leur misère,
Qu'elles n'ont plus ce fils, cet époux et ce père
100   Qui croyait leur léguer son sang ;

« Si, pauvre et délaissé, le citoyen fidèle,
Lorsqu'un traître enrichi se rirait de sa foi,

Entendait au sénat calomnier son zèle
        Par celui qui jugea son roi;
105 Si, pour comble d'affronts, un magistrat injuste,
        Déguisant sous un nom auguste
        L'abus d'un insolent pouvoir,
Venait, de vils soupçons chargeant sa noble tête,
Lui demander ce fer, sa première conquête, —
110   Peut-être son dernier espoir;

« Qu'il se résigne alors. — Par ses crimes prospères
L'impie heureux insulte au fidèle souffrant :
Mais que le juste pense aux forfaits de nos pères,
        Et qu'il songe à son Dieu mourant.
115 Le Seigneur veut parfois le triomphe du vice;
        Il veut aussi, dans sa justice,
        Que l'innocent verse des pleurs;
Souvent, dans ses desseins, Dieu suit d'étranges voies,
Lui qui livre Satan aux infernales joies,
120   Et Marie aux saintes douleurs! »

IV

Le vieillard s'arrêta. Sans croire à son langage,
Ils quittèrent ces bords, pour n'y plus revenir;
Et tous croyaient couvert des ténèbres de l'âge
        L'esprit qui voyait l'avenir! —
125 Ainsi, faible en soldats, mais fort en renommée,
        Ce débris d'une illustre armée
        Suivait sa bannière en lambeaux;
Et ces derniers Français, que rien ne put défendre,
Loin de leur temple en deuil et de leur chaume en cendre,
130   Allaient conquérir des tombeaux!

                                        1819.

ODE TROISIÈME

LES VIERGES DE VERDUN [5]

Le prêtre portera l'étole blanche et noire
Lorsque les saints flambeaux pour vous s'allu-
[meront;
Et de leurs longs cheveux voilant leurs fronts
[d'ivoire,
Les jeunes filles pleureront.

A. GUIRAUD.

I

Pourquoi m'apportez-vous ma lyre,
Spectres légers ? — que voulez-vous ?
Fantastiques beautés, ce lugubre sourire
M'annonce-t-il votre courroux ?
5   Sur vos écharpes éclatantes
Pourquoi flotte à longs plis ce crêpe menaçant ?
Pourquoi sur des festons ces chaînes insultantes,
Et ces roses, teintes de sang ?

Retirez-vous : rentrez dans les sombres abîmes...
Ah! que me montrez-vous ?... quels sont ces trois tom-
10 Quel est ce char affreux, surchargé de victimes ? [beaux ?
Quels sont ces meurtriers couverts d'impurs lambeaux ?
J'entends des chants de mort; j'entends des cris de fête.
Cachez-moi le char qui s'arrête!...
15 Un fer lentement tombe à mes regards troublés; —
J'ai vu couler du sang... Est-il bien vrai, parlez,
Qu'il ait rejailli sur ma tête ?
Venez-vous dans mon âme éveiller le remord ?
Ce sang... je n'en suis point coupable!
20 Fuyez, Vierges; fuyez, famille déplorable...
Lorsque vous n'étiez plus, je n'étais pas encor!
Qu'exigez-vous de moi ? J'ai pleuré vos misères;
Dois-je donc expier les crimes de mes pères ?
Pourquoi troublez-vous mon repos ?
25 Pourquoi m'apportez-vous ma lyre frémissante ?
Demandez-vous des chants à ma voix innocente,
Et des remords à vos bourreaux ?

II

Sous des murs entourés de cohortes sanglantes,
            Siège le sombre tribunal.
30 L'Accusateur se lève, et ses lèvres tremblantes
            S'agitent d'un rire infernal.
C'est Tainville : on le voit, au nom de la patrie,
Convier aux forfaits cette horde flétrie
            D'assassins, juges à leur tour ;
35   Le besoin du sang le tourmente ;
Et sa voix homicide à la hache fumante
            Désigne les têtes du jour [6]

Il parle : — ses licteurs vers l'enceinte fatale
Traînent les malheureux que sa fureur signale ;
40 Les portes devant eux s'ouvrent avec fracas ;
Et trois vierges, de grâce et de pudeur parées,
            De leurs compagnes entourées,
            Paraissent parmi les soldats.
Le peuple, qui se tait, frémit de son silence ;
45 Il plaint son esclavage en plaignant leurs malheurs,
            Et repose sur l'innocence
Ses regards, las du crime et troublés par ses pleurs.

Eh quoi ! quand ces beautés, lâchement accusées,
Vers ces juges de mort s'avançaient dans les fers,
50 Ces murs n'ont pas, croulant sous leurs voûtes brisées,
            Rendu les monstres aux enfers !
Que faisaient nos guerriers ?... Leur vaillance trompée
Prêtait au vil couteau le secours de l'épée ;
Ils sauvaient ces bourreaux qui souillaient leurs combats.
55 Hélas ! un même jour, jour d'opprobre et de gloire,
Voyait Moreau monter au char de la victoire,
            Et son père au char du trépas [7] !

Quand nos chefs, entourés des armes étrangères,
            Couvrant nos cyprès de lauriers,
60 Vers Paris lentement reportaient leurs bannières,
Frédéric sur Verdun dirigeait ses guerriers.
Verdun, premier rempart de la France opprimée,
D'un roi libérateur crut saluer l'armée.
            En vain tonnaient d'horribles lois ;
65 Verdun se revêtit de sa robe de fête,
Et, libre de ses fers, vint offrir sa conquête
            Au monarque vengeur des rois [8].

Alors, Vierges, vos mains (ce fut là votre crime!)
Des festons de la joie ornèrent les vainqueurs.
70   Ah! pareilles à la victime,
La hache à vos regards se cachait sous des fleurs.
Ce n'est pas tout; hélas! sans chercher la vengeance,
Quand nos bannis, bravant la mort et l'indigence,
Combattaient nos tyrans encor mal affermis,
75   Vos nobles cœurs ont plaint de si nobles misères;
Votre or a secouru ceux qui furent nos frères,
              Et n'étaient pas nos ennemis!

Quoi! ce trait glorieux, qui trahit leur belle âme,
              Sera donc l'arrêt de leur mort!
80   Mais non, l'Accusateur, que leur aspect enflamme,
              Tressaille d'un honteux transport.
Il veut, Vierges, au prix d'un affreux sacrifice,
En taisant vos bienfaits, vous ravir au supplice;
Il croit vos chastes cœurs par la crainte abattus.
85   Du mépris qui le couvre acceptez le partage,
Souillez-vous d'un forfait, l'infâme aréopage
              Vous absoudra de vos vertus!

              Répondez-moi, Vierges timides :
Qui, d'un si noble orgueil arma ces yeux si doux?
90   Dites, qui fit rouler dans vos regards humides
              Les pleurs généreux du courroux?
              Je le vois à votre courage :
              Quand l'oppresseur qui vous outrage
N'eût pas offert la honte en offrant son bienfait,
Coupables de pitié pour des Français fidèles,
95   Vous n'auriez pas voulu, devant des lois cruelles,
              Nier un si noble forfait!

C'en est donc fait; déjà sous la lugubre enceinte
A retenti l'arrêt dicté par la fureur.
100 Dans un muet murmure, étouffé par la crainte,
Le peuple, qui l'écoute, exhale son horreur.
Regagnez des cachots les sinistres demeures,
              O Vierges! encor quelques heures...
Ah! priez sans effroi, votre âme est sans remord.
105   Coupez ces longues chevelures,
Où la main d'une mère enlaçait des fleurs pures,
Sans voir qu'elle y mêlait les pavots de la mort!

Bientôt ces fleurs encor pareront votre tête;
Les anges vous rendront ces symboles touchants;

110 Votre hymne de trépas sera l'hymne de fête
    Que les Vierges du ciel rediront dans leurs chants.
    Vous verrez près de vous, dans ces chœurs d'innocence,
    Charlotte, autre Judith, qui vous vengea d'avance [9];
    Gazotte, Elisabeth, si malheureuse en vain;
115 Et Sombreuil, qui trahit par ses pâleurs soudaines
    Le sang glacé des morts circulant dans ses veines [10];
    Martyres, dont l'encens plaît au Martyr divin!

III

    Ici, devant mes yeux erraient des lueurs sombres;
    Des visions troublaient mes sens épouvantés;
120 Les Spectres sur mon front balançaient dans les ombres
    De longs linceuls ensanglantés.
    Les trois tombeaux, le char, les échafauds funèbres,
    M'apparurent dans les ténèbres;
    Tout rentra dans la nuit des siècles révolus;
125 Les Vierges avaient fui vers la naissante aurore;
    Je me retrouvai seul, et je pleurais encore
        Quand ma lyre ne chantait plus!

                                        Octobre 1818.

ODE QUATRIÈME

QUIBERON [11]

Pudor inde et miseratio.
                    TACITE.

I

    Par ses propres fureurs le Maudit se dévoile,
    Dans le Démon vainqueur on voit l'Ange proscrit;
    L'anathème éternel, qui poursuit son étoile,
        Dans ses succès même est écrit.
5   Il est, lorsque des cieux nous oublions la voie,
        Des jours, que Dieu sans doute envoie

           Pour nous rappeler les enfers ;
Jours sanglants qui, voués au triomphe du crime,
Comme d'affreux rayons échappés de l'abîme,
10   Apparaissent sur l'univers.

Poètes qui toujours, loin du siècle où nous sommes,
Chantres des pleurs sans fin et des maux mérités,
Cherchez des attentats tels que la voix des hommes
           N'en ait point encor racontés ;
15 Si quelqu'un vient à vous, vantant la jeune France,
           Nos exploits, notre tolérance,
           Et nos temps féconds en bienfaits,
Soyez contents ; lisez nos récentes histoires,
Evoquez nos vertus, interrogez nos gloires :
20   Vous pourrez choisir des forfaits !

Moi, je n'ai point reçu de la Muse funèbre
Votre lyre de bronze, ô chantres des remords !
Mais je voudrais flétrir les bourreaux qu'on célèbre,
           Et venger la cause des morts.
25 Je voudrais, un moment, troublant l'impur Génie,
           Arrêter sa gloire impunie
           Qu'on pousse à l'immortalité ;
Comme autrefois un Grec, malgré les vents rapides,
Seul, retint de ses bras, de ses dents intrépides,
30   L'esquif sur les mers emporté !

II

Quiberon vit jadis, sur son bord solitaire,
Des Français assaillis s'apprêter à mourir,
Puis, devant les deux chefs, l'airain fumant se taire,
           Et les rangs désarmés s'ouvrir.
35 Pour sauver ses soldats l'un d'eux offrit sa tête ;
           L'autre accepta cette conquête,
           De leur traité gage inhumain ;
Et nul guerrier ne crut sa promesse frivole,
Car devant les drapeaux, témoins de leur parole,
40   Tous deux s'étaient donné la main !

La phalange fidèle alors livra ses armes.
Ils marchaient : une armée environnait leurs pas,
Et le peuple accourait, en répandant des larmes,
           Voir ces preux, sauvés du trépas.

45 Ils foulaient en vaincus les champs de leurs ancêtres ;
    Ce fut un vieux temple, sans prêtres,
    Qui reçut ces vengeurs des rois ;
Mais l'humble autel manquait à la pieuse enceinte,
Et pour se consoler, dans cette prison sainte,
50   Leurs yeux en vain cherchaient la croix !

Tous prièrent ensemble, et, d'une voix plaintive,
Tous, se frappant le sein, gémirent à genoux ;
Un seul ne pleurait pas dans la tribu captive :
    C'était lui qui mourait pour tous ;
55 C'était Sombreuil, leur chef : jeune et plein d'espérance,
    L'heure de son trépas s'avance ;
    Il la salue avec ferveur.
Le supplice, entouré des apprêts funéraires,
Est beau pour un chrétien, qui, seul, va pour ses frères
60   Expirer, semblable au Sauveur.
« Oh ! cessez, disait-il, ces larmes, ces reproches,
Guerriers ; votre salut prévient tant de douleurs !
Combien à votre mort vos amis et vos proches,
    Hélas ! auraient versé de pleurs !
65 Je romps avec vos fers mes chaînes éphémères ;
    A vos épouses, à vos mères,
    Conservez vos jours précieux.
On vous rendra la paix, la liberté, la vie ;
Tout ce bonheur n'a rien que mon cœur vous envie ;
70   Vous, ne m'enviez pas les cieux ! »

Le sinistre tambour sonna l'heure dernière ;
Les bourreaux étaient prêts : on vit Sombreuil partir.
La sœur ne fut point là pour leur ravir le frère, —
    Et le héros devint martyr.
75 L'exhortant de la voix et de son saint exemple,
    Un évêque, exilé du temple,
    Le suivit au funeste lieu ;
Afin que le vainqueur vît, dans son camp rebelle,
Mourir, près d'un soldat à son prince fidèle,
80   Un prêtre fidèle à son Dieu !

III

Vous pour qui s'est versé le sang expiatoire,
Bénissez le Seigneur, louez l'heureux Sombreuil ;
Celui qui monte au ciel, brillant de tant de gloire,
    N'a pas besoin de chants de deuil !

85 Bannis, on va vous rendre enfin une patrie;
            Captifs, la liberté chérie
            Se montre à vous dans l'avenir.
Oui, de vos longs malheurs chantez la fin prochaine;
Vos prisons vont s'ouvrir, on brise votre chaîne;
90   Chantez! votre exil va finir.

En effet, — des cachots la porte à grand bruit roule,
Un étendard paraît, qui flotte ensanglanté;
Des chefs et des soldats l'environnent en foule,
            En invoquant la Liberté!
95 « Quoi! disaient les captifs, déjà l'on nous délivre!... »
            Quelques-uns s'empressent de suivre
            Les bourreaux devenus meilleurs.
« Adieu, leur criait-on, adieu, plus de souffrance;
Nous nous reverrons tous, libres, dans notre France! »
100   Ils devaient se revoir ailleurs.

Bientôt, jusqu'aux prisons des captifs en prières,
Arrive un sourd fracas, par l'écho répété :
C'étaient leurs fiers vainqueurs qui délivraient leurs frères,
            Et qui remplissaient leur traité!
105 Sans troubler les proscrits, ce bruit vint les surprendre;
            Aucun d'eux ne savait comprendre
            Qu'on pût se jouer des serments;
Ils disaient aux soldats : « Votre foi nous protège »;
Et, pour toute réponse, un lugubre cortège
110   Les traîna sur des corps fumants!

Le jour fit place à l'ombre et la nuit à l'aurore,
Hélas! et pour mourir traversant la cité,
Les crédules proscrits passaient, passaient encore,
            Aux yeux du peuple épouvanté!
115 Chacun d'eux racontait, brûlant d'un saint délire,
            A ses compagnons de martyre
            Les malheurs qu'il avait soufferts;
Tous succombaient sans peur, sans faste, sans murmure,
Regrettant seulement qu'il fallût un parjure
120   Pour les immoler dans les fers!

A coups multipliés la hache abat les chênes,
Le vil chasseur, dans l'antre ignoré du soleil,
Egorge lentement le lion dont ses chaînes
            Ont surpris le noble sommeil.
125 On massacra longtemps la tribu sans défense.
            A leur mort assistait la France,

                    Jouet des bourreaux triomphants;
            Comme jadis, aux pieds des idoles impures,
            Tour à tour, une veuve, en de longues tortures
130   Vit expirer ses sept enfants.

            C'étaient là les vertus d'un Sénat qu'on nous vante!
            Le sombre Esprit du mal sourit en le créant;
            Mais ce corps aux cent bras, fort de notre épouvante,
                    En son sein portait son néant.
135   Le colosse de fer s'est dissous dans la fange.
                    L'Anarchie, alors que tout change,
                    Pense voir ses œuvres durer;
            Mais ce Pygmalion, dans ses travaux frivoles,
            Ne peut donner la vie aux horribles idoles
140   Qu'il se fait pour les adorer.

                                IV

            On dit que, de nos jours, viennent, versant des larmes,
            Prier au champ fatal où ces preux sont tombés,
            Les vierges, les soldats fiers de leurs jeunes armes,
                    Et les vieillards lents et courbés.
145   Du ciel sur les bourreaux appelant l'indulgence,
                    Là, nul n'implore la vengeance,
                    Tous demandent le repentir;
            Et chez ces vieux Bretons, témoins de tant de crimes,
            Le pèlerin, qui vient invoquer les victimes,
150   Souvent lui-même est un martyr!

                                                Février 1821.

                            ODE CINQUIÈME

                            LOUIS XVII

                                        Capet, éveille-toi!

                                I

            En ces temps-là, du ciel les portes d'or s'ouvrirent;
            Du Saint des Saints ému les feux se découvrirent :

Tous les cieux un moment brillèrent dévoilés;
Et les élus voyaient, lumineuses phalanges,
5 Venir une jeune âme entre de jeunes anges
            Sous les portiques étoilés.
C'était un bel enfant qui fuyait de la terre;
Son œil bleu du malheur portait le signe austère;
Ses blonds cheveux flottaient sur ses traits pâlissants;
10 Et les vierges du ciel, avec des chants de fête,
Aux palmes du Martyre unissaient sur sa tête
            La couronne des Innocents.

II

On entendit des voix qui disaient dans la nue :
— « Jeune ange, Dieu sourit à ta gloire ingénue;
15 Viens, rentre dans ses bras pour ne plus en sortir;
Et vous, qui du Très-Haut racontez les louanges,
            Séraphins, prophètes, archanges,
Courbez-vous, c'est un Roi; chantez, c'est un Martyr! »

— « Où donc ai-je régné, demandait la jeune ombre ?
20 Je suis un prisonnier, je ne suis point un roi.
Hier je m'endormis au fond d'une tour sombre.
Où donc ai-je régné ? Seigneur, dites-le-moi.
Hélas! mon père est mort d'une mort bien amère;
Ses bourreaux, ô mon Dieu, m'ont abreuvé de fiel;
25 Je suis un orphelin; je viens chercher ma mère,
            Qu'en mes rêves j'ai vue au ciel. »

Les anges répondaient : — « Ton Sauveur te réclame.
Ton Dieu d'un monde impie a rappelé ton âme.
Fuis la terre insensée où l'on brise la Croix,
30 Où jusque dans la mort descend le Régicide,
            Où le Meurtre, d'horreurs avide,
Fouille dans les tombeaux pour y chercher des rois! »

— « Quoi! de ma lente vie ai-je achevé le reste ?
Disait-il; tous mes maux, les ai-je enfin soufferts ?
35 Est-il vrai qu'un geôlier, de ce rêve céleste,
Ne viendra pas demain m'éveiller dans mes fers ?
Captif, de mes tourments cherchant la fin prochaine,
J'ai prié; Dieu veut-il enfin me secourir ?
Oh! n'est-ce pas un songe ? a-t-il brisé ma chaîne ?
40   Ai-je eu le bonheur de mourir ?

« Car vous ne savez point quelle était ma misère !
Chaque jour dans ma vie amenait des malheurs ;
Et lorsque je pleurais, je n'avais pas ma mère
Pour chanter à mes cris, pour sourire à mes pleurs.
45 D'un châtiment sans fin languissante victime,
De ma tige arraché comme un tendre arbrisseau,
J'étais proscrit bien jeune, et j'ignorais quel crime
      J'avais commis dans mon berceau.

« Et pourtant, écoutez : bien loin dans ma mémoire,
50 J'ai d'heureux souvenirs avant ces temps d'effroi ;
J'entendais en dormant des bruits confus de gloire,
Et des peuples joyeux veillaient autour de moi.
Un jour tout disparut dans un sombre mystère ;
Je vis fuir l'avenir à mes destins promis ;
55 Je n'étais qu'un enfant, faible et seul sur la terre,
      Hélas ! et j'eus des ennemis !

« Ils m'ont jeté vivant sous des murs funéraires ;
Mes yeux voués aux pleurs n'ont plus vu le soleil ;
Mais vous que je retrouve, anges du ciel, mes frères,
60 Vous m'avez visité souvent dans mon sommeil.
Mes jours se sont flétris dans leurs mains meurtrières,
Seigneur, mais les méchants sont toujours malheureux ;
Oh ! ne soyez pas sourd comme eux à mes prières,
      Car je viens vous prier pour eux. »

65 Et les anges chantaient : — « L'arche à toi se dévoile,
Suis-nous ; sur ton beau front nous mettrons une étoile.
Prends les ailes d'azur des chérubins vermeils ;
Tu viendras avec nous bercer l'enfant qui pleure,
      Ou, dans leur brûlante demeure,
70 D'un souffle lumineux rajeunir les soleils ! »

III

Soudain le chœur cessa, les élus écoutèrent ;
Il baissa son regard par les larmes terni ;
Au fond des cieux muets les mondes s'arrêtèrent,
Et l'éternelle voix parla dans l'infini :
75 « O roi ! je t'ai gardé loin des grandeurs humaines.
Tu t'es réfugié du trône dans les chaînes.
      Va, mon fils, bénis tes revers.
Tu n'as point su des rois l'esclavage suprême,

Ton front du moins n'est pas meurtri du diadème,
80   Si tes bras sont meurtris de fers.

« Enfant, tu t'es courbé sous le poids de la vie;
Et la terre, pourtant, d'espérance et d'envie
          Avait entouré ton berceau!
Viens, ton Seigneur lui-même eut ses douleurs divines,
85 Et mon Fils, comme toi, Roi couronné d'épines,
          Porta le sceptre de roseau! »

                                        Décembre 1822.

                    ODE SIXIÈME

    LE RÉTABLISSEMENT DE LA STATUE
              DE HENRI IV

          Accingunt omnes operi, pedibusque rotarum
          Subjiciunt lapsus, et stupea vincula collo
          Intendunt... Pueri circum innuptœque puellœ
          Sacra canunt, funemque manu contingere gau-
                                                [*dent!*
                              VIRGILE.

                          I

Je voyais s'élever, dans le lointain des âges,
Ces monuments, espoir de cent rois glorieux;
Puis je voyais crouler les fragiles images
          De ces fragiles demi-dieux.
5 Alexandre, un pêcheur des rives du Pirée
          Foule ta statue ignorée,
          Sur le pavé du Parthénon;
Et les premiers rayons de la naissante aurore
En vain dans le désert interrogent encore
10   Les muets débris de Memnon.
Ont-ils donc prétendu, dans leur esprit superbe,
Qu'un bronze inanimé dût les rendre immortels?
Demain le temps peut-être aura caché sous l'herbe
          Leurs imaginaires autels.
15 Le proscrit à son tour peut remplacer l'idole;
          Des piédestaux du Capitole

Sylla détrône Marius.
Aux outrages du sort insensé qui s'oppose!
Le sage, de l'affront dont frémit Théodose,
20   Sourit avec Démétrius.

D'un héros toutefois l'image auguste et chère
Hérite du respect qui payait ses vertus :
Trajan domine encor les champs que de Tibère
            Couvrent les temples abattus.
25 Souvent, lorsqu'en l'horreur des discordes civiles
            La terreur planait sur les villes,
            Aux cris des peuples révoltés,
Un héros, respirant dans le marbre immobile,
Arrêtait tout à coup par son regard tranquille
30   Les factieux épouvantés!

II

Eh quoi! sont-ils donc loin, ces jours de notre histoire
Où Paris sur son prince osa lever son bras?
Où l'aspect de Henri, ses vertus, sa mémoire,
            N'ont pu désarmer des ingrats?
35 Que dis-je? ils ont détruit sa statue adorée.
            Hélas! cette horde égarée
            Mutilait l'airain renversé;
Et cependant, des morts souillant le saint asile,
Leur sacrilège main demandait à l'argile
40   L'empreinte de son front glacé [12]!

Voulaient-ils donc jouir d'un portrait plus fidèle
Du héros dont leur haine a payé les bienfaits?
Voulaient-ils, réprouvant leur fureur criminelle,
            Le rendre à nos yeux satisfaits?
45 Non; mais c'était trop peu de briser son image :
            Ils venaient encor, dans leur rage,
            Briser son cercueil outragé;
Tel, troublant le désert d'un rugissement sombre,
50 Le tigre en se jouant cherche à dévorer l'ombre
            Du cadavre qu'il a rongé.

Assis près de la Seine, en mes douleurs amères,
Je me disais : « La Seine arrose encore Ivry,
Et les flots sont passés où, du temps de nos pères,
            Se peignaient les traits de Henri [13].

55 Nous ne verrons jamais l'image vénérée
         D'un roi qu'à la France éplorée
         Enleva sitôt le trépas;
Sans saluer Henri nous irons aux batailles,
Et l'étranger viendra chercher dans nos murailles
60   Un héros qu'il n'y verra pas! »

III

Où courez-vous [14] ? — Quel bruit naît, s'élève et s'avance ?
Qui porte ces drapeaux, signe heureux de nos rois ?
Dieu! quelle masse au loin semble, en sa marche
         Broyer la terre sous son poids ?   [immense,
65 Répondez... Ciel! c'est lui! je vois sa noble tête...
         Le peuple, fier de sa conquête,
         Répète en chœur son nom chéri.
O ma lyre, tais-toi dans la publique ivresse;
Que seraient tes concerts près des chants d'allégresse
70   De la France aux pieds de Henri ?

Par mille bras traîné, le lourd colosse roule.
Ah! volons, joignons-nous à ces efforts pieux.
Qu'importe si mon bras est perdu dans la foule!
         Henri me voit du haut des cieux.
75 Tout un peuple a voué ce bronze à ta mémoire,
         O chevalier, rival en gloire
         Des Bayard et des Duguesclin!
De l'amour des Français reçois la noble preuve,
Nous devons ta statue au denier de la veuve,
80   A l'obole de l'orphelin.

N'en doutez pas, l'aspect de cette image auguste
Rendra nos maux moins grands, notre bonheur plus
O Français! louez Dieu, vous voyez un roi juste, [doux,
         Un Français de plus parmi vous.
85 Désormais, dans ses yeux, en volant à la gloire,
         Nous viendrons puiser la victoire;
         Henri recevra notre foi;
Et quand on parlera de ses vertus si chères,
Nos enfants n'iront pas demander à nos pères
90   Comment souriait le bon Roi!

IV

Jeunes amis, dansez autour de cette enceinte;
Mêlez vos pas joyeux, mêlez vos heureux chants.
Henri, car sa bonté dans ses traits est empreinte,
    Bénira vos transports touchants.
95 Près des vains monuments que des tyrans s'élèvent,
    Qu'après de longs siècles achèvent
    Les travaux d'un peuple opprimé,
Qu'il est beau cet airain où d'un roi tutélaire
La France aime à revoir le geste populaire,
100   Et le regard accoutumé!

Que le fier conquérant de la Perse avilie,
Las de léguer ses traits à de frêles métaux,
Menace, dans l'accès de sa vaste folie,
    D'imposer sa forme à l'Athos;
105 Qu'un Pharaon cruel, superbe en sa démence,
    Couvre d'un obélisque immense
    Le grand néant de son cercueil;
Son nom meurt, et bientôt l'ombre des Pyramides
Pour l'étranger, perdu dans ces plaines arides,
110   Est le seul bienfait de l'orgueil!

Un jour (mais repoussons tout présage funeste!)
Si des ans ou du sort les coups encor vainqueurs
Brisaient de notre amour le monument modeste,
    Henri, tu vivrais dans nos cœurs;
115 Cependant que du Nil les montagnes altières,
    Cachant cent royales poussières,
    Du monde inutile fardeau,
Du temps et de la mort attestent le passage,
Et ne sont déjà plus, à l'œil ému du sage
120   Que la ruine d'un tombeau.

                      Février 1819.

ODE SEPTIÈME

LA MORT DU DUC DE BERRY

> Le Meurtre d'une main violente brise les
> liens les plus sacrés; la Mort vient enlever le
> jeune homme florissant, et le Malheur s'ap-
> proche comme un ennemi rusé au milieu des
> jours de fête.
>
> SCHILLER.

I

Modérons les transports d'une ivresse insensée;
Le passage est bien court de la joie aux douleurs;
La mort aime à poser sa main lourde et glacée
    Sur des fronts couronnés de fleurs.
5 Demain, souillés de cendre, humbles, courbant nos têtes,
    Le vain souvenir de nos fêtes
    Sera pour nous presque un remords;
Nos jeux seront suivis des pompes sépulcrales;
Car chez nous, malheureux! l'hymne des Saturnales
10   Sert de prélude au chant des Morts.

II

Fuis les banquets : fais trêve à ton joyeux délire,
Paris, triste cité! détourne tes regards
Vers le cirque où l'on voit aux accords de la lyre
    S'unir les prestiges des arts.
15 Chœurs, interrompez-vous; cessez, danses légères;
    Qu'on change en torches funéraires
    Ces feux purs, ces brillants flambeaux; —
Dans cette enceinte, auprès d'une couche sanglante,
J'entends un prêtre saint dont la voix chancelante
20   Dit la prière des tombeaux!

Sous ces lambris frappés des éclats de la joie,
Près d'un lit où soupire un mourant étendu,
D'une famille auguste, au désespoir en proie,
    Je vois le cortège éperdu.
25 C'est un père à genoux, c'est un frère en alarmes,
    Une sœur qui n'a point de larmes

Pour calmer ses sombres douleurs;
Car ses affreux revers ont, dès son plus jeune âge,
Dans ses yeux, enflammés d'un si mâle courage,
30   Tari la source de ses pleurs.

Sur l'échafaud, aux cris d'un sénat sanguinaire,
Sa mère est morte en reine et son père en héros;
Elle a vu dans les fers périr son jeune frère,
            Et n'a pu trouver des bourreaux.
35 Et quand des rois ligués la main brisa ses chaînes,
            Longtemps, sur des rives lointaines,
            Elle a fui nos bords désolés;
Elle a revu la France, après tant de misères,
Pour apprendre, en rentrant au palais de ses pères,
40   Que ses maux n'étaient pas comblés!

Plus loin, c'est une épouse... Oh! qui peindra ses craintes,
Sa force, ses doux soins, son amour assidu?
Hélas! et qui dira ses lamentables plaintes,
            Quand tout espoir sera perdu?
45 Quels étaient nos transports, ô vierge de Sicile,
            Quand naguère à ta main docile
            Berry joignit sa noble main!
Devais-tu donc, princesse, en touchant ce rivage,
Voir sitôt succéder le crêpe du veuvage
50   Au chaste voile de l'hymen?

Berry, quand nous vantions ta paisible conquête,
Nos chants ont réveillé le dragon endormi;
L'Anarchie en grondant a relevé sa tête,
            Et l'enfer même en a frémi.
55 Elle a rugi; soudain, du milieu des ténèbres,
            Clément poussa des cris funèbres :
            Ravaillac agita ses fers;
Et le monstre, étendant ses deux ailes livides,
Aux applaudissements des ombres régicides,
60   S'envola du fond des enfers!

Le démon, vers nos bords tournant son vol funeste,
Voulut, brisant ces lys qu'il flétrit tant de fois,
Epuiser d'un seul coup le déplorable reste
            D'un sang, trop fertile en bons rois.
65 Longtemps le sbire obscur qu'il arma pour son crime,
            Rêveur, autour de la victime
            Promena ses affreux loisirs;

Enfin le ciel permet que son vœu s'accomplisse :
Pleurons tous, car le meurtre a choisi pour complice
70   Le tumulte de nos plaisirs!

Le fer brille... un cri part : guerriers, volez aux armes!
C'en est fait : la duchesse accourt en pâlissant;
Son bras soutient Berry qu'elle arrose de larmes,
        Et qui l'inonde de son sang.
75 Dressez un lit funèbre : est-il quelque espérance ?...
        Hélas! un lugubre silence
        A condamné son triste époux.
Assistez-le, Madame, en ce moment horrible;
Les soins cruels de l'art le rendront plus terrible,
80   Les vôtres le rendront plus doux.

Monarque en cheveux blancs, hâte-toi, le temps presse;
Un Bourbon va rentrer au sein de ses aïeux;
Viens, accours vers ce fils, l'espoir de ta vieillesse :
        Car ta main doit fermer ses yeux!
85 Il a béni sa fille, à son amour ravie;
        Puis, des vanités de sa vie
        Il proclame un noble abandon;
Vivant, il pardonna ses maux à la patrie;
Et son dernier soupir, digne du Dieu qu'il prie,
90   Est encore un cri de pardon.

Mort sublime! ô regrets! vois sa grande âme, et pleure:
Porte au ciel tes clameurs, ô peuple désolé.
Tu l'as trop peu connu; c'est à sa dernière heure
        Que le héros s'est révélé.
95 Pour consoler la Veuve, apportez l'Orpheline;
        Donnez sa fille à Caroline,
        La nature encore a ses droits.
Mais, quand périt l'espoir d'une tige féconde,
Qui pourra consoler, dans sa terreur profonde,
100   La France, veuve de ses rois ?

A l'horrible récit, quels cris expiatoires
Vont pousser nos guerriers, fameux par leur valeur!
L'Europe, qu'ébranlait le bruit de leurs victoires,
        Va retentir de leur douleur.
105 Mais toi, que diras-tu, chère et noble Vendée ?
        Si longtemps de sang inondée,
        Tes regrets seront superflus;
Et tu seras semblable à la mère accablée,

Qui s'assied sur sa couche et pleure inconsolée,
110   Parce que son enfant n'est plus [15]!

Bientôt vers Saint-Denis, désertant nos murailles,
Au bruit sourd des clairons, peuple, prêtres, soldats,
Nous suivrons à pas lents le char des funérailles,
          Entouré des chars des combats.
115 Hélas! jadis souillé par des mains téméraires,
          Saint-Denis, où dormaient ses pères,
          A vu déjà bien des forfaits;
Du moins, puisse, à l'abri des complots parricides,
Sous ces murs profanés, parmi ces tombes vides,
120   Sa cendre reposer en paix!

III

D'Enghien s'étonnera, dans les célestes sphères,
De voir sitôt l'ami, cher à ses jeunes ans,
A qui le vieux Condé, prêt à quitter nos terres,
          Léguait ses devoirs bienfaisants [16].
125 A l'aspect de Berry, leur dernière espérance,
          Des rois que révère la France
          Les ombres frémiront d'effroi;
Deux héros gémiront sur leurs races éteintes,
Et le vainqueur d'Ivry viendra mêler ses plaintes
130   Aux pleurs du vainqueur de Rocroy.

Ainsi, Bourbon, au bruit du forfait sanguinaire,
On te vit vers d'Artois accourir désolé;
Car tu savais les maux que laisse au cœur d'un père
          Un fils avant l'âge immolé.
135 Mais bientôt, chancelant dans ta marche incertaine,
          L'affreux souvenir de Vincenne
          Vint s'offrir à tes sens glacés;
Tu pâlis; et d'Artois, dans la douleur commune,
Sembla presque oublier sa récente infortune,
140   Pour plaindre tes revers passés.

Et toi, veuve éplorée, au milieu de l'orage
Attends des jours plus doux, espère un sort meilleur!
Prends ta sœur pour modèle, et puisse ton courage
          Etre aussi grand que ton malheur!
145 Tu porteras comme elle une urne funéraire;
          Comme elle, au sein du sanctuaire,

Tu gémiras sur un cercueil ;
L'Hydre des factions, qui, sorti des ténèbres,
A marqué pour ta sœur tant d'époques funèbres,
150   Te fait aussi ton jour de deuil !

IV

Pourtant, ô frêle appui de la tige royale,
Si Dieu par ton secours signale son pouvoir,
Tu peux sauver la France, et de l'Hydre infernale
        Tromper encor l'affreux espoir.
155 Ainsi, quand le Serpent, auteur de tous les crimes,
        Vouait d'avance aux noirs abîmes
        L'homme que son forfait perdit,
Le Seigneur abaissa sa farouche arrogance ;
Une femme apparut, qui, faible et sans défense
160   Brisa du pied son front maudit !

Février 1820.

ODE HUITIÈME

LA NAISSANCE DU DUC DE BORDEAUX

Le ciel prodigue en leur faveur les miracles.
La postérité de Joseph rentre dans la terre de
Gessen ; et cette conquête, due aux larmes des
vainqueurs, ne coûte pas une larme aux vaincus.

CHATEAUBRIAND, *Martyrs*.

I

Savez-vous, voyageur, pourquoi, dissipant l'ombre,
D'innombrables clartés brillent dans la nuit sombre ?
Quelle immense vapeur rougit les cieux couverts ?
Et pourquoi mille cris, frappant la nue ardente,
5   Dans la ville, au loin rayonnante,
Comme un concert confus, s'élèvent dans les airs ?

II

O joie! ô triomphe! ô mystère!
Il est né l'Enfant glorieux,
L'Ange que promit à la terre
10   Un Martyr partant pour les cieux!
L'avenir voilé se révèle.
Salut à la flamme nouvelle
Qui ranime l'ancien flambeau!
Honneur à ta première aurore,
15   O jeune lys qui viens d'éclore,
Tendre fleur qui sors d'un tombeau!

C'est Dieu qui l'a donné, le Dieu de la prière :
La cloche, balancée aux tours du sanctuaire,
Comme aux jours du repos, y rappelle nos pas.
20 C'est Dieu qui l'a donné; le Dieu de la victoire! —
        Chez les vieux martyrs de la gloire
Les canons ont tonné, comme au jour des combats.

Ce bruit, si cher à ton oreille,
Joint aux voix des temples bénis,
25   N'a-t-il donc rien qui te réveille,
O toi, qui dors à Saint-Denis ?
Lève-toi! Henri doit te plaire
Au sein du berceau populaire [17];
Accours! ô père triomphant!
30   Enivre sa lèvre trompée,
Et viens voir si ta grande épée
Pèse aux mains du royal enfant.

Hélas! il est absent, il est au sein des justes.
Sans doute, en ce moment, de ses aïeux augustes
35 Le cortège vers lui s'avance consolé :
Car il rendit, mourant sous des coups parricides,
        Un héros à leurs tombes vides,
Une race de rois à leur trône isolé.

Parmi tous ces nobles fantômes,
40   Qu'il élève un front couronné,
Qu'il soit fier dans les saints royaumes,
Le père du roi nouveau-né!
Une race longue et sublime
Sort de l'immortelle victime :
45   Tel un fleuve mystérieux,

Fils d'un mont frappé du tonnerre,
De son cours fécondant la terre,
Cache sa source dans les cieux!

Honneur au rejeton qui deviendra la tige!
50 Henri, nouveau Joas, sauvé par un prodige,
A l'ombre de l'autel croîtra vainqueur du sort;
Un jour, de ses vertus notre France embellie,
          A ses sœurs, comme Cornélie,
Dira : Voilà mon fils, c'est mon plus beau trésor.

III

55   O toi, de ma pitié profonde
             Reçois l'hommage solennel,
             Humble objet des regards du monde,
             Privé du regard paternel!
             Puisses-tu, né dans la souffrance,
60   Et de ta mère et de la France
             Consoler la longue douleur!
             Que le bras divin t'environne,
             Et puisse, ô Bourbon! la couronne
             Pour toi ne pas être un malheur!

65 Oui, souris, orphelin, aux larmes de ta mère!
Ecarte, en te jouant, ce crêpe funéraire
Qui voile ton berceau des couleurs du cercueil;
Chasse le noir passé qui nous attriste encore;
          Sois à nos yeux comme une aurore!
70 Rends le jour et la joie à notre ciel en deuil.

             Ivre d'espoir, ton roi lui-même,
             Consacrant le jour où tu nais,
             T'impose, avant le saint baptême,
             Le baptême du Béarnais.
75   La Veuve t'offre à l'Orpheline;
             Vers toi, conduit par l'Héroïne,
             Vient ton Aïeul en cheveux blancs;
             Et la foule, bruyante et fière,
             Se presse à ce Louvre, où naguère,
80   Muette, elle entrait à pas lents.

Guerriers, peuple, chantez; Bordeaux, lève ta tête,
Cité qui, la première, aux jours de la conquête,

Rendue aux fleurs de lys, as proclamé ta foi.
Et toi, que le martyr aux combats eût guidée,
85   Sors de ta douleur, ô Vendée!
Un roi naît pour la France, un soldat naît pour toi.

IV

    Rattachez la nef à la rive : —
    La Veuve reste parmi nous,
    Et de sa patrie adoptive
90   Le ciel lui semble enfin plus doux.
    L'espoir à la France l'enchaîne :
    Aux champs où fut frappé le chêne
    Dieu fait croître un frêle roseau.
    L'amour retient l'humble colombe;
95   Il faut prier sur une tombe,
    Il faut veiller sur un berceau.

Dis, qu'irais-tu chercher au lieu qui te vit naître,
Princesse ? Parthénope outrage son vieux maître :
L'étranger, qu'attiraient des bords exempts d'hivers,
100 Voit Palerme en fureur, voit Messine en alarmes,
    Et, plaignant la Sicile en armes,
De ce funèbre Eden fuit les sanglantes mers [18]!

    Mais que les deux Volcans s'éveillent!
    Que le souffle du Dieu jaloux
105   Des sombres géants qui sommeillent
    Rallume enfin l'ardent courroux;
    Devant les flots brûlants des laves,
    Que seront ces hautains esclaves,
    Ces chefs d'un jour, ces grands soldats ?
110   Courage! ô vous, vainqueurs sublimes! —
    Tandis que vous marchez aux crimes,
    La terre tremble sous vos pas!

Reste au sein des Français, ô fille de Sicile!
Ne fuis pas, pour des bords d'où le bonheur s'exile,
115 Une terre où le lys se relève immortel;
Où du Peuple et des Rois l'union salutaire
    N'est point cet hymen adultère
Du trône et des partis, des camps et de l'autel.

V

Nous, ne craignons plus les tempêtes !
120 Bravons l'horizon menaçant :
Les forfaits qui chargeaient nos têtes
Sont rachetés par l'innocent !
Quand les nochers, dans la tourmente,
Jadis voyaient l'onde écumante
125 Entrouvrir leur frêle vaisseau,
Sûrs de la clémence éternelle,
Pour sauver la nef criminelle
Ils y suspendaient un berceau.

Octobre 1820.

ODE NEUVIÈME

LE BAPTÊME DU DUC DE BORDEAUX

> *Sinite parvulos venire ad me. — Venerunt
> reges.*
>
> ÉVANGILE.

I

« Oh ! disaient les peuples du monde,
Les derniers temps sont-ils venus ?
Nos pas, dans une nuit profonde,
Suivent des chemins inconnus.
5 Où va-t-on ? dans la nuit perfide,
Quel est ce fanal qui nous guide,
Tous courbés sous un bras de fer ?
Est-il propice ? est-il funeste ?
Est-ce la colonne céleste ?
10 Est-ce une flamme de l'enfer ?

« Les tribus des chefs se divisent :
Les troupeaux chassent les pasteurs ;
Et les sceptres des rois se brisent
Devant les faisceaux des préteurs.

15   Les trônes tombent; l'autel croule;
        Les factions naissent en foule
        Sur les bords des deux Océans;
        Et les ambitions serviles,
        Qui dormaient comme des reptiles,
20   Se lèvent comme des géants!

        « Ah! malheur! nous avons fait gloire.
        Hélas! d'attentats inouïs,
        Tels qu'en cherche en vain la mémoire
        Dans les siècles évanouis.
25   Malheur! tous nos forfaits l'appellent,
        Tous les signes nous le révèlent,
        Le jour des arrêts solennels.
        L'homme est digne enfin des abîmes;
        Et rien ne manque à ses longs crimes,
30   Que les châtiments éternels. »

        Le Très-Haut a pris leur défense,
        Lorsqu'ils craignaient son abandon;
        L'homme peut épuiser l'offense,
        Dieu n'épuise pas le pardon!
35   Il mène au repentir l'impie :
        Lui-même, pour nous, il expie
        L'oubli des lois qu'il nous donna;
        Pour lui seul il reste sévère;
        C'est la Victime du Calvaire
40   Qui fléchit le Dieu du Sina!

                        II

    Par un autre berceau sa main nous sauve encore!
    Le monde du bonheur n'ose entrevoir l'aurore,
    Quoique Dieu des méchants ait puni les défis,
    Et troublant leurs conseils, dispersant leurs phalanges,
45   Nous ait donné l'un de ses Anges,
    Comme aux antiques jours il nous donna son Fils.

    Tel, lorsqu'il sort vivant du gouffre de ténèbres,
    Le Prophète voit fuir les visions funèbres!
    La terre est sous ses pas, le jour luit à ses yeux;
50 Mais lui, tout ébloui de la flamme éternelle,
            Longtemps à sa vue infidèle
    La lueur de l'enfer voile l'éclat des cieux.

Peuples, ne doutez pas! chantez votre victoire.
Un sauveur naît, vêtu de puissance et de gloire;
55   Il réunit le glaive et le sceptre en faisceau;
Des leçons du malheur naîtront nos jours prospères
            Car de soixante Rois, ses pères,
Les ombres sans cercueils veillent sur son berceau!

Son nom seul a calmé nos tempêtes civiles.
60   Ainsi qu'un bouclier il a couvert les villes.
La révolte et la haine ont déserté nos murs.
Tel du jeune lion, qui lui-même s'ignore,
            Le premier cri, paisible encore,
Fait de l'antre royal fuir cent monstres impurs.

III

65   Quel est cet Enfant débile
        Qu'on porte aux sacrés parvis ?
        Toute une foule immobile
        Le suit de ses yeux ravis;
        Son front est nu, ses mains tremblent,
70   Ses pieds, que des nœuds rassemblent,
        N'ont point commencé de pas;
        La faiblesse encor l'enchaîne;
        Son regard ne voit qu'à peine
        Et sa voix ne parle pas.

75   C'est un Roi parmi les hommes;
        En entrant dans le saint lieu,
        Il devient ce que nous sommes :
        C'est un homme aux pieds de Dieu.
        Cet enfant est notre joie;
80   Dieu pour sauveur nous l'envoie,
        Sa loi l'abaisse aujourd'hui.
        Les Rois, qu'arme son tonnerre,
        Sont tout par lui sur la terre,
        Et ne sont rien devant lui!

85   Que tout tremble et s'humilie.
        L'orgueil mortel parle en vain;
        Le Lion royal se plie
        Au joug de l'Agneau divin.
        Le Père, entouré d'étoiles,
90   Vers l'Enfant, faible et sans voiles

Descend, sur les vents porté;
L'Esprit-Saint de feux l'inonde;
Il n'est encor né qu'au monde,
Qu'il naisse à l'éternité!

95   Marie, aux rayons modestes,
Heureuse et priant toujours,
Guide les Vierges célestes
Vers son vieux temple aux deux tours.
Toutes les saintes Armées,
100   Parmi les soleils semées,
Suivent son char triomphant;
La Charité les devance,
La Foi brille, et l'Espérance
S'assied près de l'humble Enfant!

IV

105   Jourdain! te souvient-il de ce qu'ont vu tes rives?
Naguère un pèlerin près de tes eaux captives
Vint s'asseoir et pleura, pareil en sa ferveur
A ces Preux qui jadis, terrible et saint cortège,
        Ravirent au joug sacrilège
110   Ton onde baptismale et le tombeau sauveur!

Ce chrétien avait vu, dans la France usurpée,
Trône, autel, chartes, lois, tomber sous une épée;
Les vertus sans honneur, les forfaits impunis;
Et lui, des vieux croisés cherchait l'ombre sublime,
115   Et, s'exilant près de Solime,
Aux lieux où Dieu mourut pleurait ses Rois bannis!

L'eau du saint fleuve emplit sa gourde voyageuse;
Il partit; il revit notre rive orageuse,
Ignorant quel bonheur attendait son retour,
120   Et qu'à l'enfant des rois, du fond de l'Arabie,
        Il apportait, nouveau Tobie,
Le remède divin qui rend l'aveugle au jour.

Qu'il soit fier dans ses flots, le fleuve des prophètes!
Peuples, l'eau du salut est présente à nos fêtes;
125   Le ciel sur cet Enfant a placé sa faveur;
Qu'il reçoive les eaux que reçut Dieu lui-même;
       Et qu'à l'onde de son baptême,
Le monde rassuré reconnaisse un Sauveur!

A vous, comme à Clovis, prince, Dieu se révèle.
130 Soyez du temple saint la colonne nouvelle.
Votre âme en vain du lys efface la blancheur;
Quittez l'orgueil du rang, l'orgueil de l'innocence;
Dieu vous offre, dans sa puissance,
La piscine du pauvre et la croix du pécheur.

V

135 L'Enfant, quand du Seigneur sur lui brille l'aurore,
Ignore le martyre et sourit à la croix;
Mais un autre baptême, hélas! attend encore
Le front infortuné des Rois. —
Des jours viendront, jeune homme, où ton âme troublée,
140 Du fardeau d'un peuple accablée,
Frémira d'un effroi pieux,
Quand l'évêque sur toi répandra l'huile austère,
Formidable présent qu'aux maîtres de la terre
La colombe apporta des cieux.

145 Alors, ô Roi chrétien! au Seigneur sois semblable;
Sache être grand par toi, comme il est grand par lui;
Car le sceptre devient un fardeau redoutable
Dès qu'on veut s'en faire un appui.
Un vrai Roi sur sa tête unit toutes les gloires;
150 Et si, dans ses justes victoires,
Par la mort il est arrêté,
Il voit, comme Bayard, une croix dans son glaive,
Et ne fait, quand le ciel à la terre l'enlève,
Que changer d'immortalité!

A LA MUSE

155 Je vais, ô Muse! où tu m'envoies!
Je ne sais que verser des pleurs;
Mais qu'il soit fidèle à leurs joies,
Ce luth fidèle à leurs douleurs!
Ma voix, dans leur récente histoire,
160 N'a point, sur des tons de victoire,
Appris à louer le Seigneur.
O Rois, victimes couronnées!
Lorsqu'on chante vos destinées,
On sait mal chanter le bonheur.

Mai 1821.

ODE DIXIÈME

VISION

A. M. le Comte Gaspard de Pons.

> 7. *Quia defecimus in ira tua, et in furore tuo turbati sumus;*
> 8. *Posuisti iniquitates nostras in conspectu tuo, sæculum nostrum in illuminatione vultus tui;*
> 9. *Quoniam omnes dies nostri defecerunt, et in ira tua defecimus.*
>
> PSAUME LXXXIX.

> Parce que nous sommes tombés dans votre colère, et que nous avons été troublés dans votre fureur;
> Vous avez placé nos iniquités en votre présence, et notre siècle dans la lumière de votre face;
> Puisque tous nos jours ont failli, et que nous sommes tombés dans votre colère!

Voici ce qu'ont dit les Prophètes,
Aux jours où ces hommes pieux
Voyaient en songe sur leurs têtes
L'Esprit Saint descendre des cieux :
« Dès qu'un siècle, éteint pour le monde,   5
Redescend dans la nuit profonde,
De gloire ou de honte chargé,
Il va répondre et comparaître
Devant le Dieu qui le fit naître,
Seul juge qui n'est pas jugé. »   10

Or écoutez, fils de la terre,
Vil peuple à la tombe appelé,
Ce qu'en un rêve solitaire
La Vision m'a révélé. —
C'était dans la cité flottante,   15
De joie et de gloire éclatante,
Où le jour n'a pas de soleil,
D'où sortit la première aurore,
Et d'où résonneront encore
Les clairons du dernier réveil!   20

Adorant l'Essence inconnue,
Les Saints, les Martyrs glorieux
Contemplaient, sous l'ardente nue,
Le Triangle mystérieux!
25   Près du trône où dort le tonnerre,
Parut un Spectre centenaire
Par l'Ange des Français conduit;
Et l'Ange, vêtu d'un long voile,
Etait pareil à l'humble étoile
30   Qui mène au ciel la sombre nuit.

Dans les cieux et dans les abîmes
Une Voix alors s'entendit,
Qui, jusque parmi ses victimes
Fit trembler l'Archange maudit.
35   Le char des Séraphins fidèles,
Semé d'yeux, brillant d'étincelles,
S'arrêta sur son triple essieu;
Et la roue, aux flammes bruyantes,
Et les quatre ailes tournoyantes
40   Se turent au souffle de Dieu.

La Voix

« Déjà du Livre séculaire
La page a dix-sept fois tourné;
Le gouffre attend que ma colère
Te pardonne ou t'ait condamné!
45   Approche : — je tiens la balance :
Te voilà nu dans ma présence,
Siècle innocent ou criminel.
Faut-il que ton souvenir meure ?
Réponds : un siècle est comme une heure
50   Devant mon regard éternel.

Le Siècle

— J'ai, dans mes pensers magnanimes
Tout divisé, tout réuni;
J'ai soumis à mes lois sublimes
Et l'Immuable et l'Infini;
55   J'ai pesé tes volontés mêmes...

La Voix

— Fantôme, arrête! tes blasphèmes
Troublent mes Saints d'un juste effroi;
Sors de ton orgueilleuse ivresse;

Doute aujourd'hui de ta sagesse,
60 Car tu ne peux douter de moi.

« Fier de tes aveugles sciences,
N'as-tu pas ri, dans tes clameurs,
Et de mon être et des croyances
Qui gardent les lois et les mœurs ?
65 De la mort souillant le mystère,
N'as-tu pas effrayé la terre
D'un crime aux humains inconnu ?
Des Rois, avant les temps célestes,
N'as-tu pas réveillé les restes ?

LE SIÈCLE

70 — O Dieu! votre jour est venu!

LA VOIX

« — Pleure, ô Siècle! D'abord timide,
L'erreur grandit comme un géant;
L'athée invite au régicide;
Le chaos est fils du néant.
75 J'aimais une terre lointaine;
Un Roi bon, une belle Reine,
Conduisaient son peuple joyeux,
Je bénissais leurs jours augustes;
Réponds, qu'as-tu fait de ces justes ?

LE SIÈCLE

80 « — Seigneur! je les vois dans vos cieux.

LA VOIX

« — Oui, l'épouvante enfin t'éclaire!
C'est moi qui marque leur séjour
Aux réprouvés de ma colère,
Comme aux élus de mon amour.
85 Qu'un rayon tombe de ma face,
Soudain tout s'anime ou s'efface,
Tout naît ou retourne au tombeau.
Mon souffle, propice ou terrible,
Allume l'incendie horrible,
90 Comme il éteint le pur flambeau!

Que l'oubli muet te dévore!

LE SIÈCLE

« — Seigneur, votre bras s'est levé;
Seigneur, le maudit vous implore!

LA VOIX

« Non : tais-toi, Siècle réprouvé!

LE SIÈCLE

95   « — Eh bien donc! l'Age qui va naître
Absoudra mes forfaits peut-être
Par des forfaits plus odieux! »
Ici gémit l'humble Espérance,
Et le bel Ange de la France
100   De son aile voila ses yeux.

LA VOIX

« Va, ma main t'ouvre les abîmes;
Un siècle nouveau prend l'essor;
Mais, loin de t'absoudre, ses crimes,
Maudit! t'accuseront encor. »

105   Et comme l'ouragan qui gronde
Chasse à grand bruit jusque sur l'onde
Le flocon vers les mers jeté,
Longtemps la Voix inexorable
Poursuivit le Siècle coupable,
110   Qui tombait dans l'Eternité.

1821.

ODE ONZIÈME

BUONAPARTE

De Deo.

I

Quand la terre engloutit les cités qui la couvrent;
Que le vent sème au loin un poison voyageur;

Quand l'ouragan mugit ; quand des monts brûlants
        C'est le réveil du Dieu vengeur.   [s'ouvrent ;
5 Et si, lassant enfin les clémences célestes,
        Le monde à ces signes funestes
        Ose répondre en les bravant,
Un homme alors, choisi par la main qui foudroie,
Des aveugles fléaux ressaisissant la proie,
10   Paraît, comme un fléau vivant !

Parfois, élus maudits de la fureur suprême,
Entre les nations des hommes sont passés,
Triomphateurs longtemps armés de l'anathème, —
        Par l'anathème renversés !
15 De l'esprit de Nemrod héritiers formidables,
        Ils ont sur les peuples coupables
        Régné par la flamme et le fer ;
Et dans leur gloire impie, en désastres féconde,
Ces envoyés du ciel sont apparus au monde,
20   Comme s'ils venaient de l'enfer !

II

        Naguère, de lois affranchie,
        Quand la Reine des nations
        Descendit de la monarchie,
        Prostituée aux factions ;
25   On vit, dans ce chaos fétide,
        Naître de l'hydre régicide
        Un despote, empereur d'un camp.
        Telle souvent la mer qui gronde
        Dévore une plaine féconde
30   Et vomit un sombre volcan.

D'abord, troublant du Nil les hautes catacombes,
Il vint, chef populaire, y combattre en courant,
Comme pour insulter des tyrans dans leurs tombes,
        Sous sa tente de conquérant. —
35 Il revint pour régner sur ses compagnons d'armes.
        En vain l'auguste France en larmes
        Se promettait des jours plus beaux ;
Quand des vieux pharaons il foulait la couronne,
Sourd à tant de néant, ce n'était qu'un grand trône
40   Qu'il rêvait sur leurs grands tombeaux !

Un sang royal teignit sa pourpre usurpatrice.
Un guerrier fut frappé par ce guerrier sans foi.
L'anarchie, à Vincenne, admira son complice, —
      Au Louvre elle adora son roi.
45 Il fallut presque un Dieu pour consacrer cet homme.
      Le Prêtre-Monarque de Rome
      Vint bénir son front menaçant;
Car sans doute en secret effrayé de lui-même,
Il voulait recevoir son sanglant diadème
50   Des mains d'où le pardon descend.

III

      Lorsqu'il veut, le Dieu secourable,
      Qui livre au méchant le pervers,
      Brise le jouet formidable
      Dont il tourmentait l'univers.
55   Celui qu'un instant il seconde
      Se dit le seul maître du monde;
      Fier, il s'endort dans son néant;
      Enfin, bravant la loi commune,
      Quand il croit tenir sa fortune,
60   Le fantôme échappe au géant.

IV

Dans la nuit des forfaits, dans l'éclat des victoires,
Cet homme, ignorant Dieu qui l'avait envoyé,
De cités en cités promenant ses prétoires,
      Marchait, sur sa gloire appuyé.
65 Sa dévorante armée avait, dans son passage,
      Asservi les fils de Pélage,
      Devant les fils de Galgacus;
Et quand dans leurs foyers il ramenait ses braves,
Aux fêtes qu'il vouait à ces vainqueurs esclaves,
70   Il invitait les rois vaincus!

Dix empires conquis devinrent ses provinces.
Il ne fut pas content dans son orgueil fatal. —
Il ne voulait dormir qu'en une cour de princes,
      Sur un trône continental!
75 Ses aigles, qui volaient sous vingt cieux parsemées,
      Au nord, de ses longues armées

       Guidèrent l'immense appareil;
Mais là, parut l'écueil de sa course hardie.
Les peuples sommeillaient : un sanglant incendie
80   Fut l'aurore du grand réveil!

       Il tomba Roi; — puis, dans sa route,
       Il voulut, fantôme ennemi,
       Se relever, afin sans doute
       De ne plus tomber à demi.
85   Alors, loin de sa tyrannie,
       Pour qu'une effrayante harmonie
       Frappât l'orgueil anéanti,
       On jeta ce captif suprême
       Sur un rocher, débris lui-même
90   De quelque ancien monde englouti!

Là, se refroidissant comme un torrent de lave,
Gardé par ses vaincus, chassé de l'univers,
Ce reste d'un tyran, en s'éveillant esclave,
       N'avait fait que changer de fers.
95 Des trônes restaurés écoutant la fanfare,
       Il brillait de loin comme un phare,
       Montrant l'écueil au nautonier.
Il mourut. — Quand ce bruit éclata dans nos villes,
Le monde respira dans les fureurs civiles,
100   Délivré de son prisonnier!

Ainsi l'orgueil s'égare en sa marche éclatante,
Colosse né d'un souffle et qu'un regard abat. —
Il fit du glaive un sceptre et du trône une tente.
       Tout son règne fut un combat.
105 Du fléau qu'il portait lui-même tributaire,
       Il tremblait, prince de la terre;
       Soldat, on vantait sa valeur.
Retombé dans son cœur comme dans un abîme,
Il passa par la gloire, il passa par le crime,
110   Et n'est arrivé qu'au malheur.

            v

       Peuples, qui poursuivez d'hommages
       Les victimes et les bourreaux,
       Laissez-le fuir seul dans les âges : —
       Ce ne sont point là les héros!

115   Ces faux dieux, que leur siècle encense,
              Dont l'avenir hait la puissance,
              Vous trompent dans votre sommeil ;
              Tels que ces nocturnes aurores
              Où passent de grands météores,
120   Mais que ne suit pas le soleil.

                            Mars 1822.

LIVRE DEUXIÈME

1822-1823

ODE PREMIÈRE

A MES ODES

I

Mes odes, c'est l'instant de déployer vos ailes.
Cherchez d'un même essor les voûtes immortelles ;
    Le moment est propice... Allons !
    La foudre en grondant vous éclaire,
5   Et la tempête populaire
    Se livre au vol des aquilons.

Pour qui rêva longtemps le jour du sacrifice
Oui, l'heure où vient l'orage est une heure propice ;
    Mais moi, sous un ciel calme et pur,
10   Si j'avais, fortuné génie,
    Dans la lumière et l'harmonie
    Vu flotter vos robes d'azur ;

Si nul profanateur n'eût touché vos offrandes ;
Si nul reptile impur sur vos chastes guirlandes,

15   N'eût traîné ses nœuds flétrissants;
        Si la terre, à votre passage,
        N'eût exhalé d'autre nuage
        Que la vapeur d'un doux encens;

        J'aurais béni la muse et chanté ma victoire.
20   J'aurais dit au poète, élancé vers la gloire :
            « O ruisseau! qui cherches les mers,
            Coule vers l'océan du monde
            Sans craindre d'y mêler ton onde;
            Car ses flots ne sont pas amers. »

                             II

25   Heureux qui de l'oubli ne fuit point les ténèbres!
        Heureux qui ne sait pas combien d'échos funèbres
            Le bruit d'un nom fait retentir!
            Et si la gloire est inquiète!
            Et si la palme du poète
30   Est une palme de martyr!

        Sans craindre le chasseur, l'orage ou le vertige,
        Heureux l'oiseau qui plane et l'oiseau qui voltige!
            Heureux qui ne veut rien tenter!
            Heureux qui suit ce qu'il doit suivre!
            Heureux qui ne vit que pour vivre,
35   Qui ne chante que pour chanter!

                             III

        Vous! ô mes chants, adieu! cherchez votre fumée!
        Bientôt, sollicitant ma porte refermée,
            Vous pleurerez, au sein du bruit,
40   Ce temps où, cachés sous des voiles,
            Vous étiez pareils aux étoiles
            Qui ne brillent que pour la nuit;

        Quand, tour à tour, prenant et rendant la balance,
        Quelques amis, le soir, vous jugeaient en silence,
45   Poètes, par la lyre émus,
            Qui fuyaient la ville sonore,
            Et transplantaient les fleurs d'Isaure
            Dans les jardins d'Académus.

Comme un ange, porté sur ses ailes dorées,
50 Vous veniez, murmurant des paroles sacrées;
   Pour abattre et pour relever,
   Vous disiez, dans votre délire,
   Tout ce que peut chanter la lyre,
   Tout ce que l'âme peut rêver.

55 Disputant un prix noble en une sainte arène,
Vous laissiez tout l'Olympe aux fils de l'Hippocrène,
   Rivaux de votre ardent essor;
   Ainsi que l'amant d'Atalante,
   Pour rendre leur course plus lente,
60   Vous leur jetiez les pommes d'or.

On vous voyait, suivis de sylphes et de fées,
Liant d'anciens faisceaux à nos jeunes trophées,
   Chanter les camps et leurs travaux,
   Ou pousser des cris prophétiques,
65   Ou demander aux temps gothiques
   Leurs vieux contes, toujours nouveaux.

Souvent vos luths pieux consolaient les couronnes,
Et du haut du trépied vous défendiez les trônes;
   Souvent, appuis de l'innocent,
70   Comme un tribut expiatoire,
   Vous mêliez, pour fléchir l'histoire,
   Une larme à des flots de sang.

       IV

C'en est fait maintenant, pareils aux hirondelles,
Partez; qu'un même but vous retrouve fidèles.
75   Et moi, pourvu qu'en vos combats
   De votre foi nul cœur ne doute;
   Et qu'une âme en secret écoute
   Ce que vous lui direz tout bas;

Pourvu, quand sur les flots en vingt courants contraires
80 L'ouragan chassera vos voiles téméraires,
   Qu'un seul ami, plaignant mon sort,
   Vous voyant battus de l'orage,
   Pose un fanal sur le rivage,
   S'afflige, et vous souhaite un port;

85 D'un œil moins désolé je verrai vos naufrages.
Mais le temps presse, allez! rassemblez vos courages.

Il faut combattre les méchants.
C'est un sceptre aussi que la lyre!
Dieu, dont nos âmes sont l'empire,
90   A mis un pouvoir dans les chants.

                                    V

Le poète, inspiré lorsque la terre ignore,
Ressemble à ces grands monts que la nouvelle aurore
        Dore avant tous à son réveil,
        Et qui, longtemps vainqueurs de l'ombre,
95   Gardent jusque dans la nuit sombre
        Le dernier rayon du soleil.

                                    1823.

                        ODE DEUXIÈME

                        L'HISTOIRE

                                        Ferrea vox.
                                        VIRGILE.

                                    I

Le sort des nations, comme une mer profonde,
A ses écueils cachés et ses gouffres mouvants.
Aveugle qui ne voit, dans les destins du monde,
Que le combat des flots sous la lutte des vents!

5 Un souffle immense et fort domine ces tempêtes.
Un rayon de ciel plonge à travers cette nuit.
Quand l'homme aux cris de mort mêle le cri des fêtes,
Une secrète voix parle dans ce vain bruit.

Les siècles tour à tour, ces gigantesques frères,
10 Différents par leur sort, semblables dans leurs vœux,
Trouvent un but pareil par des routes contraires,
Et leurs fanaux divers brillent des mêmes feux.

II

Muse! il n'est point de temps que tes regards n'em-
Tu suis dans l'avenir leur cercle solennel;   [brassent;
15 Car les jours, et les ans, et les siècles ne tracent
Qu'un sillon passager dans le fleuve éternel.

Bourreaux, n'en doutez pas, n'en doutez pas, victimes!
Elle porte en tous lieux son immortel flambeau,
Plane au sommet des monts, plonge au fond des abîmes,
20 Et souvent fonde un temple où manquait un tombeau.

Elle apporte leur palme aux héros qui succombent,
Du char des conquérants brise le frêle essieu,
Marche en rêvant au bruit des empires qui tombent,
Et dans tous les chemins montre les pas de Dieu !

25 Du vieux palais des temps elle pose le faîte;
Les siècles à sa voix viennent se réunir;
Sa main, comme un captif honteux de sa défaite,
Traîne tout le passé jusque dans l'avenir.

Recueillant les débris du monde en ses naufrages,
30 Son œil de mers en mers suit le vaste vaisseau,
Et sait tout voir ensemble, aux deux bornes des âges,
Et la première tombe et le dernier berceau!

1823.

ODE TROISIÈME

LA BANDE NOIRE

Voyageur obscur, mais religieux, au travers
des ruines de la patrie... je priais.
CH. NODIER.

I

« O murs! ô créneaux! ô tourelles!
Remparts! fossés aux ponts mouvants!

Lourds faisceaux de colonnes frêles!
Fiers châteaux! modestes couvents!
5   Cloîtres poudreux, salles antiques,
Où gémissaient les saints cantiques,
Où riaient les banquets joyeux!
Lieux où le cœur met ses chimères!
Eglises où priaient nos mères,
10   Tours où combattaient nos aïeux!

« Parvis où notre orgueil s'enflamme!
Maisons de Dieu! manoirs des rois!
Temples que gardait l'oriflamme,
Palais que protégeait la croix!
15   Réduits d'amour! arcs de victoires!
Vous qui témoignez de nos gloires,
Vous qui proclamez nos grandeurs!
Chapelles, donjons, monastères!
Murs voilés de tant de mystères!
20   Murs brillants de tant de splendeurs!

« O débris! ruines de France,
Que notre amour en vain défend,
Séjours de joie ou de souffrance,
Vieux monuments d'un peuple enfant!
25   Restes, sur qui le temps s'avance!
De l'Armorique à la Provence,
Vous que l'honneur eut pour abri!
Arceaux tombés! voûtes brisées!
Vestiges des races passées!
30   Lit sacré d'un fleuve tari!

« Oui, je crois, quand je vous contemple,
Des héros entendre l'adieu;
Souvent, dans les débris du temple,
Brille comme un rayon du Dieu.
35   Mes pas errants cherchent la trace
De ces fiers guerriers dont l'audace
Faisait un trône d'un pavois;
Je demande, oubliant les heures,
Au vieil écho de leurs demeures
40   Ce qui lui reste de leur voix.

« Souvent ma muse aventurière,
S'enivrant de rêves soudains,
Ceignit la cuirasse guerrière,

Et l'écharpe des paladins ;
45 S'armant d'un fer rongé de rouille,
Elle déroba leur dépouille
Aux lambris du long corridor ;
Et vers des régions nouvelles,
Pour hâter son coursier sans ailes,
50 Osa chausser l'éperon d'or.

« J'aimais le manoir dont la route
Cache dans les bois ses détours,
Et dont la porte sous la voûte
S'enfonce entre deux larges tours ;
55 J'aimais l'essaim d'oiseaux funèbres
Qui sur les toits, dans les ténèbres,
Vient grouper ses noirs bataillons,
Ou, levant des voix sépulcrales,
Tournoie en mobiles spirales
60 Autour des légers pavillons.

« J'aimais la tour, verte de lierre,
Qu'ébranle la cloche du soir ;
Les marches de la croix de pierre
Où le voyageur vient s'asseoir ;
65 L'église veillant sur les tombes,
Ainsi qu'on voit d'humbles colombes
Couver les fruits de leur amour ;
La citadelle crénelée,
Ouvrant ses bras sur la vallée,
70 Comme les ailes d'un vautour.

« J'aimais le beffroi des alarmes ;
La cour où sonnaient les clairons ;
La salle où, déposant leurs armes,
Se rassemblaient les hauts barons ;
75 Les vitraux éclatants ou sombres ;
Le caveau froid où, dans les ombres,
Sous des murs que le temps abat,
Les preux, sourds au vent qui murmure,
Dorment couchés dans leur armure,
80 Comme la veille d'un combat.

« Aujourd'hui, parmi les cascades,
Sous le dôme des bois touffus,
Les piliers, les sveltes arcades,
Hélas ! penchent leurs fronts confus ;

85   Les forteresses écroulées,
        Par la chèvre errante foulées,
        Courbent leurs têtes de granit;
        Restes qu'on aime et qu'on vénère!
        L'aigle à leurs tours suspend son aire,
90   L'hirondelle y cache son nid.

        « Comme cet oiseau de passage,
        Le poète, dans tous les temps,
        Chercha, de voyage en voyage,
        Les ruines et le printemps.
95   Ces débris, chers à la patrie,
        Lui parlent de chevalerie;
        La gloire habite leurs néants;
        Les héros peuplent ces décombres; —
        Si ce ne sont plus que des ombres,
100   Ce sont des ombres de géants!

        « O Français! respectons ces restes!
        Le ciel bénit les fils pieux
        Qui gardent, dans les jours funestes,
        L'héritage de leurs aïeux.
105   Comme une gloire dérobée,
        Comptons chaque pierre tombée;
        Que le temps suspende sa loi;
        Rendons les Gaules à la France,
        Les souvenirs à l'espérance,
110   Les vieux palais au jeune roi!... »

                            II

        — Tais-toi, lyre! Silence, ô lyre du poète!
        Ah! laisse en paix tomber ces débris glorieux
        Au gouffre où nul ami, dans sa douleur muette,
                Ne les suivra longtemps des yeux!
115 Témoins que les vieux temps ont laissés dans notre âge,
                Gardiens d'un passé qu'on outrage,
                Ah! fuyez ce siècle ennemi!
        Croulez, restes sacrés, ruines solennelles!
        Pourquoi veiller encor, dernières sentinelles
120   D'un camp, pour jamais endormi?

        Ou plutôt, — que du temps la marche soit hâtée.
        Quoi donc! n'avons-nous point parmi nous ces héros

Qui chassèrent les rois de leur tombe insultée,
     Que les morts ont eus pour bourreaux ?
125 Honneur à ces vaillants que notre orgueil renomme !
     Gloire à ces braves ! Sparte et Rome
     Jamais n'ont vu d'exploits plus beaux !
Gloire ! ils ont triomphé de ces funèbres pierres,
Ils ont brisé des os, dispersé des poussières !
130   Gloire ! ils ont proscrit des tombeaux !

Quel Dieu leur inspira ces travaux intrépides ?
Tout joyeux du néant par leurs soins découvert,
Peut-être ils ne voulaient que des sépulcres vides,
     Comme ils n'avaient qu'un ciel désert ?
135 Ou, domptant les respects dont la mort nous fascine,
     Leur main peut-être, en sa racine,
     Frappait quelque auguste arbrisseau ;
Et, courant en espoir à d'autres hécatombes,
Leur sublime courage, en attaquant ces tombes,
140   S'essayait à vaincre un berceau [19] ?...

Qu'ils viennent maintenant, que leur foule s'élance,
Qu'ils se rassemblent tous, ces soldats aguerris !
Voilà des ennemis dignes de leur vaillance :
     Des ruines et des débris.
145 Qu'ils entrent sans effroi sous ces portes ouvertes ;
     Qu'ils assiègent ces tours désertes ;
     Un tel triomphe est sans dangers.
Mais qu'ils n'éveillent pas les preux de ces murailles,
Ces ombres qui jadis ont gagné des batailles
150   Les prendraient pour des étrangers !

Ce siècle entre les temps veut être solitaire.
Allons ! frappez ces murs, des ans encor vainqueurs.
Non, qu'il ne reste rien des vieux jours sur la terre :
     Il n'en reste rien dans nos cœurs.
155 Cet héritage immense, où nos gloires s'entassent,
     Pour les nouveaux peuples qui passent,
     Est trop pesant à soutenir ;
Il retarde leurs pas, qu'un même élan ordonne.
Que nous fait le passé ? Du temps que Dieu nous donne,
160   Nous ne gardons que l'avenir.

Qu'on ne nous vante plus nos crédules ancêtres !
Ils voyaient leurs devoirs où nous voyons nos droits.
Nous avons nos vertus. Nous égorgeons les prêtres,

Et nous assassinons les rois. —
165   Hélas! il est trop vrai, l'antique honneur de France,
              La Foi, sœur de l'humble Espérance,
              Ont fui notre âge infortuné;
      Des anciennes vertus le crime a pris la place;
      Il cache leurs sentiers, comme la ronce efface
170   Le seuil d'un temple abandonné.

      Quand de ses souvenirs la France dépouillée,
      Hélas! aura perdu sa vieille majesté,
      Lui disputant encor quelque pourpre souillée,
              Ils riront de sa nudité!
175   Nous, ne profanons point cette mère sacrée.
              Consolons sa gloire éplorée.
              Chantons ses astres éclipsés.
      Car notre jeune muse, affrontant l'anarchie,
      Ne veut pas secouer sa bannière, blanchie
180   De la poudre des temps passés.

                                                    1823.

                        ODE QUATRIÈME

                        A MON PÈRE

                                          Domestica facta.
                                          HORACE.

                              I

      Quoi! toujours une lyre et jamais une épée!
      Toujours d'un voile obscur ma vie enveloppée!
      Point d'arène guerrière à mes pas éperdus!...
      Mais jeter ma colère en strophes cadencées!
5   Consumer tous mes jours en stériles pensées,
              Toute mon âme en chants perdus!

      Et cependant, livrée aux tyrans qu'elle brave,
      La Grèce aux rois chrétiens montre sa croix esclave!
      Et l'Espagne à grands cris appelle nos exploits!
10   Car elle a de l'erreur connu l'ivresse amère;

Et, comme un orphelin qu'on arrache à sa mère,
Son vieux trône a perdu l'appui des vieilles lois.

Je rêve quelquefois que je saisis ton glaive,
O mon père! et je vais, dans l'ardeur qui m'enlève,
15 Suivre au pays du Cid nos glorieux soldats,
Ou faire dire aux fils de Sparte révoltée
Qu'un Français, s'il ne put rendre aux Grecs un Tyrtée,
         Leur sut rendre un Léonidas.

Songes vains! Mais du moins ne crois pas que ma muse
20 Ait pour tes compagnons des chants qu'elle refuse,
Mon père! le poète est fidèle aux guerriers.
Des honneurs immortels il revêt la victoire;
Il chante sur leur vie; et l'amant de la gloire
Comme toutes les fleurs aime tous les lauriers.

                              II

25 O Français! des combats la palme vous décore :
Couchés sous un tyran, vous étiez grands encore.
Ce Chef prodigieux par vous s'est élevé;
Son immortalité sur vos gloires se fonde,
Et rien n'effacera des annales du monde
30   Son nom, par vos glaives gravé.

Ajoutant une page à toutes les histoires,
Il attelait des Rois au char de ses victoires.
Dieu dans sa droite aveugle avait mis le trépas.
L'univers haletait sous son poids formidable.
35 Comme ce qu'un enfant a tracé sur le sable,
Les empires confus s'effaçaient sous ses pas.

Flatté par la fortune, il fut puni par elle.
L'imprudent confiait son destin vaste et frêle
A cet orgueil, toujours sur la terre expié.
40 Où donc, en sa folie, aspirait ta pensée,
Malheureux! qui voulais, dans ta route insensée,
         Tous les trônes pour marchepied ?

Son jour vint : on le vit, vers la France alarmée,
Fuir, traînant après lui comme un lambeau d'armée,
45 Chars, coursiers et soldats, pressés de toutes parts.
Tel, en son vol immense atteint du plomb funeste,

Le grand aigle, tombant de l'empire céleste,
Sème sa trace au loin de son plumage épars.

Qu'il dorme maintenant dans son lit de poussière !
50 On ne voit plus, autour de sa couche guerrière,
Vingt courtisans royaux épier son réveil ;
L'Europe, si longtemps sous son bras palpitante,
Ne compte plus, assise aux portes de sa tente,
         Les heures de son noir sommeil.

55 Reprenez, ô Français ! votre gloire usurpée.
Assez dans tant d'exploits on n'a vu qu'une épée !
Assez de la louange il fatigua la voix !
Mesurez la hauteur du géant sur la poudre.
Quel aigle ne vaincrait, armé de votre foudre ?
60 Et qui ne serait grand, du haut de vos pavois ?

L'étoile de Brennus luit encor sur vos têtes.
La Victoire eut toujours des Français à ses fêtes.
La paix du monde entier dépend de leur repos.
Sur les pas des Moreau, des Condé, des Xaintrailles,
65 Ce peuple glorieux dans les champs de batailles
         A toujours usé ses drapeaux.

III

Toi, mon père, ployant ta tente voyageuse,
Conte-nous les écueils de ta route orageuse,
Le soir, d'un cercle étroit en silence entouré.
70 Si d'opulents trésors ne sont plus ton partage,
Va, tes fils sont contents de ton noble héritage :
Le plus beau patrimoine est un nom révéré.

Pour moi, puisqu'il faut voir, et mon cœur en murmure,
Pendre aux lambris poudreux ta vénérable armure ;
75 Puisque ton étendard dort près de ton foyer,
Et que, sous l'humble abri de quelques vieux portiques,
Le coursier, qui m'emporte aux luttes poétiques,
         Laisse rouiller ton char guerrier ;

Lègue à mon luth obscur l'éclat de ton épée ;
80 Et du moins, qu'à ma voix, de ta vie occupée,
Ce beau souvenir prête un charme solennel.
Je dirai tes combats aux muses attentives,

Comme un enfant joyeux, parmi ses sœurs craintives,
Traîne, débile et fier, le glaive paternel.

                                                    Août 1823.

                        ODE CINQUIÈME

                    LE REPAS LIBRE

                                Aux Rois de l'Europe.

          Il y avait à Rome un antique usage : la
     veille de l'exécution des condamnés à mort, on
     leur donnait, à la porte de la prison, un repas
     public appelé *le Repas libre.*
                    CHATEAUBRIAND. *Les Martyrs.*

                            I

     Lorsqu'à l'antique Olympe immolant l'Evangile,
     Le préteur, appuyant d'un tribunal fragile
                Ses temples odieux,
     Livide, avait proscrit des Chrétiens pleins de joie,
5   Victimes qu'attendaient, acharnés sur leur proie,
                Les tigres et les dieux;

     Rome offrait un festin à leur élite sainte;
     Comme si, sur les bords du calice d'absinthe
                Versant un peu de miel,
10   Sa pitié des martyrs ignorait l'énergie,
     Et voulait consoler, par une folle orgie,
                Ceux qu'appelait le ciel.

     La pourpre recevait ces convives austères :
     Le falerne écumait dans de larges cratères
15   Ceints de myrtes fleuris;
     Le miel d'Hybla dorait les vins de Malvoisie,
     Et, dans les vases d'or, les parfums de l'Asie
                Lavaient leurs pieds meurtris.

     Un art profond, mêlant les tribus des trois mondes,
20   Dévastait les forêts et dépeuplait les ondes

Pour ce libre repas;
On eût dit qu'épuisant la prodigue nature,
Sybaris conviait aux banquets d'Epicure
Ces élus du trépas.

25 Les tigres cependant s'agitaient dans leur chaîne :
Les léopards captifs de la sanglante arène
Cherchaient le noir chemin;
Et bientôt, moins cruels que les femmes de Rome,
Ces monstres s'étonnaient d'être applaudis par l'homme,
30   Baignés de sang humain.

On jetait aux lions les confesseurs, les prêtres.
Telle une main servile à de dédaigneux maîtres
Offre un mets savoureux.
Lorsqu'au pompeux banquet siégeait leur saint conclave,
35 La pâle mort, debout, comme un muet esclave,
Se tenait derrière eux.

II

O rois, comme un festin, s'écoule votre vie.
La coupe des grandeurs, que le vulgaire envie,
Brille dans votre main;
40 Mais au concert joyeux de la fête éphémère
Se mêle le cri sourd du tigre populaire
Qui vous attend demain!

1823.

ODE SIXIÈME

LA LIBERTÉ

Christus nos liberavit.

I

Quand l'impie a porté l'outrage au sanctuaire,
Tout fuit le temple en deuil, de splendeur dépouillé;

Mais le prêtre fidèle, à genoux sur la **pierre**,
Prodigue plus d'encens, répand plus de **prière**,
5   Courbe plus bas son front devant l'autel **souillé**.

II

Non, sur nos tristes bords, ô belle voyageuse!
Sœur auguste des rois, fille sainte de Dieu,
Liberté! pur flambeau de la gloire orageuse,
     Non, je ne t'ai point dit adieu!
10 Car mon luth est de ceux dont les voix importunes
     Pleurent toutes les infortunes,
     Bénissent toutes les vertus,
Mes hymnes dévoués ne traînent point la chaîne
Du vil gladiateur, mais ils vont dans l'arène,
15   Du linceul des martyrs vêtus [20].

Dans l'âge où le cœur porte un souffle magnanime,
Où l'homme à l'avenir jette un défi sublime,
Et montre à sa menace un sourire hardi;
Avant l'heure où périt la fleur de l'espérance,
20   Quand l'âme, lasse de souffrance,
Passe du frais matin à l'aride midi;

Je disais : « O salut, vierge aimable et sévère!
Le monde, ô Liberté, suit tes nobles élans;
Comme une jeune épouse il t'aime, et te révère
25   Comme une aïeule en cheveux blancs!
Salut! tu sais, de l'âme écartant les entraves,
     Descendre au cachot des esclaves
     Plutôt qu'au palais des tyrans;
Aux concerts du Cédron mêlant ceux du Permesse,
30 Ta voix douce a toujours quelque illustre promesse
     Qu'entendent les héros mourants. »

Je disais. Souriant à mon ivresse austère,
Je vis venir à moi les sages de la terre :
« Voici la Liberté! plus de sang! plus de pleurs!
35 Les peuples réveillés s'inclinent devant elle.
Viens, ô son jeune amant! car voici l'immortelle!... »
Et j'accourus, portant des palmes et des fleurs.

III

O Dieu! leur Liberté, c'était un monstre immense,
Se nommant Vérité parce qu'il était nu,
40 Balbutiant les cris de l'aveugle démence,
          Et l'aveu du vice ingénu!
La fable eût pu donner à ses fureurs impies
          L'ongle flétrissant des Harpies
          Et les mille bras d'Ægéon.
La dépouille de Rome ornait l'impure idole.
45 Le vautour remplaçait l'aigle à son Capitole.
          L'Enfer peuplait son Panthéon.

Le Supplice hagard, la Torture écumante,
Lui conduisaient la Mort comme une heureuse amante.
50 Le Monstre aux pieds foulait tout un peuple innocent;
Et les sages menteurs, aux paroles divines,
Soutenaient ses pas lourds, quand, parmi les ruines,
          Il chancelait, ivre de sang!

Mêlant les lois de Sparte aux fêtes de Sodome,
55 Dans tous les attentats cherchant tous les fléaux,
Par le néant de l'âme il croyait grandir l'homme,
          Et réveillait le vieux chaos.
Pour frapper leur couronne osant frapper leur tête,
          Des rois, perdus dans la tempête,
60   Il brisait le trône avili;
Et, de l'éternité lui laissant quelque reste,
Daignait à Dieu, muet dans son exil céleste,
          Offrir un échange d'oubli!

IV

Et les sages disaient : « Gloire à notre sagesse!
65 Voici les jours de Rome et les temps de la Grèce!
Nations, de vos Rois brisez l'indigne frein.
Liberté! N'ayez plus de maîtres que vous-même :
Car nous tenons de toi notre pouvoir suprême,
Sois donc heureux et libre, ô peuple souverain!... »
70 Tyrans adulateurs! caresses mensongères!
O honte!... Asie, Afrique, où sont tous vos sultans ?
Que leurs sceptres sont doux, et leurs chaînes légères
          Près de ces bourreaux insultants!
Rends gloire, ô foule abjecte en tes fers assoupie,

75   Au vil monstre d'Ethiopie,
        Par un fer jaloux mutilé!
    Gloire aux muets cachés au harem du Prophète!
    Gloire à l'esclave obscur, qui leur livre sa tête,
        Du moins en silence immolé!

80 Le sultan, sous des murs de jaspe et de porphyre,
    Jetant à cent beautés un dédaigneux sourire,
    Foule la pourpre et l'or, et l'ambre et le corail;
    Et de loin, en passant, le peuple peut connaître
        Où sont les plaisirs de son maître,
85 A la tête, qui pend aux portes du sérail.

    Peuple heureux! éveillant la révolte hardie,
    Parmi ses toits troublés, dans l'ombre, bien souvent,
    L'inquiet janissaire égare l'incendie
        Sur l'aile bruyante du vent.
90 Peuple heureux! d'un vizir sa vie est le domaine;
        Un poison, que la mort promène,
        Flétrit son rivage infecté;
    L'esclavage le courbe au joug de l'épouvante:
    Peuple trois fois heureux! divins sages qu'on vante,
95   Il n'a pas votre Liberté!

                        v

    O France! c'est au ciel, qu'en nos jours de colère,
    A fui la Liberté, mère des saints exploits;
    Il faut, pour réfléchir cet astre tutélaire,
    Que, pur dans tous ses flots, le fleuve populaire
100 Coule à l'ombre du trône appuyé sur les lois.

    Un dieu du joug du mal a délivré le monde.
    Parmi les opprimés il vint prendre son rang;
    Rois! — en vœux fraternels sa parole est féconde;
        Peuple! — il fut pauvre, humble et souffrant.
105 La Liberté sourit à toutes les victimes,
        A tous les dévouements sublimes,
        Sauveurs des états secourus;
    A ses yeux la Vendée est sœur des Thermopyles:
    Et le même laurier, dans les mêmes asiles,
110   Unit Malesherbe et Codrus.

VI

Quand l'impie a porté l'ouvrage au sanctuaire,
Tout fuit le temple en deuil, de splendeur dépouillé;
Mais le prêtre fidèle, assis dans la poussière,
Prodigue plus d'encens, répand plus de prière,
115 Courbe plus bas son front devant l'autel souillé.

Juillet 1823.

ODE SEPTIÈME

LA GUERRE D'ESPAGNE

Sine clade victor.

I

Oh! que la Royauté, puissante et vénérable,
Fille, aux cheveux blanchis, des âges révolus;
Perçant de ses clartés leur nuit impénétrable,
        Où tant d'astres ne brillent plus;
5 Soumettant l'aigle au cygne et l'autour aux colombes;
        S'élevant de tombes en tombes;
        Géant, que grandit son fardeau;
Consacrant sur l'autel le fer dont elle est ceinte,
Et mêlant les rayons de l'auréole sainte
10   Aux fleurons du royal bandeau;

Oh! que la Royauté, peuples, est douce et belle! —
A force de bienfaits elle achète ses droits.
Son bras fort, quand bouillonne une foule rebelle,
        Couvre les sceptres d'une croix.
15 Ce colosse d'airain, de ses mains séculaires,
        Dans les nuages populaires
        Lève un phare aux feux éclatants;
Et, liant au passé l'avenir qu'il féconde,
Pose à la fois ses pieds, en vain battus de l'onde,
20   Sur les deux rivages du temps.

II

Aussi, que de malheurs suprêmes
Elle impose aux infortunés,
Qui, sous le joug des diadèmes,
Courbèrent leurs fronts condamnés !
25   Il faut que leur cœur soit sublime.
Affrontant la foudre et l'abîme,
Leur nef ne doit pas fuir l'écueil.
Un roi, digne de la couronne,
Ne sait pas descendre du trône,
30   Mais il sait descendre au cercueil.

Il faut, comme un soldat, qu'un prince ait une épée.
Il faut, des factions quand l'astre impur a lui,
Que, nuit et jour, bravant leur attente trompée,
        Un glaive veille auprès de lui ;
35 Ou que de son armée il se fasse un cortège ;
        Que son fier palais se protège
        D'un camp au front étincelant ;
Car de la Royauté la Guerre est la compagne :
On ne peut te briser, sceptre de Charlemagne,
40   Sans briser le fer de Roland !

III

Roland ! — N'est-il pas vrai, noble élu de la guerre,
Que ton ombre, éveillée aux cris de nos guerriers,
Aux champs de Roncevaux lorsqu'ils passaient naguère,
        Les prit pour d'anciens chevaliers ?
45 Car le héros, assis sur sa tombe célèbre,
        Les voyait, vers les bords de l'Ebre
        Déployant leur vol immortel,
Du haut des monts, pareils à l'aigle ouvrant ses ailes,
Secouer, pour chasser de nouveaux infidèles,
50   L'éclatant cimier de Martel !

        Mais un autre héros encore,
        Pélage, l'effroi des tyrans,
        Pélage, autre vainqueur du Maure,
        Dans les cieux saluait nos rangs.
55   Au char où notre gloire brille,
        Il attelait de la Castille
        Le vieux lion, fier et soumis ;

Répétant notre cri d'alarmes,
Il mêlait sa lance à nos armes,
60   Et sa voix nous disait : Amis !

                    IV

Des pas d'un conquérant l'Espagne encor fumante
Pleurait, prostituée à notre Liberté,
Entre les bras sanglants de l'effroyable amante,
          Sa royale virginité [21].
65 Ce peuple altier, chargé de despotes vulgaires,
          Maudissait, épuisé de guerres,
          Le monstre, en ses champs accouru ;
Si las des vils tribuns et des tyrans serviles,
Que lui-même appelait l'étranger dans ses villes,
70   Sans frémir d'être secouru !

Les Français sont venus : — du Rhin jusqu'au Bosphore,
Peuples de l'aquilon, du couchant, du midi,
Pourquoi, vous dont le front, que l'effroi trouble encore,
          Se courba sous leur pied hardi ;
75 Nations, de la veille à leur chaîne échappées,
          Qu'on vit tomber sous leurs épées,
          Ou qui par eux avez vécu ;
Empires, potentats, cités, royaumes, princes !
Pourquoi, puissants états, qui fûtes nos provinces,
80   Me demander s'ils ont vaincu ?

          Ils ont appris à l'anarchie
          Ce que pèse le fer gaulois ;
          Mais par eux l'Espagne affranchie
          Ne peut rougir de leurs exploits ;
85   Tous les peuples, que Dieu seconde,
          Quand l'hydre, en désastre féconde,
          Tourne vers eux son triple dard,
          Ont, ligués contre sa furie,
          Le temple pour même patrie,
90   La croix pour commun étendard.

                    V

Pourtant, que désormais Madrid taise à l'histoire
Des succès trop longtemps par son orgueil redits,

Et le royal captif que l'ingrate victoire
   Dans ses murs envoya jadis.
95 Cadix nous a vengés de l'affront de Pavie.
   A l'ombre d'un héros ravie
   La gloire a rendu tous ses droits;
Oubliant quel Français a porté ses entraves,
La fière Espagne a vu si les mains de nos braves
100   Savent briser les fers des rois!

  Préparez, Castillans, des fêtes solennelles,
Des murs de Saragosse aux champs d'Almonacid.
Mêlez à nos lauriers vos palmes fraternelles;
   Chantez Bayard — chantons le Cid!
105 Qu'au vieil Escurial le vieux Louvre réponde;
   Que votre drapeau se confonde
   A nos drapeaux victorieux;
Que Gadès édifie un autel sur sa plage!
Que de lui-même, aux monts d'où se leva Pélage,
110   S'allume un feu mystérieux!

   Pour témoigner de leurs paroles,
   Où sont ces nouveaux Décius?
   Le brasier attend les Scévoles!
   Le gouffre attend les Curtius!
115   Quoi! traînant leurs fronts dans la poudre,
   Tous, de Bourbon qui tient la foudre,
   Embrassent les sacrés genoux!... —
   Ah! la victoire est généreuse,
   Leur cause inique est malheureuse,
120   Ils sont vaincus, ils sont absous!

VI

Un Bourbon pour punir ne voudrait pas combattre.
Le droit de son triomphe est toujours le pardon.
Pourtant des factions que son bras vient d'abattre,
   Il éteint le dernier brandon.
125 Oh! de combien de maux, peuples, il vous délivre!
   Hélas! à quels forfaits se livre
   Le monstre, à ses pieds frémissant!
Nous qui l'avons vaincu, nous fûmes sa conquête.
Nous savons, lorsque tombe une royale tête,
130   Combien il en coule de sang!

O nos guerriers, venez! vos mères sont contentes!
Vos bras, terreur du monde, en deviennent l'appui.
Assez on vit crouler de trônes sous vos tentes!
      Relevez les rois aujourd'hui.
135 Dieu met sur votre char son arche glorieuse;
      Votre tente victorieuse
      Est son tabernacle immortel;
Des saintes légions votre étendard dispose;
Il veut que votre casque à sa droite repose
140   Entre les vases de l'autel!

              VII

      C'en est fait : loin de l'espérance
      Chassant le crime épouvanté,
      Les cieux commettent à la France
      La garde de la Royauté.
145   Son génie, éclairant les trames,
      Luit comme la lampe aux sept flammes,
      Cachée aux temples du Jourdain;
      Gardien des trônes qu'il relève,
      Son glaive est le céleste glaive
150   Qui flamboie aux portes d'Eden!

                        Novembre 1823.

              ODE HUITIÈME

A L'ARC DE TRIOMPHE DE L'ÉTOILE

                       Non deficit alter.
                       VIRGILE.

              I

La France a des palais, des tombeaux, des portiques,
De vieux châteaux, tout pleins de bannières antiques,
Héroïques joyaux, conquis dans les dangers;
Sa pieuse valeur, prodigue en fiers exemples,

5   Pour parer ces superbes temples,
         Dépouille les camps étrangers.

On voit dans ses cités, de monuments peuplées,
Rome et ses dieux, Memphis et ses noirs mausolées ;
Le lion de Venise en leurs murs a dormi ;
10 Et quand, pour embellir nos vastes Babylones,
         Le bronze manque à ses colonnes,
         Elle en demande à l'ennemi !

Lorsque luit aux combats son armure enflammée,
Son oriflamme auguste et de lys parsemée
15 Chasse les escadrons ainsi que des troupeaux ;
Puis elle offre aux vaincus des dons après les guerres,
         Et, comme des hochets vulgaires,
         Y mêle leurs propres drapeaux.

                        II

Arc triomphal ! la foudre, en terrassant ton maître,
20 Semblait avoir frappé ton front encore à naître.
Par nos exploits nouveaux te voilà relevé !
Car on n'a pas voulu, dans notre illustre armée,
         Qu'il fût de notre renommée
         Un monument inachevé !

25 Dis aux siècles le nom de leur chef magnanime,
Qu'on lise sur ton front que nul laurier sublime
A des glaives français ne peut se dérober.
Lève-toi jusqu'aux cieux, portique de victoire !
         Que le géant de notre gloire
30   Puisse passer sans se courber !

                                    Novembre 1823.

ODE NEUVIÈME

LA MORT
DE MADEMOISELLE DE SOMBREUIL [22]

> *Sunt lacrymæ rerum.*
> VIRGILE.

I

Lyre! encore un hommage à la vertu qui t'aime!
Assez tu dérobas des hymnes d'anathème
Au funèbre Isaïe, au triste Ezéchiel!
Pour consoler les morts, pour pleurer les victimes,
5   Lyre, il faut de ces chants sublimes
        Dont tous les échos sont au ciel.

Elle aussi, Dieu l'a rappelée!... —
Les cieux nous enviaient Sombreuil;
Ils ont repris leur exilée :
10   Nous tous, bannis! traînons le deuil.
Répondez, a-t-on vu son ombre
S'évanouir dans la nuit sombre,
Ou fuir vers le jour immortel ?
La vit-on monter ou descendre ?
15   Où déposerons-nous sa cendre ?
Est-ce à la tombe ? est-ce à l'autel ?

Ne pleurez pas, — prions : les saints l'ont réclamée;
Prions : adorez-la, vous qui l'avez aimée!
Elle est avec ses sœurs, anges purs et charmants,
20 Ces vierges qui, jadis, sur la croix attachées,
Ou, comme au sein des fleurs, sur des brasiers couchées,
        S'endormirent dans les tourments.

Sa vie était un pur mystère
D'innocence et de saints remords;
25   Cette âme a passé sur la terre
Entre les vivants et les morts.
Souvent, hélas! l'infortunée,
Comme si de sa destinée
La mort eût rompu le lien,
30   Sentit, avec des terreurs vaines,

Se glacer dans ses pâles veines
Un sang, qui n'était pas le sien!

II

O jour! où le trépas perdit son privilège,
Où, rachetant un meurtre au prix d'un sacrilège,
35 Le sang des morts coula dans son sein virginal!
Entre l'impur breuvage et le fer parricide,
Les bourreaux poursuivaient l'héroïne timide
D'une insulte funèbre et d'un rire infernal!

　　　　Son triomphe est dans son supplice.
40 　　　Elle a, levant les yeux au ciel,
　　　　Bu le sang au même calice
　　　　Où Jésus mourant but le fiel.
　　　　Oh! que d'amour dans ce courage!...
　　　　Mais, quand périrent dans l'orage
45 　　　Ses parents, que la France a plaints,
　　　　Pour consoler l'auguste fille
　　　　Dieu lui confia sa famille
　　　　Et de veuves et d'orphelins.

III

Car il lui fut donné de survivre au martyre : —
50 Elle fut sur nos bords, d'où la foi se retire,
Comme un rayon du soir resté sur l'horizon;
Dieu la marqua d'un signe entre toutes les femmes,
Et voulut dans son champ, où glanent si peu d'âmes,
Laisser cet épi mûr de la sainte moisson.

55 　　　Elle était heureuse, ici même!
　　　　Du bras dont il venge ses droits,
　　　　Le Seigneur soutient ceux qu'il aime,
　　　　Et les aide à porter la croix.
　　　　Il montre, en visions étranges,
60 　　　A Jacob l'échelle des anges,
　　　　A Saül les antres d'Endor;
　　　　Sa main mystérieuse et sainte,
　　　　Sait cacher le miel dans l'absinthe,
　　　　Et la cendre dans les fruits d'or.

65 Sa constante équité n'est jamais assoupie;
 Le méchant, sous la pourpre où son bonheur s'expie,
 Envie un toit de chaume au fidèle abattu;
 Et quand l'impie heureux, bercé sur des abîmes,
   Se crée un enfer de ses crimes,
70 Le juste en pleurs se fait un ciel de sa vertu.

   On dit qu'en dépouillant la vie
   Elle parut la regretter,
   Et jeta des regards d'envie
   Sur les fers qu'elle allait quitter.
75   « — O mon Dieu! retardez mon heure.
   Loin de la vallée où l'on pleure,
   Suis-je digne de m'envoler ?
   Ce n'est pas la mort que j'implore,
   Seigneur; je puis souffrir encore,
80   Et je veux encor consoler.

 « Je pars; ayez pitié de ceux que j'abandonne :
 Quel amour leur rendra l'amour que je leur donne ?
 Pourquoi du saint bonheur sitôt me couronner ?
 Laissez mon âme encor sur leurs maux se répandre;
85 Je n'aurai plus au ciel d'opprimés à défendre,
   Ni d'oppresseurs à pardonner ! »

   Il faut donc que le juste meure ! —
   En vain, dans ses regrets nommés,
   Ont passé devant sa demeure
90   Tous ses pauvres accoutumés.
   Maintenant, ô fils des chaumières!
   Payez son aumône en prières;
   Suivez-la d'un pieux adieu,
   Orphelins, veuves déplorables,
95   Vous tous, faibles et misérables,
   Images augustes de Dieu!

IV

 O Dieu! ne reprends pas ceux que ta flamme anime.
 Si la vertu s'en va, que deviendra le crime ?
 Où pourront du méchant se reposer les yeux ?
100 N'enlève pas au monde un espoir salutaire.
   Laisse des justes sur la terre!
 N'as-tu donc pas, Seigneur, assez d'anges aux cieux ?

Décembre 1823.

ODE DIXIÈME

LE DERNIER CHANT

> O muse, qui daignas me soutenir dans une
> carrière aussi longue que périlleuse, retourne
> maintenant aux célestes demeures!... Adieu,
> consolatrice de mes jours, toi qui partageas
> mes plaisirs, et bien plus souvent mes dou-
> leurs!
>
> CHATEAUBRIAND. *Les Martyrs.*

Et toi, dépose aussi la lyre!
Qu'importe le Dieu qui t'inspire
A ces mortels vains et grossiers ?
On en rit quand ta main l'encense.
5 Brise donc ce luth sans puissance!
Descends de ce char sans coursiers!

— Oh! qu'il est saint et pur le transport du poète,
Quand il voit en espoir, bravant la mort muette,
Du voyage des temps sa gloire revenir!
10 Sur les âges futurs, de sa hauteur sublime
Il se penche, écoutant son lointain souvenir;
Et son nom, comme un poids jeté dans un abîme,
Eveille mille échos au fond de l'avenir.

Je n'ai point cette auguste joie.
15 Les siècles ne sont point ma proie;
La gloire ne dit pas mon rang.
Ma muse, en l'orage qui gronde,
Est tombée au courant du monde,
Comme un lys aux flots d'un torrent.

20 Pourtant, ma douce muse est innocente et belle.
L'astre de Bethléem a des regards pour elle :
J'ai suivi l'humble étoile, aux rois pasteurs pareil.
Le Seigneur m'a donné le don de sa parole,
Car son peuple l'oublie en un lâche sommeil;
25 Et, soit que mon luth pleure, ou menace, ou console,
Mes chants volent à Dieu, comme l'aigle au soleil.

Mon âme à sa source embrasée
Monte de pensée en pensée;

Ainsi du ruisseau précieux
30   Où l'arabe altéré s'abreuve,
La goutte d'eau passe au grand fleuve,
Du fleuve aux mers, des mers aux cieux.

Mais, ô fleurs sans parfums, foyers sans étincelles,
Hommes! l'air parmi vous manque à mes larges ailes.
35 Votre monde est borné, votre souffle est mortel!
Les lyres sont pour vous comme des voix vulgaires.
Je m'enivre d'absinthe : enivrez-vous de miel.
Bien : — aimez vos amours et combattez vos guerres,
Vous, dont l'œil mort se ferme à tout rayon du ciel!

40   Sans éveiller d'écho sonore
J'ai haussé ma voix faible encore;
Et ma lyre aux fibres d'acier
A passé sur ces âmes viles,
Comme sur le pavé des villes
45   L'ongle résonnant du coursier.

En vain j'ai fait gronder la vengeance éternelle;
En vain, j'ai, pour fléchir leur âme criminelle,
Fait parler le pardon par la voix des douleurs.
Du haut des cieux tonnants, mon austère pensée,
50 Sur cette terre ingrate où germent les malheurs,
Tombant, pluie orageuse ou propice rosée,
N'a point flétri l'ivraie et fécondé les fleurs.

Du tombeau tout franchit la porte.
L'homme, hélas! que le temps emporte,
55   En vain contre lui se débat.
Rien de Dieu ne trompe l'attente;
Et la vie est comme une tente
Où l'on dort avant le combat.
Voilà, tristes mortels, ce que leur âme oublie!
60 L'urne des ans pour tous n'est pas toujours remplie.
Mais qu'ils passent en paix sous le ciel outragé!
Qu'ils jouissent des jours dans leurs frêles demeures!
Quand dans l'éternité leur sort sera plongé,
Les insensés en vain s'attacheront aux heures,
65 Comme aux débris épars d'un vaisseau submergé.

Adieu donc ce luth qui soupire!
Muse, ici tu n'as plus d'empire,
O muse, aux concerts immortels!

          Fuis la foule qui te contemple;
70   Referme les voiles du temple;
          Rends leur ombre aux chastes autels.

Je vous rapporte, ô Dieu! le rameau d'espérance. —
Voici le divin glaive et la céleste lance :
J'ai mal atteint le but où j'étais envoyé.
75 Souvent, des vents jaloux jouet involontaire,
L'aiglon suspend son vol, à peine déployé;
Souvent, d'un trait de feu cherchant en vain la terre,
L'éclair remonte au ciel, sans avoir foudroyé.

                                        1823.

LIVRE TROISIÈME

1824-1828

> Le temps qui dérobe à la jeunesse ses années,
> m'en a déjà ravi vingt-trois sur son aile. Mes
> jours s'écoulent à longs flots... Mais quelle que
> soit mon intelligence, étendue ou bornée, pré-
> coce ou tardive, elle sera toujours mesurée au
> but vers lequel m'entraîne le temps, me guide
> le ciel; car j'userai sans cesse de moi-même
> sous l'œil de celui qui me donne ma tâche, de
> mon divin Créateur.
>
> MILTON. *Sonnet.*

ODE PREMIÈRE

A M. ALPHONSE DE L.

> Or, sachant ces choses, nous venons ensei-
> gner aux hommes la crainte de Dieu.
>
> II COR., V.

I

Pourtant je m'étais dit : « Abritons mon navire.
Ne livrons plus ma voile au vent qui la déchire.
Cachons ce luth. Mes chants peut-être auraient vécu!...
Soyons comme un soldat qui revient sans murmure
5 Suspendre à son chevet un vain reste d'armure,
      Et s'endort, vainqueur ou vaincu! »

Je ne demandais plus à la muse que j'aime,
Qu'un seul chant pour ma mort, solennel et suprême!
Le Poète avec joie au tombeau doit s'offrir;
10 S'il ne souriait pas au moment où l'on pleure,
      Chacun lui dirait : « Voici l'heure!
Pourquoi ne pas chanter, puisque tu vas mourir ? »

C'est que la mort n'est pas ce que la foule en pense!
C'est l'instant où notre âme obtient sa récompense,
15 Où le fils exilé rentre au sein paternel.
    Quand nous penchons près d'elle une oreille inquiète,
    La voix du trépassé, que nous croyons muette,
          A commencé l'hymne éternel!

                            II

    Plus tôt que je n'ai dû, je reviens dans la lice;
20 Mais tu le veux, ami! ta muse est ma complice;
    Ton bras m'a réveillé; c'est toi qui m'as dit : « Va!
    Dans la mêlée encor jetons ensemble un gage.
          De plus en plus elle s'engage.
    Marchons, et confessons le nom de Jéhova! »

25 J'unis donc à tes chants quelques chants téméraires.
    Prends ton luth immortel : nous combattrons en frères
    Pour les mêmes autels et les mêmes foyers.
    Montés au même char, comme un couple homérique,
    Nous tiendrons, pour lutter dans l'arène lyrique,
30   Toi la lance, moi les coursiers.

    Puis, pour faire une part à la faiblesse humaine,
    Je ne sais quelle pente au combat me ramène.
    J'ai besoin de revoir ce que j'ai combattu,
    De jeter sur l'impie un dernier anathème,
35   De te dire, à toi, que je t'aime,
    Et de chanter encore un hymne à la vertu!

                            III

    Ah! nous ne sommes plus au temps où le poète
    Parlait au ciel en prêtre, à la terre en prophète!
    Que Moïse, Isaïe, apparaisse en nos champs,
40 Les peuples qu'ils viendront juger, punir, absoudre,
    Dans leurs yeux pleins d'éclairs méconnaîtront la foudre
          Qui tonne en éclats dans leurs chants.

    Vainement ils iront s'écriant dans les villes :
    « Plus de rébellions! plus de guerres civiles!
45 Aux autels du Veau-d'Or pourquoi danser toujours ?
    Dagon va s'écrouler; Baal va disparaître.

Le Seigneur a dit à son prêtre :
« Pour faire pénitence ils n'ont que peu de jours ! »

« Rois, peuples, couvrez-vous d'un sac souillé de cendre !
50 Bientôt sur la nuée un juge doit descendre.
Vous dormez ! que vos yeux daignent enfin s'ouvrir.
Tyr appartient aux flots, Gomorrhe à l'incendie.
Secouez le sommeil de votre âme engourdie,
            Et réveillez-vous pour mourir !

55 « Ah ! malheur au puissant qui s'enivre en des fêtes,
Riant de l'opprimé qui pleure, et des prophètes !
Ainsi que Balthazar, ignorant ses malheurs,
Il ne voit pas, aux murs de la salle bruyante,
            Les mots qu'une main flamboyante
60 Trace en lettres de feu parmi les nœuds de fleurs !

« Il sera rejeté comme ce noir Génie,
Effrayant par sa gloire et par son agonie,
Qui tomba jeune encor, dont ce siècle est rempli.
Pourtant Napoléon du monde était la faîte.
65 Ses pieds éperonnés des rois pliaient la tête,
            Et leur tête gardait le pli.

« Malheur donc ! — Malheur même au mendiant qui
Hypocrite et jaloux, aux portes du satrape !   [frappe,
A l'esclave en ses fers ! au maître en son château !
70 A qui, voyant marcher l'innocent aux supplices,
            Entre deux meurtriers complices,
N'étend point sous ses pas son plus riche manteau !

« Malheur à qui dira : « Ma mère est adultère ! »
A qui voile un cœur vil sous un langage austère !
75 A qui change en blasphème un serment effacé !
Au flatteur médisant, reptile à deux visages !
A qui s'annoncera sage entre tous les sages !
            Oui, malheur à cet insensé !

« Peuples, vous ignorez le Dieu qui vous fit naître !
80 Et pourtant vos regards le peuvent reconnaître
Dans vos biens, dans vos maux, à toute heure, en tout lieu !
Un Dieu compte vos jours, un Dieu règne en vos fêtes !
            Lorsqu'un chef vous mène aux conquêtes,
Le bras qui vous entraîne est poussé par un Dieu !

85 « A sa voix, en vos temps de folie et de crime,
     Les Révolutions ont ouvert leur abîme.
     Les justes ont versé tout leur sang précieux;
     Et les peuples, troupeau qui dormait sous le glaive,
     Ont vu, comme Jacob, dans un étrange rêve,
90   Des anges remonter aux cieux!

     « Frémissez donc! Bientôt, annonçant sa venue,
     Le clairon de l'Archange entrouvrira la nue.
     Jour d'éternels tourments! jour d'éternel bonheur,
     Resplendissant d'éclairs, de rayons, d'auréoles,
95   Dieu vous montrera vos idoles,
     Et vous demandera : « Qui donc est le Seigneur ? »

     « La trompette, sept fois sonnant dans les nuées,
     Poussera jusqu'à lui, pâles, exténuées,
     Les races à grands flots se heurtant dans la nuit!
100 Jésus appellera sa mère virginale;
     Et la porte céleste, et la porte infernale
              S'ouvriront ensemble avec bruit!

     « Dieu vous dénombrera d'une voix solennelle.
     Les rois se courberont sous le vent de son aile.
105 Chacun lui portera son espoir, ses remords.
     Sous les mers, sur les monts, au fond des catacombes,
              A travers le marbre des tombes,
     Son souffle remûra la poussière des morts!

     « O siècle! arrache-toi de tes pensers frivoles.
110 L'air va bientôt manquer dans l'espace où tu voles!
     Mortels! gloire, plaisirs, biens, tout est vanité!
     A quoi pensez-vous donc, vous qui dans vos demeures
     Voulez voir en riant entrer toutes les heures ?...
              L'Eternité! l'Eternité! »

                              IV

115 Nos sages répondront : — « Que nous veulent ces hommes ?
     Ils ne sont pas du monde et du temps dont nous sommes.
     Ces poètes sont-ils nés au sacré vallon ?
     Où donc est leur Olympe ? où donc est leur Parnasse ?
              Quel est leur Dieu qui nous menace ?
120 A-t-il le char de Mars ? A-t-il l'arc d'Apollon ?

« S'ils veulent emboucher le clairon de Pindare,
N'ont-ils pas Hiéron, la fille de Tyndare,
Castor, Pollux, l'Elide et les Jeux des vieux temps,
L'arène où l'encens roule en longs flots de fumée,
125 La roue aux rayons d'or, de clous d'airain semée,
            Et les quadriges éclatants ?

« Pourquoi nous effrayer de clartés symboliques ?
Nous aimons qu'on nous charme en des chants bucoliques,
Qu'on y fasse lutter Ménalque et Palémon.
130 Pour dire l'avenir à notre âme débile,
            On a l'écumante Sibylle,
Que bat à coups pressés l'aile d'un noir démon.

« Pourquoi dans nos plaisirs nous suivre comme une
Pourquoi nous dévoiler dans sa nudité sombre   [ombre ?
135 L'affreux sépulcre, ouvert devant nos pas tremblants ?
Anacréon, chargé du poids des ans moroses,
Pour songer à la mort se comparait aux roses
            Qui mouraient sur ses cheveux blancs.

« Virgile n'a jamais laissé fuir de sa lyre
140 Des vers qu'à Lycoris son Gallus ne pût lire.
Toujours l'hymne d'Horace au sein des ris est né ;
Jamais il n'a versé de larmes immortelles :
            La poussière des cascatelles
Seule a mouillé son luth, de myrtes couronné ! »

                        V

145 Voilà de quels dédains leurs âmes satisfaites
Accueilleraient, ami, Dieu même et ses prophètes !
Et puis, tu les verrais, vainement irrité,
Continuer, joyeux, quelque festin folâtre,
Ou pour dormir aux sons d'une lyre idolâtre
150   Se tourner de l'autre côté.

Mais qu'importe? accomplis ta mission sacrée.
Chante, juge, bénis ; ta bouche est inspirée !
Le Seigneur en passant t'a touché de sa main ;
Et, pareil au rocher qu'avait frappé Moïse,
155   Pour la foule au désert assise,
La poésie en flots s'échappe de ton sein !

Moi, fussé-je vaincu, j'aimerai ta victoire.
Tu le sais, pour mon cœur, ami de toute gloire,

Les triomphes d'autrui ne sont pas un affront.
160 Poète, j'eus toujours un chant pour les poètes;
Et jamais le laurier qui pare d'autres têtes
        Ne jeta d'ombre sur mon front!

Souris même à l'envie amère et discordante.
Elle outrageait Homère; elle attaquait le Dante.
165 Sous l'arche triomphale elle insulte au guerrier.
Il faut bien que ton nom dans ses cris retentisse;
        Le temps amène la justice :
Laisse tomber l'orage et grandir ton laurier!

VI

Telle est la majesté de tes concerts suprêmes,
170 Que tu sembles savoir comment les anges mêmes
Sur les harpes du ciel laissent errer leurs doigts!
On dirait que Dieu même, inspirant ton audace,
Parfois dans le désert t'apparaît face à face,
        Et qu'il te parle avec la voix!

Octobre 1825.

ODE DEUXIÈME

À M. DE CHATEAUBRIAND

> On ne tourmente pas les arbres stériles et
> desséchés; ceux-là seulement sont battus de
> pierres dont le front est couronné de fruits
> d'or.
>
> ABENHAMED.

I

Il est, Chateaubriand, de glorieux navires
Qui veulent l'ouragan plutôt que les zéphires.
Il est des astres, rois des cieux étincelants,
Mondes volcans jetés parmi les autres mondes,
5   Qui volent dans les nuits profondes
Le front paré des feux qui dévorent leurs flancs.

Le génie a partout des symboles sublimes.
Ses plus chers favoris sont toujours des victimes,
Et doivent aux revers l'éclat que nous aimons ;
10 Une vie éminente est sujette aux orages ;
La foudre a des éclats, le ciel a des nuages
        Qui ne s'arrêtent qu'aux grands monts !

Oui, tout grand cœur a droit aux grandes infortunes :
Aux âmes que le sort sauve des lois communes
15 C'est un tribut d'honneur par la terre payé.
Le grand homme en souffrant s'élève au rang des justes.
        La gloire, en ses trésors augustes,
N'a rien qui soit plus beau qu'un laurier foudroyé !

II

Aussi, dans une cour, dis-moi, qu'allais-tu faire ?
20 N'es-tu pas, noble enfant d'une orageuse sphère,
Que nul malheur n'étonne et ne trouve en défaut,
De ces amis des rois, rares dans les tempêtes,
Qui, ne sachant flatter qu'au péril de leurs têtes,
        Les courtisent sur l'échafaud ?

25 Ce n'est pas lorsqu'un trône a retrouvé le faîte,
Ce n'est pas dans les temps de puissance et de fête,
Que la faveur des cours sur de tels fronts descend.
Il faut l'onde en courroux, l'écueil et la nuit sombre,
        Pour que le pilote qui sombre
30 Jette au phare sauveur un œil reconnaissant.

Va, c'est en vain déjà qu'aux jours de la conquête,
Une main de géant a pesé sur ta tête ;
Et chaque fois qu'au gouffre entraînée à grands pas,
La tremblante patrie errait au gré du crime,
35 Elle eut pour s'appuyer au penchant de l'abîme
        Ton front qui ne se courbe pas !

III

A ton tour soutenu par la France unanime,
Laisse donc s'accomplir ton destin magnanime !
Chacun de tes revers pour ta gloire est compté.
40 Quand le sort t'a frappé, tu lui dois rendre grâce,

> Toi qu'on voit à chaque disgrâce
> Tomber plus haut encor que tu n'étais monté!

Juin 1824.

ODE TROISIÈME

LES FUNÉRAILLES DE LOUIS XVIII

> Ces changements lui sont peu difficiles;
> c'est l'œuvre de la droite du Très Haut.
>
> Ps. LXXVI, 10.

I

La foule, au seuil d'un temple en priant est venue.
Mères, enfants, vieillards, gémissent réunis;
Et l'airain qu'on balance ébranle dans la nue
        Les hauts clochers de Saint-Denis.
5   Le sépulcre est troublé dans ses mornes ténèbres.
                La Mort, de ces couches funèbres,
                Resserre les rangs incomplets.
Silence au noir séjour que le trépas protège! —
Le Roi Chrétien, suivi de son dernier cortège,
10   Entre dans son dernier palais.

II

                Un autre avait dit : « De ma race
                Ce grand tombeau sera le port;
                Je veux, aux rois que je remplace,
                Succéder jusque dans la mort.
15   Ma dépouille ici doit descendre!
                C'est pour faire place à ma cendre
                Qu'on dépeupla ces noirs caveaux.
                Il faut un nouveau maître au monde :
                A ce sépulcre, que je fonde,
20   Il faut des ossements nouveaux.

« Je promets ma poussière à ces voûtes funestes.
A cet insigne honneur ce temple a seul des droits;

Car je veux que le ver qui rongera mes restes
            Ait déjà dévoré des rois.
25 Et lorsque mes neveux, dans leur fortune altière,
            Domineront l'Europe entière,
            Du Kremlin à l'Escurial,
Ils viendront tour à tour dormir dans ces lieux sombres,
Afin que je sommeille, escorté de leurs ombres,
30   Dans mon linceul impérial ! »

            Celui qui disait ces paroles
            Croyait, soldat audacieux,
            Voir, en magnifiques symboles,
            Sa destinée écrite aux cieux.
35   Dans ses étreintes foudroyantes,
            Son aigle, aux serres flamboyantes,
            Eût étouffé l'aigle romain ;
            La Victoire était sa compagne ;
            Et le globe de Charlemagne
40   Etait trop léger pour sa main.

Eh bien ! des potentats ce formidable maître
Dans l'espoir de sa mort par le ciel fut trompé.
De ses ambitions c'est la seule peut-être
            Dont le but lui soit échappé.
45 En vain tout secondait sa marche meurtrière ;
            En vain sa gloire incendiaire,
            En tous lieux portait son flambeau ;
Tout chargé de faisceaux, de sceptres, de couronnes,
Ce vaste ravisseur d'empires et de trônes
50   Ne put usurper un tombeau !

            Tombé sous la main qui châtie,
            L'Europe le fit prisonnier.
            Premier roi de sa dynastie,
            Il en fut aussi le dernier.
55   Une île où grondent les tempêtes,
            Reçut ce géant des conquêtes,
            Tyran que nul n'osait juger,
            Vieux guerrier qui, dans sa misère,
            Dut l'obole de Bélisaire
60   A la pitié de l'étranger.

Loin du sacré tombeau qu'il s'arrangeait naguère,
C'est là que, dépouillé du royal appareil,
Il dort enveloppé de son manteau de guerre,

Sans compagnon de son sommeil.
65   Et tandis qu'il n'a plus de l'empire du monde
Qu'un noir rocher battu de l'onde,
Qu'un vieux saule battu du vent,
Un roi longtemps banni, qui fit nos jours prospères,
Descend au lit de mort où reposaient ses pères,
70   Sous la garde du Dieu vivant.

III

C'est qu'au gré de l'humble qui prie,
Le Seigneur, qui donne et reprend,
Rend à l'Exilé sa patrie,
Livre à l'exil le Conquérant!
75   Dieu voulait qu'il mourût en France,
Ce Roi, si grand dans la souffrance,
Qui des douleurs portait le sceau;
Pour que, victime consolée,
Du seuil noir de son mausolée,
80   Il pût voir encor son berceau.

IV

Oh! qu'il s'endorme en paix dans la nuit funéraire!
N'a-t-il pas oublié ses maux pour nos malheurs?
Ne nous lègue-t-il pas à son généreux frère,
Qui pleure en essuyant nos pleurs?
85   N'a-t-il pas, dissipant nos rêves politiques,
De notre âge et des temps antiques
Proclamé l'auguste traité?
Loi sage qui, domptant la fougue populaire,
Donne aux sujets égaux un maître tutélaire,
90   Esclave de leur liberté!

Sur nous un Roi Chevalier veille.
Qu'il conserve l'aspect des cieux!
Que nul bruit de longtemps n'éveille
Ce sépulcre silencieux!
95   Hélas! le démon régicide,
Qui, du sang des Bourbons avide,
Paya de meurtres leurs bienfaits,
A comblé d'assez de victimes
Ces murs, dépeuplés par des crimes,
100   Et repeuplés par des forfaits!

Qu'il sache que jamais la couronne ne tombe!
Ce haut sommet échappe à son fatal niveau.
Le supplice, où des rois le corps mortel succombe,
    N'est pour eux qu'un sacre nouveau.
105 Louis, chargé de fers par des mains déloyales,
    Dépouillé des pompes royales,
    Sans cour, sans guerriers, sans hérauts;
Gardant sa royauté devant la hache même,
Jusque sur l'échafaud prouva son droit suprême,
110   En faisant grâce à ses bourreaux!

V

De Saint-Denis, de Sainte-Hélène,
Ainsi je méditais le sort,
Sondant d'une vue incertaine
Ces grands mystères de la mort.
115 Qui donc êtes-vous, Dieu superbe?
Quel bras jette les tours sous l'herbe,
Change la pourpre en vil lambeau?
D'où vient votre souffle terrible?
Et quelle est la main invisible
120 Qui garde les clefs du tombeau?

                    Septembre 1824.

ODE QUATRIÈME

LE SACRE DE CHARLES X

Os superbum conticescat,
Simplex fides acquiescat
Dei magisterio.

Que l'orgueil se taise, que la simple foi
contemple l'exercice du pouvoir de Dieu.
        PROSE. — *Prières du sacre.*

I

L'orgueil depuis trente ans est l'erreur de la terre.
C'est lui qui sous les droits étouffa le devoir;

C'est lui qui dépouilla de son divin mystère
        Le sanctuaire du pouvoir.
5 L'orgueil enfanta seul nos fureurs téméraires,
        Et ces lois dont tant de nos frères
        Ont subi l'arrêt criminel,
Et ces règnes sanglants, et ces hideuses fêtes,
Où, sur un échafaud se proclamant prophètes,
10   Des bourreaux créaient l'Eternel!

En vain, pour dissiper cette ingrate folie,
Les leçons du Seigneur sur nous ont éclaté;
Dans les faits merveilleux que notre siècle oublie,
        En vain Dieu s'est manifesté!
15 En vain un Conquérant, aux ailes enflammées,
        A rempli du bruit des armées
        Le monde en ses fers engourdi;
Des peuples obstinés l'aveuglement vulgaire
N'a point vu quelle main poussait ses chars de guerre
20   Du Septentrion au Midi!

II

Qui jamais de Clovis surpassa l'insolence,
Peuples? dans son orgueil il plaçait son appui.
Ne mettant que le monde et lui dans la balance,
        Il crut qu'elle penchait sous lui.
25 Il bravait de vingt rois les armes épuisées;
        Des nations s'étaient brisées
        Sur ce Sicambre audacieux;
Sur la terre à ses yeux rien n'était redoutable :
Il fallut, pour courber cette tête indomptable,
30   Qu'une colombe vînt des cieux!

Peuples! au même autel elle est redescendue!
Elle vient, échappée aux profanations [23],
Comme elle a de Clovis fléchi l'âme éperdue,
        Vaincre l'orgueil des nations.
35 Que le siècle à son tour comme un roi s'humilie.
        De la voix qui réconcilie
        L'oracle est enfin entendu;
La royauté, longtemps veuve de ses couronnes,
De la chaîne d'airain qui lie au ciel les trônes,
40   A retrouvé l'anneau perdu.

III

Naguère on avait vu les tyrans populaires,
Attaquant le passé comme un vieil ennemi,
Poursuivre, sous l'abri des marbres séculaires,
   Le trésor gardé par Remy.
45 Du pontife endormi profanant le front pâle,
    De sa tunique épiscopale
    Ils déchirèrent les lambeaux;
Car ils bravaient la mort dans sa majesté sainte;
Et les vieillards souvent s'écriaient, pleins de crainte :
50   « Que leur ont donc fait les tombeaux ? »

Mais trompant des vautours la fureur criminelle,
Dieu garda sa colombe au lys abandonné.
Elle va sur un roi poser encor son aile :
    Ce bonheur à Charle est donné !
55 Charles sera sacré suivant l'ancien usage,
    Comme Salomon, le roi sage,
    Qui goûta les célestes mets,
Quand Sadoch et Nathan d'un baume l'arrosèrent,
Et, s'approchant de lui, sur le front le baisèrent,
60   En disant : « Qu'il vive à jamais [24] ! »

IV

Le vieux pays des Francs, parmi ses métropoles,
Compte une église illustre, où venaient tous nos rois,
De ce pas triomphant dont tremblent les deux pôles,
    S'humilier devant la Croix.
65 Le peuple en racontait cent prodiges antiques :
    Ce temple a des voûtes gothiques,
    Dont les saints aimaient les détours;
Un séraphin veillait à ses portes fermées;
Et les anges du ciel, quand passaient leurs armées,
70   Plantaient leurs drapeaux sur ses tours!

C'est là que pour la fête on dresse des trophées.
L'or, la moire et l'azur parent les noirs piliers,
Comme un de ces palais où voltigeaient les fées,
    Dans les rêves des chevaliers.
75 D'un trône et d'un autel les splendeurs s'y répondent;
    Des festons de flambeaux confondent
    Leurs rayons purs dans le saint lieu;

Le lys royal s'enlace aux arches tutélaires;
Le soleil, à travers les vitraux circulaires,
80   Mêle aux fleurs des roses de feu.

V

Voici que le cortège à pas égaux s'avance.
Le pontife aux guerriers demande CHARLES DIX.
L'autel de Reims revoit l'oriflamme de France
        Retrouvée aux murs de Cadix.
85 Les cloches dans les airs tonnent; le canon gronde;
        Devant l'aîné des rois du monde
        Tout un peuple tombe à genoux;
Mille cris de triomphe en sons confus se brisent;
Puis le roi se prosterne, et les évêques disent :
90   — « Seigneur, ayez pitié de nous [25]!

« Celui qui vient en pompe à l'autel du Dieu juste,
C'est l'héritier nouveau du vieux droit de Clovis,
Le chef des Douze Pairs, que son appel auguste
        Convoque en ces sacrés parvis.
95 Ses preux, quand de sa voix leur oreille est frappée,
        Touchent le pommeau de l'épée,
        Et l'ennemi pâlit d'effroi;
Lorsque ses légions rentrent après la guerre,
Leur marche pacifique ébranle encor la terre : —
100   O Dieu! prenez pitié du Roi!

« Car vous êtes plus grand que la grandeur des hommes!
Nous vous louons, Seigneur, nous vous confessons Dieu [26]!
Vous nous placez au faîte, et dès que nous y sommes,
        A la vie il faut dire adieu!
105 Vous êtes Sabaoth, le Dieu de la victoire!
        Les Chérubins, remplis de gloire,
        Vous ont proclamé Saint trois fois [27];
Dans votre éternité le temps se précipite;
Vous tenez dans vos mains le monde qui palpite
110   Comme un passereau sous nos doigts! »

VI

Le Roi dit : « Nous jurons, comme ont juré nos pères,
De rendre à nos sujets paix, amour, équité;

D'aimer, aux mauvais jours comme en des temps pros-
  La Charte de leur liberté.   [pères,
115 Nous vivrons dans la foi par nos aïeux chérie.
  Des Ordres de chevalerie
  Nous suivrons le chemin étroit.
Pour sauver l'opprimé nos pas seront agiles.
Ainsi nous le jurons sur les saints Evangiles :
120   Que Dieu soit en aide au bon droit! »

Montjoie et Saint-Denis! — Voilà que Clovis même
Se lève pour l'entendre; et les deux saints guerriers,
Charlemagne et Louis, portant pour diadème
  Une auréole de lauriers;
125 Et Charles Sept, guidé par Jeanne encor ravie;
  Et François Premier, dont Pavie
  Trouva l'armure sans défaut;
Et du dernier Martyr l'héroïque fantôme,
Ce Roi, deux fois sacré pour un double royaume,
130   A l'autel et sur l'échafaud!

Devant ces grands témoins de la grandeur française,
Le Saint Chrême de Charle a rajeuni les droits.
Il reçoit, sans faiblir, cette Couronne où pèse
  La gloire de soixante rois.
135 L'Archevêque bénit l'Epée héréditaire,
  Et le Sceptre, et la Main austère
  Dont nul signe n'est démenti;
Puis il plonge à leur tour dans le divin calice
Ces Gants, qu'un roi jamais n'a jetés dans la lice
140   Sans qu'un monde en ait retenti [28]!

VII

Entre, ô peuple [29]! — Sonnez, clairons, tambours, fan-
Le prince est sur le trône; il est grand et sacré! [fare!
Sur la foule ondoyante il brille comme un phare
  Des flots d'une mer entouré.
145 Mille chantres des airs, du peuple heureuse image,
  Mêlant leur voix et leur plumage,
  Croisent leur vol sous les arceaux;
Car les Francs, nos aïeux, croyaient voir dans la nue
Planer la Liberté, leur mère bien connue,
150   Sur l'aile errante des oiseaux.

Le voilà Prêtre et Roi [30]! — De ce titre sublime
Puisque le double éclat sur sa couronne a lui,
Il faut qu'il sacrifie [31]. Où donc est la Victime ? —
      La Victime, c'est encor lui!
155 Ah! pour les Rois français qu'un sceptre est formidable!
      Ils guident ce peuple indomptable,
      Qui des peuples règle l'essor;
Le monde entier gravite et penche sur leur trône;
Mais aussi l'indigent, que cherche leur aumône,
160   Compte leurs jours comme un trésor!

VIII

PRIÈRE

O Dieu! garde à jamais ce roi qu'un peuple adore [32]!
Romps de ses ennemis les flèches et les dards [33],
Qu'ils viennent du couchant, qu'ils viennent de l'aurore,
      Sur des coursiers ou sur des chars [34]!
165 Charles, comme au Sina, t'a pu voir face à face!
      Du moins qu'un long bonheur efface
      Ses bien longues adversités.
Qu'ici-bas des élus il ait l'habit de fête.
Prête à son front royal deux rayons de ta tête;
170   Mets deux anges à ses côtés!

                          Reims, mai-juin 1825.

ODE CINQUIÈME

AU COLONEL G.-A. GUSTAFFSON

                        Habet sua sidera tellus.
                        Ancienne devise.

I

Ce siècle, jeune encore, est déjà pour l'histoire
Presque une éternité de malheurs et de gloire.
Tous ceux qu'il a vus naître ont vieilli dans vingt ans.

Il semble, tant sa place est vaste en leur mémoire,
5 Qu'il ne peut achever ses destins éclatants,
Sans fermer avec lui le grand cercle des temps.

Chez des peuples fameux, en des jours qu'on renomme,
Pour un siècle de gloire il suffisait d'un homme.
Le nôtre a déjà vu passer bien des flambeaux !
10 Il peut lutter sans crainte avec Athène et Rome :
Que lui fait la grandeur des âges les plus beaux ?
Il les domine tous, rien que par ses tombeaux !

A peine il était né, que d'Enghien sur la poudre
Mourut, sous un arrêt que rien ne peut absoudre.
15 Il vit périr Moreau ; Byron, nouveau Rhiga.
Il vit des cieux vengés tomber avec sa foudre
Cet aigle dont le vol douze ans se fatigua
Du Caire au Capitole et du Tage au Volga !

— « Qu'importe ? dit la foule. Ah ! laissons les tempêtes
20 Naître, grossir, tonner sur ces sublimes têtes ;
Pourvu que chaque jour amène son festin,
Que toujours le soleil rayonne pour nos fêtes,
Et qu'on nous laisse en paix couler notre destin,
Oublier jusqu'au soir, dormir jusqu'au matin !

25 « Que le crime s'élève et que l'innocent tombe,
Qu'importe ? — Des héros sont morts ? paix à leur tombe !
Et nous-mêmes ?... qui sait si demain nous vivrons ?
Quand nous aurons atteint le terme où tout succombe,
Nous dirons : Le temps passe ! et nous ignorerons
30 Quels vents ont amené l'orage sur nos fronts. »

II

Ce ne sont point là tes paroles,
Toi dont nul n'a jamais douté,
Toi qui sans relâche t'immoles
Au culte de la Vérité !
35 Victime et vengeur des victimes,
Ton cœur aux dévouements sublimes
S'offrit en tout temps, en tout lieu ;
Toute ta vie est un exemple ;
Et ta grande âme est comme un temple
40 D'où ne sort que la voix d'un Dieu !

Il suffit de ton témoignage,
Pour que tout mortel incliné
Aille rendre un public hommage
A ce qu'il avait profané.
45   Ta bouche, pareille au temps même,
N'a besoin que d'un mot suprême
Pour récompenser ou punir;
Et parlant plus haut dans notre âge
Que la flatterie et l'outrage,
50   Dicte l'histoire à l'avenir!

Puisqu'il n'est plus d'autres miracles
Que les hommes nés parmi nous,
Tu succèdes aux vieux oracles
Que l'on écoutait à genoux.
55   A ta voix, qui juge les races,
Nos demi-dieux changent de places;
Comme, à des chants mystérieux,
Quand la nuit déroulait ses voiles,
Jadis on voyait les étoiles
60   Descendre ou monter dans les cieux!

Pour mériter ce rang auguste,
Aux vertus par le ciel offert,
Qui plus que lui fut noble et juste ?
Et qui, surtout, a plus souffert ?
65   Cet homme a payé tant de gloire
Par des malheurs que la mémoire
Ne peut rappeler sans effroi;
C'est un enfant des Scandinaves;
C'est Gustave, fils des Gustaves;
70   C'est un exilé; c'est un roi.

                           III

Il avait un ami dans ses fraîches années
Comme lui tout empreint du sceau des destinées.
C'est ce jeune d'Enghien qui fut assassiné!
Gustave à ce forfait se jeta sur ses armes;
75 Mais quand il vit l'Europe insensible à ses larmes,
Calme et stoïque, il dit : « Pourquoi donc suis-je né ?
« Puisque du meurtrier les nations vassales
Courbent leurs fronts tremblants sous ses mains colos-
Puisque sa volonté des princes est la loi;   [sales;

80 Puisqu'il est le soleil qui domine leur sphère;
    Sur un trône aujourd'hui je n'ai plus rien à faire,
         Moi qui voudrais régner en roi! »

    Il céda. — Dieu montrait, par cet exemple insigne,
    Qu'il refuse parfois la victoire au plus digne;
85 Que plus tard, pour punir, il apparaît soudain;
    Qu'il fait seul ici-bas tomber ce qu'il élève;
    Et que pour balancer Bonaparte et son glaive,
    Il fallait déjà plus que le sceptre d'Odin!

    Gustave, jeune encor, quitta le diadème,
90 Pour que rien ne manquât à sa grandeur suprême;
    Et tant que de l'Europe, en proie aux longs revers,
    Sous les pas du géant vacilla l'équilibre,
    Plus haut que tous les rois il leva son front libre,
         Echappé du trône et des fers!

                    IV

95   Combien d'un tel exil diffère
         Le malheur du tyran banni,
         Lorsqu'au fond de l'autre hémisphère,
         Il tomba confus et puni!
         Quand sous la haine universelle
100   L'Usurpateur enfin chancelle,
         Dans sa chute il est insulté;
         En vain il lutte opiniâtre,
         Et de sa pourpre de théâtre
         Rien ne reste à sa nudité!

105   Sa morne infortune est pareille
         A la mer aux bords détestés,
         Dont l'eau morte à jamais sommeille
         Sur de fastueuses cités.
         Ce lac, noir vengeur de leurs crimes,
110   Du ciel, qui maudit ses abîmes,
         Ne peut réfléchir les tableaux;
         Et l'œil cherche en vain quelque dôme
         De l'éblouissante Sodome,
         Sous les ténèbres de ses flots.

115   Gustave! âme forte et loyale!
         Si parfois, d'un bras raffermi,

Tu reprends ta robe royale,
C'est pour couvrir quelque ennemi.
Dans ta retraite que j'envie,
120   Tu portes sur ta noble vie
Un souvenir calme et sans fiel;
Reine, comme toi, sans asile,
La Vertu, que la terre exile,
Dans ton grand cœur retrouve un ciel!

V

125   Ah! laisse croître l'herbe en tes cours solitaires!
Que t'importe, au milieu de tes pensers austères,
Qu'on n'ose, de nos jours, saluer un héros;
Et que chez d'autres rois puissants, heureux encore,
Une foule de chars ébranle dès l'aurore
130   Les grands pavés de marbre et l'azur des vitraux?

Tu règnes cependant! tu règnes sur toute âme
Dont ce siècle glacé n'a pas éteint la flamme;
Sur tout cœur né pour croire, aimer et secourir;
Sur tous ces chevaliers que tant d'oubli protège,
135   Etranges courtisans dont le rare cortège
N'accourt au seuil des rois qu'à l'heure d'y mourir!

En tous lieux où la foi, l'honneur et le génie
Rendent un libre hommage à la vertu bannie,
Ton nom règne, entouré d'un éclat immortel.
140   Par un beau dévouement toute vie animée,
Toute gloire nouvelle, en notre âge allumée,
Est un flambeau de plus brûlant sur ton autel!

Ni maître! ni sujet! — Seul homme sur la terre,
Qui d'un pouvoir humain ne soit pas tributaire,
145   Dieu seul sur tes destins a de suprêmes droits;
Et comme la comète, aux clartés vagabondes,
Marche libre à travers les soleils et les mondes,
Tu passes à côté des peuples et des rois!

Septembre 1825.

ODE SIXIÈME

LES DEUX ÎLES

> Dites-moi d'où il est venu,
> je vous dirai où il est allé.
>
> E. H.

I

Il est deux Iles dont un monde
Sépare les deux Océans,
Et qui de loin dominent l'onde,
Comme des têtes de géants.
On devine, en voyant leurs cimes,
Que Dieu les tira des abîmes
Pour un formidable dessein;
Leur front de coups de foudre fume,
Sur leurs flancs nus la mer écume,
Des volcans grondent dans leur sein.

Ces îles où le flot se broie
Entre des écueils décharnés,
Sont comme deux vaisseaux de proie,
D'une ancre éternelle enchaînés.
La main qui de ces noirs rivages
Disposa les sites sauvages,
Et d'effroi les voulut couvrir,
Les fit si terribles peut-être,
Pour que Bonaparte y pût naître,
Et Napoléon y mourir!
« — Là fut son berceau! — Là sa tombe! »
Pour les siècles c'en est assez.
Ces mots, qu'un monde naisse ou tombe,
Ne seront jamais effacés.
Sur ces îles, à l'aspect sombre,
Viendront, à l'appel de son ombre,
Tous les peuples de l'avenir;
Les foudres qui frappent leurs crêtes,
Et leurs écueils, et leurs tempêtes,
Ne sont plus que son souvenir!

Loin de nos rives, ébranlées
Par les orages de son sort,

Sur ces deux îles isolées
Dieu mit sa naissance et sa mort;
35   Afin qu'il pût venir au monde
Sans qu'une secousse profonde
Annonçât son premier moment;
Et que sur son lit militaire,
Enfin, sans remuer la terre,
40   Il pût expirer doucement!

II

Comme il était rêveur au matin de son âge!
Comme il était pensif au terme du voyage!
C'est qu'il avait joui de son rêve insensé;
Du trône et de la gloire il savait le mensonge;
45   Il avait vu de près ce que c'est qu'un tel songe,
Et quel est le néant d'un avenir passé!

Enfant, des visions, dans la Corse, sa mère,
Lui révélaient déjà sa couronne éphémère,
Et l'aigle impérial planant sur son pavois;
50   Il entendait d'avance, en sa superbe attente,
L'hymne qu'en toute langue, aux portes de sa tente,
Son peuple universel chantait tout d'une voix :

III

ACCLAMATION

« Gloire à Napoléon! gloire au maître suprême!
Dieu même a sur son front posé le diadème.
55   Du Nil au Borysthène il règne triomphant.
Les rois, fils de cent rois, s'inclinent quand il passe,
Et dans Rome il ne voit d'espace
Que pour le trône d'un enfant!

« Pour porter son tonnerre aux villes effrayées,
60   Ses aigles ont toujours les ailes déployées.
Il régit le Conclave; il commande au Divan.
Il mêle à ses drapeaux de sang toujours humides,
Des croissants pris aux Pyramides,
Et la croix d'or du grand Yvan!

65 « Le Mamelouk bronzé, le Goth plein de vaillance,
   Le Polonais, qui porte une flamme à sa lance,
   Prêtent leur force aveugle à ses ambitions.
   Ils ont son vœu pour loi, pour foi sa renommée.
           On voit marcher dans son armée
70   Tout un peuple de nations !

   « Sa main, s'il touche un but où son orgueil aspire,
   Fait à quelque soldat l'aumône d'un empire,
   Ou fait veiller des rois au seuil de son palais,
   Pour qu'il puisse, en quittant les combats ou les fêtes,
75   Dormir en paix dans ses conquêtes,
           Comme un pêcheur sur ses filets !

   « Il a bâti si haut son aire impériale,
   Qu'il nous semble habiter cette sphère idéale
   Où jamais on n'entend un orage éclater !
80 Ce n'est plus qu'à ses pieds que gronde la tempête ;
           Il faudrait, pour frapper sa tête,
           Que la foudre pût remonter ! »

IV

   La foudre remonta ! — Renversé de son aire,
   Il tomba, tout fumant de cent coups de tonnerre.
85   Les rois punirent leur tyran.
   On l'exposa vivant sur un roc solitaire ;
   Et le géant captif fut remis par la terre
           A la garde de l'Océan.

   Oh ! comme à Saint-Hélène il dédaignait sa vie,
90 Quand le soir il voyait, avec un œil d'envie,
           Le soleil fuir sous l'horizon,
   Et qu'il s'égarait seul sur le sable des grèves,
   Jusqu'à ce qu'un Anglais, l'arrachant de ses rêves,
           Le ramenât dans sa prison !

95 Comme avec désespoir ce prince de la guerre
   S'entendait accuser par tous ceux qui naguère
           Divinisaient son bras vainqueur !
   Car des peuples ligués la clameur solennelle
   Répondait à la voix implacable éternelle,
100   Qui se lamentait dans son cœur !

V

IMPRÉCATION

« Honte ! opprobre ! malheur ! anathème ! vengeance !
Que la terre et les cieux frappent d'intelligence !
Enfin nous avons vu le colosse crouler !
Que puissent retomber sur ses jours, sur sa cendre,
105   Tous les pleurs qu'il a fait répandre,
             Tout le sang qu'il a fait couler !

« Qu'à son nom, du Volga, du Tibre, de la Seine,
Des murs de l'Alhambra, des fossés de Vincenne,
De Jaffa, du Kremlin qu'il brûla sans remords,
110 Des plaines du carnage et des champs de victoire,
Tonne, comme un écho de sa fatale gloire,
             La malédiction des morts !

« Qu'il voie autour de lui se presser ses victimes !
Que tout ce peuple, en foule échappé des abîmes,
115 Innombrable, annonçant les secrets du cercueil,
Mutilé par le fer, sillonné par la foudre,
Heurtant confusément des os noircis de poudre,
Lui fasse un Josaphat de Sainte-Hélène en deuil !

« Qu'il vive pour mourir tous les jours, à toute heure !
120 Que le fier conquérant baisse les yeux et pleure !
Sachant sa gloire à peine et riant de ses droits,
Des geôliers ont chargé d'une chaîne glacée
             Cette main qui s'était lassée
             A courber la tête des rois !

125 « Il crut que sa fortune, en victoires féconde,
Vaincrait le souvenir du peuple roi du monde ;
Mais Dieu vient, et d'un souffle éteint son noir flambeau
Et ne laisse au rival de l'éternelle Rome
Que ce qu'il faut de place et de temps à tout homme
130   Pour se coucher dans le tombeau.

« Ces mers auront sa tombe, et l'oubli la devance.
En vain à Saint-Denis il fit parer d'avance
Un sépulcre de marbre et d'or étincelant :
Le ciel n'a pas voulu que de royales ombres
135 Vissent, en revenant pleurer sous ces murs sombres,
Dormir dans leur tombeau son cadavre insolent ! »

VI

Qu'une coupe vidée est amère! et qu'un rêve
Commencé dans l'ivresse, avec terreur s'achève!
Jeune, on livre à l'espoir sa crédule raison;
140 Mais on frémit plus tard, quand l'âme est assouvie,
Hélas! et qu'on revoit sa vie,
De l'autre bord de l'horizon!

Ainsi, quand vous passez au pied d'un mont sublime,
Longtemps en conquérant vous admirez sa cime,
145 Et ses pics, que jamais les ans n'humilieront,
Ses forêts, vert manteau qui pend aux rocs sauvages,
Et ces couronnes de nuages
Qui s'amoncellent sur son front!

Montez donc, et tentez ces zones inconnues! —
150 Vous croyiez fuir aux cieux... vous vous perdez aux nues!
Le mont change à vos yeux d'aspect et de tableaux :
C'est un gouffre obscurci de sapins centenaires,
Où les torrents et les tonnerres
Croisent des éclairs et des flots!

VII

155 Voilà l'image de la gloire :
D'abord, un prisme éblouissant,
Puis un miroir expiatoire,
Où la pourpre paraît du sang!
Tour à tour puissante, asservie,
160 Voilà quel double aspect sa vie
Offrit à ses âges divers.
Il faut à son nom deux histoires;
Jeune, il inventait ses victoires;
Vieux, il méditait ses revers.

165 En Corse, à Sainte-Hélène encore,
Dans les nuits d'hiver, le nocher,
Si quelque orageux météore
Brille au sommet d'un noir rocher,
Croit voir le sombre capitaine,
170 Projetant son ombre lointaine,
Immobile, croiser ses bras;
Et dit, que pour dernière fête,

Il vient régner dans la tempête,
Comme il régnait dans les combats!

VIII

175 S'il perdit un empire, il aura deux patries,
De son seul souvenir illustres et flétries,
L'une aux mers d'Annibal, l'autre aux mers de Vasco;
Et jamais, de ce siècle attestant la merveille,
On ne prononcera son nom, sans qu'il n'éveille
180   Aux bouts du monde un double écho!

Telles, quand une bombe ardente, meurtrière,
Décrit dans un ciel noir sa courbe incendiaire,
Se balance au-dessus des murs épouvantés,
Puis, comme un vautour chauve, à la serre cruelle,
185 Qui frappe en s'abattant la terre de son aile,
Tombe, et fouille à grand bruit le pavé des cités;

Longtemps après sa chute, on voit fumer encore
La bouche du mortier, large, noire et sonore,
D'où monta pour tomber le globe au vol pesant,
190 Et la place où la bombe, éclatée en mitrailles,
Mourut, en vomissant la mort de ses entrailles,
          Et s'éteignit en embrasant!

Juillet 1825.

ODE SEPTIÈME

A LA COLONNE DE LA PLACE VENDOME

Parva magnis.

I

O monument vengeur! Trophée indélébile!
Bronze, qui tournoyant sur ta base immobile,
Sembles porter au ciel ta gloire et ton néant;
Et, de tout ce qu'a fait une main colossale,

5   Seul es resté debout; — ruine triomphale
           De l'édifice du géant!

       Débris du Grand Empire et de la Grande Armée,
       Colonne, d'où si haut parle la renommée!
       Je t'aime : l'étranger t'admire avec effroi.
10   J'aime tes vieux héros, sculptés par la Victoire;
           Et tous ces fantômes de gloire
           Qui se pressent autour de toi.

       J'aime à voir sur tes flancs, Colonne étincelante,
       Revivre ces soldats qu'en leur onde sanglante
15   Ont roulés le Danube, et le Rhin, et le Pô!
       Tu mets comme un guerrier le pied sur ta conquête.
       J'aime ton piédestal d'armures, et ta tête
           Dont le panache est un drapeau!

       Au bronze de Henri mon orgueil te marie :
20   J'aime à vous voir tous deux, honneur de la patrie,
       Immortels, dominant nos troubles passagers,
       Sortir, signes jumeaux d'amour et de colère,
           Lui, de l'épargne populaire,
           Toi, des arsenaux étrangers!

25   Que de fois, tu le sais, quand la nuit sous ses voiles
       Fait fuir la blanche lune ou trembler les étoiles,
       Je viens, triste, évoquer tes fastes devant moi;
       Et d'un œil enflammé dévorant ton histoire,
       Prendre, convive obscur, ma part de tant de gloire,
30   Comme un Pâtre au banquet d'un Roi!

       Que de fois j'ai cru voir, ô Colonne française,
       Ton airain ennemi rugir dans la fournaise!
       Que de fois, ranimant tes combattants épars,
       Heurtant sur tes parois leurs armes dérouillées,
35   J'ai ressuscité ces mêlées
           Qui t'assiègent de toutes parts!

       Jamais, ô monument, même ivres de leur nombre,
       Les étrangers sans peur n'ont passé sous ton ombre.
       Leurs pas n'ébranlent point ton bronze souverain.
40   Quand le sort une fois les poussa vers nos rives,
       Ils n'osaient étaler leurs parades oisives
           Devant tes batailles d'airain!

II

45 Mais quoi! n'entends-je point, avec de sourds murmures,
De ta base à ton front bruire les armures ?
Colonne! il m'a semblé qu'éblouissant mes yeux,
Tes bataillons cuivrés cherchaient à redescendre...
Que tes demi-dieux, noirs d'une héroïque cendre,
Interrompaient soudain leur marche vers les cieux !

Leur voix mêlait des noms à leur vieille devise :
50 — « TARENTE, REGGIO, DALMATIE et TRÉVISE ! » —
Et leurs aigles, sortant de leur puissant sommeil,
Suivaient d'un bec ardent cette aigle à double tête,
Dont l'œil, ami de l'ombre où son essor s'arrête,
Se baisse à leur regard, comme aux feux du soleil !

55 Qu'est-ce donc ? — Et pourquoi, bronze envié de Rome,
Vois-je tes légions frémir comme un seul homme ?
Quel impossible outrage à ta hauteur atteint ?
Qui donc a réveillé ces ombres immortelles,
Ces aigles qui, battant ta base de leurs ailes,
60 Dans leur ongle captif pressent leur foudre éteint ?

III

Je comprends : — l'étranger, qui nous croit sans mémoire,
Veut, feuillet par feuillet, déchirer notre histoire,
Ecrite avec du sang, à la pointe du fer. —
Ose-t-il, imprudent ! heurter tant de trophées ?
65 De ce bronze, forgé de foudres étouffées,
          Chaque étincelle est un éclair !

Est-ce Napoléon qu'il frappe en notre armée ?
Veut-il de cette gloire en tant de lieux semée,
Disputer l'héritage à nos vieux généraux ?
70 Pour un fardeau pareil il a la main débile :
L'empire d'Alexandre et les armes d'Achille
          Ne se partagent qu'aux héros.

Mais non : l'Autrichien, dans sa fierté qu'il dompte,
Est content, si leurs noms ne disent que sa honte.
75 Il fait de sa défaite un titre à nos guerriers.
Et craignant des vainqueurs moins que des feudataires,
Il pardonne aux fleurons de nos ducs militaires,
          Si ce ne sont que des lauriers [35].

Bronze! il n'a donc jamais, fier pour une victoire,
80 Subi de tes splendeurs l'aspect expiatoire ?
D'où vient tant de courage à cet audacieux ?
Croit-il impunément toucher à nos annales ?
Et comment donc lit-il ces pages triomphales
       Que tu déroules dans les cieux ?

85 Est-ce un langage obscur à ses regards timides ?
Eh! qu'il s'en fasse instruire au pied des Pyramides,
A Vienne, au vieux Kremlin, au morne Escurial !
Qu'il en parle à ces Rois, cour dorée et nombreuse,
Qui naguère peuplait d'une tente poudreuse
90   Le vestibule impérial !

IV

A quoi pense-t-il donc l'étranger qui nous brave ?
N'avions-nous pas hier l'Europe pour esclave ?
Nous, subir de son joug l'indigne talion !
Non! au champ du combat nous pouvons reparaître.
95 On nous a mutilés; mais le temps a peut-être
       Fait croître l'ongle du lion.

De quel droit viennent-ils découronner nos gloires ?
Les Bourbons ont toujours adopté des victoires.
Nos rois t'ont défendu d'un ennemi tremblant,
100 O trophée! à leurs pieds tes palmes se déposent;
       Et si tes quatre aigles reposent,
       C'est à l'ombre du drapeau blanc.

Quoi! le globe est ému de volcans électriques;
Derrière l'océan grondent les Amériques;
105 Stamboul rugit; Hellé remonte aux jours anciens;
Lisbonne se débat aux mains de l'Angleterre...
Seul, le vieux peuple franc s'indigne que la terre
       Tremble à d'autres pas que les siens!

Prenez garde, étrangers : — nous ne savons que faire!
110 La paix nous berce en vain dans son oisive sphère,
L'arène de la guerre a pour nous tant d'attrait!
Nous froissons dans nos mains, hélas! inoccupées,
       Des lyres, à défaut d'épées!
       Nous chantons, comme on combattrait.

115 Prenez garde! — La France, où grandit un autre âge,
     N'est pas si morte encor qu'elle souffre un outrage!
     Les partis pour un temps voileront leur tableau.
     Contre une injure ici, tout s'unit, tout se lève,
     Tout s'arme, et la Vendée aiguisera son glaive
120   Sur la pierre de Waterloo.

     Vous dérobez des noms! — Quoi donc? Faut-il qu'on
     Lever sur tous vos champs des titres de bataille?   [aille
     Faut-il, quittant ces noms par la valeur trouvés,
     Pour nos gloires, chez vous, chercher d'autres baptêmes?
125   Sur l'airain de vos canons mêmes
             Ne sont-ils point assez gravés?

     L'étranger briserait le blason de la France!
     On verrait, enhardi par notre indifférence,
     Sur nos fiers écussons tomber son vil marteau!
130 Ah!... comme ce Romain qui remuait la terre,
     Vous portez, ô Français! et la paix et la guerre,
             Dans le pli de votre manteau.

     Votre aile en un moment touche à sa fantaisie
     L'Afrique par Cadix et par Moscou l'Asie.
135 Vous chassez en courant Anglais, Russes, Germains;
     Les tours croulent devant vos trompettes fatales;
             Et de toutes les capitales
             Vos drapeaux savent les chemins.

     Quand leur destin se pèse avec vos destinées,
140 Toutes les nations s'inclinent détrônées.
     La gloire pour vos noms n'a point assez de bruit.
     Sans cesse autour de vous les états se déplacent.
     Quand votre astre paraît, tous les astres s'effacent;
             Quand vous marchez l'univers suit!

145 Que l'Autriche en rampant de nœuds vous environne,
     Les deux géants de France ont foulé sa couronne!
     L'histoire, qui des temps ouvre le Panthéon,
     Montre empreints aux deux fronts du vautour d'Alle-
             La sandale de Charlemagne   [magne
150   L'éperon de Napoléon.

     Allez! — Vous n'avez plus l'Aigle qui de son aire
     Sur tous les fronts trop hauts portait votre tonnerre;
     Mais il vous reste encor l'oriflamme et les lys.

Mais c'est le Coq gaulois qui réveille le monde;
155 Et son cri peut promettre à votre nuit profonde
              L'aube du soleil d'Austerlitz!

V

C'est moi qui me tairais! Moi qu'enivrait naguère
Mon nom saxon, mêlé parmi des cris de guerre!
Moi, qui suivais le vol d'un drapeau triomphant!
160 Qui, joignant aux clairons ma voix entrecoupée,
Eus pour premier hochet le nœud d'or d'une épée!
Moi, qui fus un soldat quand j'étais un enfant!

Non, Frères! non, Français de cet âge d'attente!
Nous avons tous grandi sur le seuil de la tente.
165 Condamnés à la paix, aiglons bannis des cieux,
Sachons du moins, veillant aux gloires paternelles,
Garder de tout affront, jalouses sentinelles,
              Les armures de nos aïeux!

Février 1827.

ODE HUITIÈME

FIN

Ubi defuit orbis.

I

Ainsi d'un peuple entier je feuilletais l'histoire!
Livre fatal de deuil, de grandeur, de victoire.
Et je sentais frémir mon luth contemporain,
Chaque fois que passait un grand nom, un grand crime,
5 Et que l'une sur l'autre, avec un bruit sublime,
              Retombaient les pages d'airain.

Fermons-le maintenant ce livre formidable.
Cessons d'interroger ce sphinx inabordable

Qui le garde en silence, à la fois monstre et dieu.
10 L'énigme qu'il propose échappe à bien des lyres;
Il n'en écrit le mot, sur le front des empires,
            Qu'en lettres de sang et de feu.

                              II

Ne cherchons pas ce mot. — Alors, pourquoi, poète,
Ne t'endormais-tu pas sur ta lyre muette ?
15 Pourquoi la mettre au jour et la prostituer ?
Pourquoi ton chant sinistre et ta voix insensée ?... —
            C'est qu'il fallait à ma pensée
            Tout un grand peuple à remuer.

Des révolutions j'ouvrais le gouffre immonde ?
20 C'est qu'il faut un chaos à qui veut faire un monde.
C'est qu'une grande voix dans ma nuit m'a parlé.
C'est qu'enfin je voulais, menant au but la foule,
            Avec le siècle qui s'écoule
            Confronter le siècle écoulé.

25 Le Génie a besoin d'un peuple que sa flamme
Anime, éclaire, échauffe, embrase comme une âme.
Il lui faut tout un monde à régir en tyran.
Dès qu'il a pris son vol du haut de la falaise,
            Pour que l'ouragan soit à l'aise,
30   Il n'a pas trop de l'océan!

C'est là qu'il peut ouvrir ses ailes; là, qu'il gronde
Sur un abîme large et sur une eau profonde;
C'est là qu'il peut bondir, géant capricieux,
Et tournoyer, debout dans l'orage qui tombe,
35   D'un pied s'appuyant sur la trombe,
            Et d'un bras soutenant les cieux!

                                    Mai 1828.

LIVRE QUATRIÈME

1819-1827

Spiritus flat ubi vult.

ODE PREMIÈRE

LE POÈTE

Muse! contemple ta victime!
LAMARTINE.

I

Qu'il passe en paix, au sein d'un monde qui l'ignore,
L'auguste infortuné que son âme dévore!
   Respectez ses nobles malheurs;
Fuyez, ô plaisirs vains, son existence austère;
5 Sa palme qui grandit, jalouse et solitaire,
   Ne peut croître parmi vos fleurs.

Il souffre assez de maux, sans y joindre vos joies!
Chaque pas qui l'enfonce en de sublimes voies,
   Par une douleur est compté.
Il pleure sa jeunesse avant l'âge envolée,
10 Sa vie, humble roseau, qui se courbe accablée
   Du poids de l'immortalité.

Il pleure, ô belle enfance, et ta grâce et tes charmes,
Et ton rire innocent et tes naïves larmes,
15   Ton bonheur doux et turbulent,
Et, loin des vastes cieux, l'aile que tu reposes,

Et, dans les yeux bruyants, ta couronne de roses
    Que flétrirait son front brûlant!

     Il accuse et son siècle, et ses chants, et sa lyre,
20 Et la coupe enivrante où, trompant son délire,
       La gloire verse tant de fiel,
    Et ses vœux, poursuivant des promesses funestes,
    Et son cœur, et la Muse, et tous ces dons célestes,
       Hélas! qui ne sont pas le ciel!

II

25 Ah! si du moins couché sur le char de la vie,
    L'hymne de son triomphe et les cris de l'envie
       Passaient, sans troubler son sommeil!
    S'il pouvait dans l'oubli préparer sa mémoire!
    Ou, voilé de rayons, se cacher dans sa gloire,
30   Comme un ange dans le soleil!

    Mais sans cesse il faut suivre, en la commune arène,
    Le flot qui le repousse et le flot qui l'entraîne!
       Les hommes troublent son chemin!
    Sa voix grave se perd dans leurs vaines paroles,
35 Et leur fol orgueil mêle à leurs jouets frivoles
       Le sceptre qui pèse à sa main!

    Pourquoi traîner ce roi si loin de ses royaumes?
    Qu'importe à ce géant un cortège d'atomes!
       Fils du monde, c'est vous qu'il fuit.
40 Que fait à l'immortel votre éphémère empire?
    Sans les chants de sa voix, sans les sons de sa lyre,
       N'avez-vous point assez de bruit?

III

    Laissez-le dans son ombre où descend la lumière. —
    Savez-vous qu'une Muse, épurant sa poussière,
45   Y charme en secret ses ennuis?
    Et que, laissant pour lui les éternelles fêtes,
    La colombe du Christ et l'aigle des Prophètes
       Souvent y visitent ses nuits?

Sa veille redoutable, en ses visions saintes,
50 Voit les soleils naissants et les sphères éteintes
      Passer en foule au fond du ciel;
Et, suivant dans l'espace un chœur brûlant d'archanges,
Cherche, aux mondes lointains, quelles formes étranges
      Y revêt l'Etre universel.

55 Savez-vous que ses yeux ont des regards de flamme?
Savez-vous que le voile, étendu sur son âme,
      Ne se lève jamais en vain?
De lumière dorée et de flammes rougie,
Son aile, en un instant, de l'infernale orgie
60   Peut monter au banquet divin.

Laissez donc loin de vous, ô mortels téméraires,
Celui que le Seigneur marqua, parmi ses frères,
      De ce signe funeste et beau,
Et dont l'œil entrevoit plus de mystères sombres
65 Que les morts effrayés n'en lisent, dans les ombres,
      Sous la pierre de leur tombeau!

IV

Un jour vient dans sa vie, où la Muse elle-même,
D'un sacerdoce auguste armant son luth suprême,
      L'envoie au monde ivre de sang,
70 Afin que, nous sauvant de notre propre audace,
Il apporte d'en haut à l'homme qui menace
      La prière du Tout-Puissant.

Un formidable esprit descend dans sa pensée.
Il paraît; et soudain, en éclairs élancée,
75   Sa parole luit comme un feu.
Les peuples prosternés en foule l'environnent;
Sina mystérieux, les foudres le couronnent,
      Et son front porte tout un Dieu!

Août 1823.

ODE DEUXIÈME

LA LYRE ET LA HARPE

A M. Alph. de L.

Alternis dicetis, amant alterna Camœnae.
VIRGILE.

*Et cœpit loqui, prout Spiritus Sanctus dabat
loqui.*
ACT. APOST.

LA LYRE

Dors, ô fils d'Apollon! ses lauriers te couronnent,
Dors en paix! Les neuf Sœurs t'adorent comme un roi;
De leurs chœurs nébuleux les Songes t'environnent;
   La Lyre chante auprès de toi!

LA HARPE

5 Eveille-toi, jeune homme, enfant de la misère!
Un rêve ferme au jour tes regards obscurcis,
Et pendant ton sommeil, un indigent, ton frère,
   A ta porte en vain s'est assis!

LA LYRE

   Ton jeune âge est cher à la Gloire.
10   Enfant, la Muse ouvrit tes yeux,
   Et d'une immortelle mémoire
   Couronna ton nom radieux;
   En vain Saturne te menace :
   Va, l'Olympe est né du Parnasse,
15   Les poètes ont fait les dieux!

LA HARPE

   Homme, une femme fut ta mère.
   Elle a pleuré sur ton berceau;
   Souffre donc. Ta vie éphémère
   Brille et tremble, ainsi qu'un flambeau.
20   Dieu, ton maître, a d'un signe austère
   Tracé ton chemin sur la terre,
   Et marqué ta place au tombeau.

LA LYRE

Chante. Jupiter règne et l'univers l'implore;
   Vénus embrase Mars d'un souris gracieux;
25 Iris brille dans l'air, dans les champs brille Flore;
Chante : Les immortels, du couchant à l'aurore,
   En trois pas parcourent les Cieux.

LA HARPE

Prie! Il n'est qu'un vrai Dieu, juste dans sa clémence,
Par la fuite des temps sans cesse rajeuni.
30 Tout s'achève dans lui, par lui tout recommence.
Son être emplit le monde ainsi qu'une âme immense;
   L'Eternel vit dans l'Infini.

LA LYRE

  Ta douce Muse à fuir t'invite.
  Cherche un abri calme et serein;
35   Les mortels, que le sage évite,
  Subissent le siècle d'airain.
  Viens; près de tes Lares tranquilles,
  Tu verras de loin dans les villes
  Mugir la Discorde aux cent voix.
40   Qu'importe à l'heureux solitaire
  Que l'Autan dévaste la terre,
  S'il ne fait qu'agiter ses bois!

LA HARPE

  Dieu, par qui tout forfait s'expie,
  Marche avec celui qui le sert.
45   Apparais dans la foule impie,
  Tel que Jean, qui vint du désert.
  Va donc, parle aux peuples du monde :
  Dis–leur la tempête qui gronde,
  Révèle le Juge irrité;
50   Et, pour mieux frapper leur oreille,
  Que ta voix s'élève, pareille
  A la rumeur d'une cité!

LA LYRE

L'Aigle est l'oiseau du Dieu qu'avant tous on adore.
Du Caucase à l'Athos l'Aigle planant dans l'air,
55 Roi du feu qui féconde et du feu qui dévore,
Contemple le soleil et vole sur l'éclair!

LA HARPE

La Colombe descend du ciel qui la salue,
Et, voilant l'Esprit-Saint sous son regard de feu,
Chère au Vieillard choisi comme à la Vierge élue,
60 Porte un rameau dans l'arche, annonce au monde un Dieu!

LA LYRE

Aime! Eros règne à Gnide, à l'Olympe, au Tartare.
Son flambeau de Sestos allume le doux phare,
Il consume Ilion par la main de Pâris.
Toi, fuis de belle en belle, et change avec leurs charmes.
65   L'Amour n'enfante que des larmes;
            Les Amours sont frères des Ris!

LA HARPE

L'Amour divin défend de la Haine infernale.
Cherche pour ton cœur pur une âme virginale;
Chéris-la, Jéhovah chérissait Israël.
70 Deux êtres que dans l'ombre unit un saint mystère,
            Passent en s'aimant sur la terre,
            Comme deux exilés du ciel!

LA LYRE

            Jouis! c'est au fleuve des ombres
            Que va le fleuve des vivants.
75   Le sage, s'il a des jours sombres,
            Les laisse aux dieux, les jette aux vents.
            Enfin, comme un pâle convive,
            Quand la mort imprévue arrive,
            De sa couche il lui tend la main;
80   Et, riant de ce qu'il ignore,
            S'endort dans la nuit sans aurore,
            En rêvant un doux lendemain!

LA HARPE

            Soutiens ton frère qui chancelle,
            Pleure si tu le vois souffrir :
85   Veille avec soin, prie avec zèle,
            Vis en songeant qu'il faut mourir.
            Le pécheur croit, lorsqu'il succombe,
            Que le néant est dans la tombe,
            Comme il est dans la volupté;
90   Mais quand l'ange impur le réclame,
            Il s'épouvante d'être une âme,
            Et frémit de l'Eternité!

Le poète écoutait, à peine à son aurore,
Ces deux lointaines voix qui descendaient du ciel;
95 Et plus tard il osa parfois, bien faible encore,
Dire à l'écho du Pinde un hymne du Carmel.

Avril 1822.

ODE TROISIÈME

MOÏSE SUR LE NIL

A Madame Amable Tastu.

> En ce même temps, la fille de Pharaon vint
> au fleuve pour se baigner, accompagnée de ses
> filles qui marchaient le long du bord de l'eau.
> Ex.

« Mes sœurs, l'onde est plus fraîche aux premiers feux du
Venez : le moissonneur repose en son séjour;   [jour!
        La rive est solitaire encore;
Memphis élève à peine un murmure confus;
5 Et nos chastes plaisirs, sous ces bosquets touffus,
        N'ont d'autre témoin que l'aurore.

« Au palais de mon père on voit briller les arts;
Mais ces bords pleins de fleurs charment plus mes regards
        Qu'un bassin d'or ou de porphyre;
10 Ces chants aériens sont mes concerts chéris;
Je préfère aux parfums qu'on brûle en nos lambris
        Le souffle embaumé du zéphire!

« Venez : l'onde est si calme et le ciel est si pur!
Laissez sur ces buissons flotter les plis d'azur
15   De vos ceintures transparentes;
Détachez ma couronne et ces voiles jaloux;
Car je veux aujourd'hui folâtrer avec vous,
        Au sein des vagues murmurantes.

« Hâtons-nous... Mais parmi les brouillards du matin,
20 Que vois-je ? — Regardez à l'horizon lointain...

Ne craignez rien, filles timides!
C'est sans doute, par l'onde entraîné vers les mers,
Le tronc d'un vieux palmier qui, du fond des déserts,
        Vient visiter les Pyramides.

25 « Que dis-je? si j'en crois mes regards indécis,
C'est la barque d'Hermès ou la conque d'Isis,
        Que pousse une brise légère.
Mais non : c'est un esquif où, dans un doux repos,
J'aperçois un enfant qui dort au sein des flots,
30   Comme on dort au sein de sa mère.

« Il sommeille; et, de loin, à voir son lit flottant,
On croirait voir voguer sur le fleuve inconstant
        Le nid d'une blanche colombe.
Dans sa couche enfantine il erre au gré du vent;
35 L'eau le balance, il dort, et le gouffre mouvant
        Semble le bercer dans sa tombe!

« Il s'éveille : accourez, ô vierges de Memphis!
Il crie... Ah! quelle mère a pu livrer son fils
        Au caprice des flots mobiles?
40 Il tend les bras; les eaux grondent de toute part.
Hélas! contre la mort il n'a d'autre rempart
        Qu'un berceau de roseaux fragiles.

« Sauvons-le... — C'est peut-être un enfant d'Israël.
Mon père les proscrit; mon père est bien cruel
45   De proscrire ainsi l'innocence!
Faible enfant! ses malheurs ont ému mon amour,
Je veux être sa mère : il me devra le jour,
        S'il ne me doit pas la naissance. »

Ainsi parlait Iphis, l'espoir d'un roi puissant,
50 Alors qu'aux bords du Nil son cortège innocent
        Suivait sa course vagabonde;
Et ces jeunes beautés qu'elle effaçait encor,
Quand la Fille des Rois quittait ses voiles d'or,
        Croyaient voir la Fille de l'Onde [36].

55 Sous ses pieds délicats déjà le flot frémit.
Tremblante, la pitié vers l'enfant qui gémit
        La guide en sa marche craintive;
Elle a saisi l'esquif! Fière de ce doux poids,
L'orgueil sur son beau front, pour la première fois,
60   Se mêle à la pudeur naïve.

Bientôt, divisant l'onde et brisant les roseaux,
Elle apporte à pas lents l'enfant sauvé des eaux
      Sur le bord de l'arène humide ;
Et ses sœurs tour à tour, au front du nouveau-né,
65 Offrant leur doux sourire à son œil étonné,
      Déposaient un baiser timide !

Accours, toi qui, de loin, dans un doute cruel,
Suivais des yeux ton fils sur qui veillait le ciel [37] ;
      Viens ici comme une étrangère ;
70 Ne crains rien : en pressant Moïse entre tes bras,
Tes pleurs et tes transports ne te trahiront pas,
      Car Iphis n'est pas encor mère !

Alors, tandis qu'heureuse et d'un pas triomphant,
La vierge au roi farouche amenait l'humble enfant,
75   Baigné des larmes maternelles,
On entendait en chœur, dans les cieux étoilés,
Des anges, devant Dieu de leurs ailes voilés,
      Chanter les lyres éternelles.

« Ne gémis plus, Jacob, sur la terre d'exil ;
80 Ne mêle plus tes pleurs aux flots impurs du Nil :
      Le Jourdain va t'ouvrir ses rives.
Le jour enfin approche où vers les champs promis
Gessen verra s'enfuir, malgré leurs ennemis,
      Les tribus si longtemps captives.

85 « Sous les traits d'un enfant délaissé sur les flots,
C'est l'élu du Sina, c'est le roi des fléaux,
      Qu'une vierge sauve de l'onde.
Mortels, vous dont l'orgueil méconnaît l'Eternel,
Fléchissez : un berceau va sauver Israël ;
90   Un berceau doit sauver le monde ! »

                    Février 1820.

ODE QUATRIÈME

LE DÉVOUEMENT

> *In urbi omne mortalium genus vis pestilentiae*
> *depopulabatur, nulla cœli intemperie, quae occur-*
> *reret oculis. Sed domus corporibus exanimis, iti-*
> *nera funeribus complebantur ; non sexus, non aetas*
> *periculo vacua.*
>
> TACITE.

> Dans la ville, la peste dévorait tout ce qui
> meurt; aucun nuage dans le ciel ne s'offrait
> aux yeux; mais les maisons étaient pleines de
> corps sans vie, les voies de funérailles. Ni le
> sexe ni l'âge n'étaient exempts du péril.

I

Je rends grâce au Seigneur : il m'a donné la vie!
La vie est chère à l'homme, entre les dons du ciel;
Nous bénissons toujours le Dieu qui nous convie
   Au banquet d'absinthe et de miel.
5 Un nœud de fleurs se mêle aux fers qui nous enlacent;
   Pour vieillir parmi ceux qui passent,
   Tout homme est content de souffrir;
L'éclat du jour nous plaît; l'air des cieux nous enivre.
Je rends grâce au Seigneur : — c'est le bonheur de vivre
10   Qui fait la gloire de mourir!

Malheureux le mortel qui meurt, triste victime,
Sans qu'un frère sauvé vive par son trépas,
Sans refermer sur lui, comme un Romain sublime,
   Le gouffre où se perdent ses pas!
15 Infortuné le peuple, en proie à l'anathème,
   Qui voit, se consumant lui-même,
   Périr son nom et son orgueil,
Sans que toute la terre à sa chute s'incline,
Sans qu'un beau souvenir reste sur sa ruine,
20   Comme un flambeau sur un cercueil!

II

Quand Dieu, las de forfaits, se lève en sa colère,
Il suscite un Fléau formidable aux cités,

Qui laisse après sa fuite un effroi séculaire
       Aux murs, longtemps inhabités.
25 D'un vil germe, ignoré des peuples en démence,
       Un Géant pâle, un Spectre immense
       Sort et grandit au milieu d'eux;
Et la Ville veut fuir, mais le Monstre fidèle,
Comme un horrible époux, la couvre de son aile,
30   Et l'étreint de ses bras hideux!

Le peuple en foule alors sous le mal qui fermente,
Tombe, ainsi qu'en nos champs la neige aux blancs flocons;
Tout succombe, et partout la mort qui s'alimente
       Renaît des cadavres féconds.
35 Le monstre l'une à l'autre enchaîne ses victimes;
       Il les traîne aux mêmes abîmes;
       Il se repaît de leurs lambeaux;
Et parmi les bûchers, le deuil et les décombres,
Les vivants sans abris, tels que d'impures ombres,
40   Errent loin des morts sans tombeaux.

Quand le cirque s'ouvrait, aux jours des funérailles,
Tous les Romains en paix, par leurs licteurs couverts,
Voyaient de loin lutter les captifs des batailles,
       Livrés aux tigres des déserts.
45 Ainsi dans leur effroi les nations s'assemblent;
       Un long cri monte aux cieux qui tremblent,
       Au loin, de mers en mers porté.
Le monde armé, craignant l'Hydre aux ailes rapides,
Garde sous leur fléau ces mourants homicides,
50   Et les menace, épouvanté!

III

Alors n'est-il pas vrai, sybarites des villes,
Que les jeux sont plus doux, et les plaisirs meilleurs.
Lorsqu'un mal, plus affreux que les haines civiles,
       Sème en d'autres murs les douleurs ?
55 Loin des couches de feu qu'infecte un germe immonde,
       Qu'avec charme l'enfant du monde
       Sur un lit parfumé s'endort!
Et qu'on savoure mieux l'air natal de la vie,
Quand tout un peuple en deuil, qui pleure et nous envie,
60   Respire ailleurs un vent de mort!

Chacun reste absorbé dans un cercle éphémère.
La mère embrasse en paix l'enfant qui lui sourit,
Sans s'informer des lieux où le sein d'une mère
      Est mortel au fils qu'il nourrit!
65 Quelque pitié vulgaire au fond des cœurs s'éveille,
      Entre les fêtes de la veille
      Et les fêtes du lendemain;
Car tels sont les humains : plaindre les importune.
Ils passent à côté d'une grande infortune,
70   Sans s'arrêter sur le chemin.

IV

Quelques hommes pourtant, qu'un feu secret anime,
Se lèvent de la foule, et chacun dans leurs yeux
Cherche quel beau destin, quel avenir sublime
      Rayonne sur leurs fronts joyeux. —
75 Un triomphe éclatant peut-être les réclame ?
      Quel espoir enivre leur âme ?
      Quel bien ? quel trésor ? quel honneur ?... —
Ainsi toujours, hélas! dans ce monde stérile,
Si la vertu paraît, à son aspect tranquille
80   Nous la prenons pour le bonheur!

O peuples! ces mortels, qu'un Dieu guide et seconde,
Vont d'un pas assuré, d'un regard radieux,
Combattre le Fléau devant qui fuit le monde :
      Adressez-leur vos longs adieux.
85 Et vous, ô leurs parents, leurs épouses, leurs mères!
      Contenez vos larmes amères;
      Laissez les victimes s'offrir :
Ne les poursuivez pas de plaintes téméraires;
Devaient-ils préférer aucun d'entre leurs frères
90   A ceux pour qui l'on peut mourir ?

Bientôt s'ouvre pour eux la cité solitaire.
Mille spectres vivants les appellent en pleurs,
Surpris qu'il soit encore un mortel sur la terre
      Qui vienne au cri de leurs douleurs.
95 Ils parlent; et déjà leur voix rassure et guide
      Ces peuples qu'un fléau livide
      Pousse au tombeau d'un bras de fer,
Et le Monstre, attaqué dans le murs qu'il opprime,
Frémit comme Satan, quand, sauveur et victime,
100   Un Dieu parut dans son enfer!

Ils contemplent de près l'hydre non assouvie.
Pour ravir ses secrets résignés à leur sort,
Leur art audacieux lui dispute la vie,
    Ou l'interroge dans la mort.
05 Quand leurs secours sont vains, leur prière console.
    Le mourant croit à leur parole
    Que le ciel ne peut démentir;
Et si le trépas même, enfin, frappe leur tête,
De l'apôtre serein l'humble voix ne s'arrête
10   Qu'au dernier souffle du martyr!

V

O mortels trop heureux! qui pourrait vous atteindre,
Vous qui domptez la mort en affrontant ses coups?
Lorsqu'en vous admirant la foule ose vous plaindre,
    Je vous suis de mes pleurs jaloux.
15 Infortuné! jamais, victime volontaire,
    Je n'irai, pour sauver la terre,
    Braver un fléau dévorant,
Ni, calmant par mes soins ses douleurs meurtrières,
Mêler ma plainte amie et mes saintes prières
20   Aux soupirs impurs d'un mourant!

Hélas! ne puis-je aussi m'immoler pour mes frères?
N'est-il plus d'opprimés? n'est-il plus de bourreaux?
Sur quel noble échafaud, dans quels murs funéraires
    Chercher le trépas des héros?
25 Oui, que brisant mon corps, la torture sanglante,
    Sur la croix, à ma soif brûlante
    Offre le breuvage de fiel;
Fier et content, Seigneur, je dirai vos louanges;
Car l'ange du martyre est le plus beau des anges
30   Qui portent les âmes au ciel!

                    Décembre 1821.

ODE CINQUIÈME

A L'ACADÉMIE DES JEUX FLORAUX

At mihi jam puero cœlestia sacra placebant,
Inque suum furtim musa trahebat opus.

OVIDE.

Vous dont le poétique empire
S'étend des bords du Rhône aux rives de l'Adour,
Vous dont l'art tout-puissant n'est qu'un joyeux délire,
Rois des combats du chant, rois des jeux de la lyre,
5   O maîtres du savoir d'amour!

Aussi belle qu'à sa naissance,
Votre muse se rit des ans et des douleurs;
Le temps semble en passant respecter son enfance;
Et la gloire, à ses yeux se voilant d'innocence,
10   Cache ses lauriers sous des fleurs.

Salut! enfant, j'ai pour ma mère
Cueilli quelques rameaux dans vos sacrés bosquets,
Votre main s'est offerte à ma main téméraire;
Etranger, vous m'avez accueilli comme un frère,
15   Et fait asseoir dans vos banquets.

Parmi les juges de l'arène
L'athlète fut admis, vainqueur bien faible encor.
Jamais pourtant, errant sur les monts de Pyrène,
Il n'avait réveillé de belle suzeraine
20   Aux sons hospitaliers du cor.

D'une fée, aux lointaines sphères,
Jamais il n'avait dit les magiques jardins;
Ni, le soir, pour charmer des dames peu sévères,
Conté, près du foyer, les exploits des trouvères,
25   Et les amours des paladins.

D'autres, d'une voix immortelle,
Vous peindront d'heureux jours en de joyeux accords.
Moi, la douleur m'éprouve, et mes chants viennent d'elle.
Je souffre et je console, et ma muse fidèle
30   Se souvient de ceux qui sont morts.

Mai 1822.

ODE SIXIÈME

LE GÉNIE

A M. le vicomte de Chateaubriand.

> Les circonstances ne forment pas les
> hommes; elles les montrent : elles dévoilent,
> pour ainsi dire, la royauté du Génie, dernière
> ressource des peuples éteints. Ces rois qui n'en
> ont pas le nom, mais qui règnent véritablement
> par la force du caractère et la grandeur des
> pensées, sont élus par les événements auxquels
> ils doivent commander. Sans ancêtres et sans
> postérité, seuls de leur race, leur mission rem-
> plie, ils disparaissent en laissant à l'avenir des
> ordres qu'il exécutera fidèlement.
>
> F. DE LA MENNAIS.

I

Malheur à l'enfant de la terre,
Qui, dans ce monde injuste et vain,
Porte en son âme solitaire
Un rayon de l'Esprit divin!
5   Malheur à lui! l'impure envie
S'acharne sur sa noble vie,
Semblable au Vautour éternel;
Et, de son triomphe irritée,
Punit ce nouveau Prométhée
10   D'avoir ravi le feu du ciel!

La Gloire, fantôme céleste,
Apparaît de loin à ses yeux;
Il subit le pouvoir funeste
De son sourire impérieux!
15   Ainsi l'oiseau, faible et timide,
Veut en vain fuir l'hydre perfide
Dont l'œil le charme et le poursuit;
Il voltige de cime en cime,
Puis il accourt, et meurt victime
20   Du doux regard qui l'a séduit.

Ou, s'il voit luire enfin l'aurore
Du jour promis à ses efforts,

Vivant, si son front se décore
Du laurier qui croît pour les morts ;
L'erreur, l'ignorance hautaine,
L'injure impunie et la haine
Usent les jours de l'immortel.
Du malheur imposant exemple,
La Gloire l'admet dans son temple,
Pour l'immoler sur son autel !

II

Pourtant, fallût-il être en proie
A l'injustice, à la douleur,
Qui n'accepterait avec joie
Le génie au prix du malheur ?
Quel mortel, sentant dans son âme
S'éveiller la céleste flamme
Que le temps ne saurait ternir,
Voudrait, redoutant sa victoire,
Au sein d'un bonheur sans mémoire,
Fuir son triste et noble avenir ?

Chateaubriand, je t'en atteste,
Toi, qui, déplacé parmi nous,
Reçus du ciel le don funeste
Qui blesse notre orgueil jaloux :
Quand ton nom doit survivre aux âges,
Que t'importe, avec ses outrages,
A toi, géant, un peuple nain ?
Tout doit un tribut au génie.
Eux, ils n'ont que la calomnie :
Le serpent n'a que son venin.

Brave la haine empoisonnée !
Le nocher rit des flots mouvants,
Lorsque sa poupe couronnée
Entre au port à l'abri des vents.
Longtemps ignoré dans le monde,
Ta nef a lutté contre l'onde
Souvent prête à l'ensevelir ;
Ainsi jadis le vieil Homère
Errait inconnu sur la terre,
Qu'un jour son nom devait remplir !

III

Jeune encor, quand des mains du crime
La France en deuil reçut des fers,
Tu fuis : le souffle qui t'anime
S'éveilla dans l'autre univers.
65 Contemplant ces vastes rivages,
Ces grands fleuves, ces bois sauvages,
Aux humains tu disais adieu;
Car dans ces lieux que l'homme ignore
Du moins ses pas n'ont point encore
70 Effacé les traces de Dieu.

Tu vins, dans un temps plus tranquille,
Fouler cette terre des arts,
Où croît le laurier de Virgile,
Où tombent les murs des Césars.
75 Tu vis la Grèce humble et domptée :
Hélas! il n'est plus de Tyrtée
Chez ces peuples, jadis si grands;
Les Grecs courbent leurs fronts serviles,
Et le rocher des Thermopyles
80 Porte les tours de leurs tyrans [38] !

Ces cités que vante l'histoire,
Pleurent leurs enfants aguerris;
Le vieux souvenir de leur gloire
N'habite plus que leurs débris.
85 Les dieux ont fui : dans les prairies,
Adieu les blanches théories!
Plus de jeux, plus de saints concerts!
Adieu les fêtes fraternelles!
L'airain qui gronde aux Dardanelles
90 Trouble seul les temples déserts.

Mais si la Grèce est sans prestiges,
Tu savais des lieux solennels
Où sont de plus sacrés vestiges,
Des monuments plus éternels,
95 Une tombe pleine de vie,
Et Jérusalem asservie
Qu'un pacha foule sans remord,
Et le Bédouin, fils du Numide,
Et Carthage, et la Pyramide
100 Tente immobile de la mort!

Enfin, au foyer de tes pères,
Tu vins, rapportant pour trésor
Tes maux aux rives étrangères,
Et les hautes leçons du sort.
105   Tu déposas ta douce lyre :
Dès lors, la raison qui t'inspire
Au sénat parla par ta voix;
Et la Liberté rassurée
Confia sa cause sacrée
110   A ton bras, défenseur des Rois.

Dans cette arène où l'on t'admire,
Sois fier d'avoir tant combattu,
Honoré du double martyre
Du génie et de la vertu.
115   Poursuis, remplis notre espérance;
Sers ton prince, éclaire la France,
Dont les destins vont s'accomplir.
L'Anarchie, altière et servile,
Pâlit devant ton front tranquille
120   Qu'un tyran n'a point fait pâlir.

Que l'envie, aux pervers unie,
Te poursuive de ses clameurs,
Ton noble essor, fils du Génie,
T'enlève à ces vaines rumeurs;
125   Tel l'oiseau du Cap des Tempêtes
Voit les nuages sur nos têtes
Rouler leurs flots séditieux;
Pour lui, loin des bruits de la terre,
Bercé par son vol solitaire,
130   Il va s'endormir dans les cieux [39]!

Juillet 1820.

ODE SEPTIÈME

LA FILLE D'O-TAÏTI

> Que fait-il donc, celui que sa douleur attend ?
> Sans doute il n'aime pas, celui qu'elle aime
> [tant.
> ALFRED DE VIGNY, *Dolorida*.

« Oh! dis-moi, tu veux fuir ? et la voile inconstante
Va bientôt de ces bords t'enlever à mes yeux ?
Cette nuit j'entendais, trompant ma douce attente,
Chanter les matelots qui repliaient leur tente.
5   Je pleurais à leurs cris joyeux.

« Pourquoi quitter notre île ? En ton île étrangère,
Les cieux sont-ils plus beaux ? a-t-on moins de douleurs ?
Les tiens, quand tu mourras, pleureront-ils leur frère ?
Couvriront-ils tes os du plane funéraire
10   Dont on ne cueille pas les fleurs ?

« Te souvient-il du jour où les vents salutaires
T'amenèrent vers nous pour la première fois ?
Tu m'appelas de loin sous nos bois solitaires,
Je ne t'avais point vu jusqu'alors sur nos terres,
15   Et pourtant je vins à ta voix.

« Oh! j'étais belle alors; mais les pleurs m'ont flétrie.
Reste, ô jeune étranger! ne me dis pas adieu.
Ici, nous parlerons de ta mère chérie;
Tu sais que je me plais aux chants de ta patrie,
20   Comme aux louanges de ton Dieu.

« Tu rempliras mes jours : à toi je m'abandonne.
Que t'ai-je fait pour fuir ? Demeure sous nos cieux.
Je guérirai tes maux, je serai douce et bonne,
Et je t'appellerai du nom que l'on te donne
25   Dans le pays de tes aïeux!

« Je serai, si tu veux, ton esclave fidèle,
Pourvu que ton regard brille à mes yeux ravis.
Reste, ô jeune étranger! reste, et je serai belle.
Mais tu n'aimes qu'un temps, comme notre hirondelle;
30   Moi, je t'aime comme je vis.

« Hélas! tu veux partir. — Aux monts qui t'ont vu naître,
Sans doute quelque vierge espère ton retour.
Eh bien! daigne avec toi m'emmener, ô mon maître!
Je lui serai soumise, et l'aimerai peut-être,
35   Si ta joie est dans son amour!

« Loin de mes vieux parents, qu'un tendre orgueil enivre,
Du bois où dans tes bras j'accourus sans effroi,
Loin des fleurs, des palmiers, je ne pourrai plus vivre.
Je mourrais seule ici. Va, laisse-moi te suivre,
40   Je mourrai du moins près de toi.

« Si l'humble bananier accueillit ta venue,
Si tu m'aimas jamais, ne me repousse pas.
Ne t'en va pas sans moi dans ton île inconnue,
De peur que ma jeune âme, errante dans la nue,
45   N'aille seule suivre tes pas! »

Quand le matin dora les voiles fugitives,
En vain on la chercha sous son dôme léger;
On ne la revit plus dans les bois, sur les rives.
Pourtant la douce vierge, aux paroles plaintives,
50   N'était pas avec l'étranger.

                                        Janvier 1821.

ODE HUITIÈME

L'HOMME HEUREUX

                                A M. Ulric Guttinguer.

                        Beatus qui non prosper!

« Je vous abhorre, ô dieux! Hélas! si jeune encore,
          Je puis déjà ce que je veux;
Accablé de vos dons, ô dieux, je vous abhorre.
Que vous ai-je donc fait pour combler tous mes vœux?

5 « Du détroit de Léandre aux colonnes d'Alcide,
          Mes vaisseaux parcourent les mers;

Mon palais engloutit, ainsi qu'un gouffre avide,
Les trésors des cités et les fruits des déserts.

« Je dors au bruit des eaux, au son lointain des lyres,
10   Sur un lit aux pieds de vermeil;
Et sur mon front brûlant appelant les zéphires,
Dix vierges de l'Indus veillent pour mon sommeil.

« Je laisse, en mes banquets, à l'ingrat parasite
        Des mets que repousse ma main;
15 Et, dans les plats dorés, ma main que rien n'excite
Dédaigne des poissons nourris de sang humain.

« Aux bords du Tibre, aux monts qui vomissent les laves,
        J'ai des jardins délicieux;
Mes domaines, partout couverts de mes esclaves,
20 Fatiguent mes coursiers, importunent mes yeux!

« Je vois les grands me craindre et César me sourire;
        Je protège les suppliants;
J'ai des pavés de marbre et des bains de porphyre;
Mon char est salué d'un peuple de clients.

25 « Je m'ennuie au forum, je m'ennuie aux arènes;
        Je demande à tous : Que fait-on ?
Je fais jeter par jour un esclave aux murènes,
Et je m'amuse à peine à ce jeu de Caton.

« Les femmes de l'Europe et celles de l'Asie
30   Touchent peu mon cœur déjà mort;
Dans une coupe d'or l'ennui me rassasie,
Et le pauvre qui pleure est jaloux de mon sort!

« D'implacables faveurs me poursuivant sans cesse,
        Vous m'avez flétri dans ma fleur,
35 Dieux! donnez l'espérance à ma froide jeunesse;
Je vous rends tous ces biens pour un peu de bonheur. »

Dans le temple, traînant sa langueur opulente,
Ainsi parlait Celsus de sa couche indolente;
Il blasphémait ses dieux; et bénissant le ciel,
40 Un martyr expirait devant l'impur autel!

1822.

ODE NEUVIÈME

L'ÂME

> Je ne sais quel destin trouble l'esprit des
> mortels : semblables à des cylindres, ils roulent
> çà et là accablés d'une infinité de maux... Mais
> prends courage, la race des hommes est divine ;
> lorsque, dépouillé de ton corps, tu t'élèveras
> dans les régions éthérées, la mort n'aura plus
> sur toi de pouvoir, tu seras un dieu immortel
> et incorruptible.
>
> *Vers dorés de Pythagore.*

I

Fils du ciel, je fuirai les honneurs de la terre ;
Dans mon abaissement je mettrai mon orgueil ;
Je suis le roi banni, superbe et solitaire,
     Qui veut le trône ou le cercueil.
5 Je hais le bruit du monde, et je crains sa poussière.
     La retraite, paisible et fière,
     Réclame un cœur indépendant ;
Je ne veux point d'esclave et ne veux point de maître ;
Laissez-moi rêver seul au désert de mon être : —
10   J'y cherche le buisson ardent.

Toi, qu'aux douleurs de l'homme un Dieu caché convie,
Compagne sous les cieux de l'humble humanité,
Passagère immortelle, esclave de la vie,
     Et reine de l'éternité,
15 Ame ! aux instants heureux comme aux heures funèbres,
     Rayonne au fond de mes ténèbres ;
     Règne sur mes sens combattus ;
Oh ! de ton sceptre d'or romps leur chaîne fatale,
Et nuit et jour, pareille à l'antique vestale,
20   Veille au feu sacré des vertus.

Est-ce toi dont le souffle a visité ma lyre,
Ma lyre, chaste sœur des harpes de Sion ;
Et qui viens dans ma nuit avec un doux sourire,
     Comme une belle vision ?
25 Sur mes terrestres fers, ô vierge glorieuse,
     Pose l'aile mystérieuse

Qui t'emporte au ciel dévoilé.
Viens-tu m'apprendre, écho de la voix infinie,
Quelque secret d'amour, de joie ou d'harmonie,
30   Que les anges t'ont révélé ?

II

Vis-tu ces temps d'innocence,
Où, quand rien n'était maudit,
Dieu, content de sa puissance,
Fit le monde et s'applaudit ?
35   Vis-tu, dans ces jours prospères,
Du jeune aïeul de nos pères
Eve enchanter le réveil ;
Et, dans la sainte phalange,
Au front du premier archange
40   Luire le premier soleil ?

Vis-tu, des torrents de l'être,
Parmi de brûlants sillons,
Les astres, joyeux de naître,
S'échapper en tourbillons ;
45   Quand Dieu, dans sa paix féconde,
Penché de loin sur le monde,
Contemplait ces grands tableaux,
Lui, centre commun des âmes,
Foyer de toutes les flammes,
50   Océan de tous les flots ?

III

Suivais-tu du Seigneur la marche solennelle,
Lorsque l'Esprit porta la parole éternelle
De l'abîme des eaux aux régions du feu ;
Au jour où, menaçant la terre virginale,
55 Comme, d'un char léger pressant l'ardent essieu,
Un roi vaincu refuse une lutte inégale,
Le Chaos éperdu s'enfuyait devant Dieu ?

As-tu vu, loin des cieux, châtiant ses complices,
Le Roi du mal, armé du sceptre des supplices,
60 Dans le gouffre où jamais la terreur ne s'endort ?

Lieu funèbre, où pleurant les songes de la terre,
Le crime se réveille enfantant le remord,
Et qu'un Dieu visita, revêtu de mystère,
Quand d'enfer en enfer il poursuivit la Mort ?

IV

65   Montre-moi l'Eternel, donnant, comme un royaume,
Le temps à l'éphémère et l'espace à l'atome ;
Le vide obscur, des nuits tombeau silencieux ;
Les foudres se croisant dans leur sphère tonnante,
            Et la comète rayonnante
70   Traînant sa chevelure éparse dans les cieux.

Mon esprit sur ton aile, ô puissante compagne,
Vole de fleur en fleur, de montagne en montagne,
Remonte aux champs d'azur d'où l'homme fut banni,
Du secret éternel lève le voile austère ;
75   Car il voit plus loin que la terre :
Ma pensée est un monde errant dans l'infini.

V

Mais la vie, ô mon âme ! a des pièges dans l'ombre.
Sois le guerrier captif qui garde sa prison,
Des feux de l'ennemi compte avec soin le nombre,
80   Et sous le jour brûlant ainsi qu'en la nuit sombre,
            Surveille au loin tout l'horizon.

Je ne suis point celui qu'une ardeur vaine enflamme,
Qui refuse à son cœur un amour chaste et saint,
Porte à Dagon l'encens que Jéhovah réclame,
85   Et, voyageur sans guide, erre autour de son âme,
            Comme autour d'un cratère éteint.

Il n'ose, offrant à Dieu sa nudité parée,
Flétrir les fleurs d'Eden d'un souffle criminel ;
Fils banni, qui traînant sa misère ignorée,
90   Mendie et pleure, assis sur la borne sacrée
            De l'héritage paternel.

Et les anges entre eux disent : « Voilà l'impie !
Il a bu des faux biens le philtre empoisonneur ;

Devant le juste heureux que son crime s'expie ;
95 Dieu rejette son âme ! elle s'est assoupie
      Durant la veille du Seigneur. »

Toi, — puisses-tu bientôt, secouant ma poussière,
Retourner radieuse au radieux séjour !
Tu remonteras pure à la source première,
100 Et, comme le soleil emporte sa lumière,
      Tu n'emporteras que l'amour !

VI

Malheureux l'insensé dont la vue asservie
Ne sent point qu'un esprit s'agite dans la vie !
Mortel, il reste sourd à la voix du tombeau ;
105 Sa pensée est sans aile et son cœur est sans flamme :
      Car il marche, ignorant son âme,
Tel qu'un aveugle errant qui porte un vain flambeau.

Juin 1823.

ODE DIXIÈME

LE CHANT DE L'ARÈNE

> Généreux Grecs, voilà les prix que rem-
> porteront les vainqueurs.
>
> HOMÈRE.

L'athlète, vainqueur dans l'arène,
Est en honneur dans la cité ;
Son nom, sans que le temps l'entraîne,
Par les peuples est répété,
5 Depuis cette plage inféconde
Où dort sur la borne du monde
L'Hiver, vieillard au dur sommeil,
Jusqu'aux lieux où, quand naît l'aurore,
On entend, sous l'onde sonore,
10 Hennir les coursiers du Soleil.

Voici la fête d'Olympie!
Tressez l'acanthe et le laurier!
Que les dieux confondent l'impie!
Que l'antique audace assoupie
15   Se réveille au cœur du guerrier!

Venez, vous que la gloire enchaîne.
Voyez les prêtres d'Apollon,
Pour votre victoire prochaine,
Ravir des couronnes au chêne
20   Qui jadis a vaincu Milon!

Venez de Corinthe et de Crète,
De Tyr aux tissus précieux,
De Scylla, que bat la tempête,
Et d'Athos, où l'aigle s'arrête
25   Pour voir de plus haut dans les cieux!

Venez de l'île des Colombes,
Venez des mers de l'Archipel,
De Rhode, aux riches hécatombes,
Dont les guerriers jusqu'en leurs tombes
30   De Bellone entendent l'appel!

Venez du palais centenaire
Dont Cécrops a fondé la tour;
D'Argos, de Sparte qu'on vénère;
De Lemnos où naît le tonnerre,
35   D'Amathonte où naquit l'amour!

Les temples saints, les gynécées,
Chargés de verdoyants festons,
Tels que de jeunes fiancées,
Sous des guirlandes enlacées,
40   Ont caché leurs chastes frontons.

Les Archontes et les Ephores
Dans le stade se sont assis;
Les vierges et les canéphores
Ont purifié les amphores
45   Suivant les rites d'Eleusis.

On a consulté la Pythie,
Et ceux qui parlent en rêvant.
A l'heure où s'éveille Clytie,

D'un vautour fauve de Scythie
50   On a jeté la plume au vent.

Le vainqueur de la course agile
Recevra deux trépieds divins,
Et la coupe, agreste et fragile,
Dont Bacchus a touché l'argile,
55   Lorsqu'il goûta les premiers vins.

Celui dont le disque mobile
Renversera les trois faisceaux,
Aura cette urne indélébile,
Que sculpta d'une main habile
60   Phlégon, du pays de Naxos.

Juges de la gloire innocente,
Nous offrons au lutteur ardent
Une chlamyde éblouissante
De Sydon, qui, riche et puissante,
65   Joint le caducée au trident.

Lutteurs, discoboles, athlètes,
Réparez vos forces au bain;
Puis venez vaincre dans nos fêtes,
Afin d'obtenir des poètes
70   Un chant sur le mode thébain!

L'athlète, vainqueur dans l'arène,
Est en honneur dans la cité;
Son nom, sans que le temps l'entraîne,
Par les peuples est répété,
75   Depuis cette plage inféconde
Où dort sur la borne du monde
L'Hiver, vieillard au dur sommeil,
Jusqu'aux lieux où, quand naît l'aurore,
On entend sous l'onde sonore,
80   Hennir les coursiers du Soleil.

Janvier 1824.

ODE ONZIÈME

LE CHANT DU CIRQUE

Panem et circenses!
JUVÉNAL.

César, empereur magnanime,
Le monde, à te plaire unanime,
A tes fêtes doit concourir!
Eternel héritier d'Auguste,
5   Salut! prince immortel et juste,
César! sois salué par ceux qui vont mourir!

Seul entre tous les rois, César aux dieux de Rome
Peut en libations offrir le sang de l'homme.
A nos solennités nous invitons la Mort.
10 De monstres pour nos jeux nous dépeuplons le monde;
Nous mêlons dans le cirque, où fume un sang immonde,
Les tigres d'Hyrcanie aux barbares du Nord.

Des colosses d'airain, des vases de porphyre,
Des ancres, des drapeaux, que gonfle le zéphyre,
15 Parent du champ fatal les murs éblouissants;
Les parfums chargent l'air d'un odorant nuage,
Car le peuple romain aime que le carnage
Exhale ses vapeurs parmi des flots d'encens.

Des portes tout à coup les gonds d'acier gémissent.
20 La foule entre en froissant les grilles qui frémissent;
Les panthères dans l'ombre ont tressailli d'effroi,
Et poussant mille cris qu'un long bruit accompagne,
Comme un fleuve épandu de montagne en montagne,
De degrés en degrés roule le peuple-roi.

25 Les deux chaises d'ivoire ont reçu les édiles.
L'hippopotame informe et les noirs crocodiles
Nagent autour du cirque en un large canal;
Dans leurs cages de fer les cinq cents lions grondent,
Les Vestales en chœur, dont les chants se répondent,
30 Apportent l'autel chaste et le feu virginal.

L'œil ardent, le sein nu, l'impure courtisane
Près du foyer sacré pose un trépied profane.
On voile de cyprès l'autel des suppliants.
A travers leur cortège et de rois et d'esclaves,
35 Les sénateurs, vêtus d'augustes laticlaves,
Dans la foule, de loin, comptent tous leurs clients.

Chaque vierge est assise auprès d'une matrone.
A la voix des tribuns, on voit autour du trône
Les soldats du prétoire en cercle se ranger;
40 Les prêtres de Cybèle entonnent la louange;
Et, sur de vils tréteaux, les histrions du Gange
Chantent, en attendant ceux qui vont s'égorger.

Les voilà!... — Tout le peuple applaudit et menace
Ces captifs, que César d'un bras puissant ramasse
45 Des temples de Manès aux antres d'Irmensul.
Ils entrent tour à tour, et le licteur les nomme;
Vil troupeau, que la mort garde aux plaisirs de Rome,
Et que d'un fer brûlant a marqué le Consul!

On découvre en leurs rangs, à leur tête penchée,
50 Des Juifs, traînant partout une honte cachée;
Plus loin, d'altiers Gaulois que nul péril n'abat;
Et d'infâmes Chrétiens, qui, dépouillés d'armures,
Refusant aux bourreaux leurs chants ou leurs murmures,
Vont souffrir sans orgueil et mourir sans combat.

55 Bientôt, quand rugiront les bêtes échappées,
Les murs, tout hérissés de piques et d'épées,
Livreront cette proie entière à leur fureur. —
Du trône de César la pourpre orne le faîte,
Afin qu'un jour plus doux, durant l'ardente fête,
60 Flatte les yeux divins du clément empereur.

César, empereur magnanime,
Le monde, à te plaire unanime,
A tes fêtes doit concourir!
Eternel héritier d'Auguste,
65   Salut! prince immortel et juste,
César! sois salué par ceux qui vont mourir!

Janvier 1824.

ODE DOUZIÈME

LE CHANT DU TOURNOI

> Servants d'amour, regardez doucement
> Aux échafauds anges de paradis;
> Lors jouterez fort et joyeusement,
> Et vous serez honorés et chéris.
>
> *Ancienne ballade.*

Largesse, ô chevaliers! largesse aux suivants d'armes!
Venez tous! soit qu'au sein des jeux ou des alarmes,
Votre écu de Milan porte le vert dragon,
Le manteau noir d'Agra, semé de blanches larmes,
5   La fleur de lys de France, ou la croix d'Aragon.

Déjà la lice est ouverte;
Les clercs en ont fait le tour;
La bannière blanche et verte
Flotte au front de chaque tour;
10   La foule éclate en paroles;
Les légères banderoles
Se mêlent en voltigeant;
Et le héros du portique
Sur l'or de sa dalmatique
15   Suspend le griffon d'argent.

Les maisons peuplent leur faîte;
Au loin gronde le beffroi;
Tout nous promet une fête
Digne des regards du roi.
20   La reine à ce jour suprême,
A de son épargne même
Consacré douze deniers,
Et, pour l'embellir encore,
Racheté des fers du Maure
25   Douze chrétiens prisonniers.

Or, comme la loi l'ordonne,
Chevaliers au cœur loyal,
Avant que le clairon sonne,
Ecoutez l'édit royal!
30   Car, sans l'entendre en silence,

Celui qui saisit la lance
N'a plus qu'un glaive maudit.
Croyez ces conseils prospères!
C'est ce qu'ont dit à nos pères
35   Ceux à qui Dieu l'avait dit!

D'abord, des saintes louanges
Chantez les versets bénis,
Chantez Jésus, les Archanges,
Et monseigneur saint Denis!
40   Jurez sur les Evangiles
Que, si vos bras sont fragiles,
Rien ne ternit votre honneur;
Que vous pourrez, s'il se lève,
Montrer au roi votre glaive,
45   Comme votre âme au Seigneur!

D'un saint touchez la dépouille!
Jurez, comtes et barons,
Que nulle fange ne souille
L'or pur de vos éperons!
50   Que de ses vassaux fidèles,
Dans ses noires citadelles,
Nul de vous n'est le bourreau!
Que, du sort bravant l'épreuve,
Pour l'orphelin et la veuve
55   Votre épée est sans fourreau!

Preux que l'honneur accompagne,
N'oubliez pas les vertus
Des vieux pairs de Charlemagne,
Des vieux champions d'Artus!
60   Malheur au vainqueur sans gloire,
Qui doit sa lâche victoire
A de hideux nécromants!
Honte au guerrier sans vaillance
Qui combat la noble lance
65   Avec d'impurs talismans!

Un jour, sur les murs funestes
De son infâme château,
On voit pendre ses vils restes
Aux bras d'un sanglant poteau;
70   Eternisant ses supplices,
Les enchanteurs, ses complices,

Dans les ombres déchaînés,
Parmi d'affreux sortilèges
A leurs festins sacrilèges
75   Mêlent ses os décharnés!

Mais gloire au guerrier austère!
Gloire au pieux châtelain!
Chaque belle sans mystère
Brode son nom sur le lin.
80   Le mélodieux trouvère
A son glaive, qu'on révère,
Consacre un chant immortel;
Dans sa tombe est une fée;
Et l'on donne à son trophée
85   Pour piédestal un autel.

Donc, en vos âmes courtoises,
Gravez, pairs et damoisels,
La loi des joutes gauloises
Et des galants carrousels!
90   Par les juges de l'épée,
Par leur belle détrompée,
Les félons seront honnis.
Leur opprobre est sans refuges;
Ceux que condamnent les juges
95   Par les dames sont punis!

Largesse, ô chevaliers! largesse aux suivants d'armes!
Venez tous! soit qu'au sein des jeux ou des alarmes,
Votre écu de Milan porte le vert dragon,
Le manteau noir d'Agra, semé de blanches larmes,
100 La fleur de lys de France, ou la croix d'Aragon.

Janvier 1824.

ODE TREIZIÈME

L'ANTÉCHRIST

> Après que les mille ans seront accomplis,
> Satan sera délié; il sortira de sa prison, et il
> séduira les nations qui sont aux quatre coins
> du monde, Gog et Magog.
>
> SAINT JEAN. *Apocalypse.*

I

Il viendra, — quand viendront les dernières ténèbres;
Que la source des jours tarira ses torrents;
Qu'on verra les soleils, au front des nuits funèbres,
    Pâlir comme des yeux mourants;
5 Quand l'abîme inquiet rendra des bruits dans l'ombre;
    Que l'enfer comptera le nombre
    De ses soldats audacieux;
Et qu'enfin le fardeau de la suprême voûte
Fera, comme un vieux char tout poudreux de sa route,
10   Crier l'axe affaibli des cieux.

Il viendra, — quand la mère, au fond de ses entrailles,
Sentira tressaillir son fruit épouvanté;
Quand nul ne suivra plus les saintes funérailles
    Du juste, en sa tombe attristé;
15 Lorsqu'approchant des mers sans lit et sans rivages,
L'homme entendra gronder, sous le vaisseau des âges,
    La vague de l'éternité.
Il viendra, — quand l'orgueil, et le crime, et la haine,
De l'antique Alliance auront enfreint le vœu;
20 Quand les peuples verront, craignant leur fin prochaine,
Du monde décrépit se détacher la chaîne;
Les astres se heurter dans leurs chemins de feu;
Et dans le ciel, — ainsi qu'en ses salles oisives,
Un hôte se promène, attendant ses convives, —
25 Passer et repasser l'ombre immense de Dieu.

II

Parmi les nations il luira comme un signe.
Il viendra des captifs dissiper la rançon;

Le Seigneur l'enverra pour dévaster la vigne,
          Et pour disperser la moisson.
30 Les peuples ne sauront, dans leur stupeur profonde,
               Si ses mains dans quelque autre monde
               Ont porté le sceptre ou les fers;
Et dans leurs chants de deuil et leurs hymnes de fête,
Ils se demanderont si les feux de sa tête
35   Sont des rayons ou des éclairs.

Tantôt ses traits au ciel emprunteront leurs charmes;
Tel qu'un ange, vêtu de radieuses armes,
Tout son corps brillera de reflets éclatants,
Et ses yeux souriront, baignés de douces larmes,
40 Comme la jeune aurore au front du beau printemps.

Tantôt, hideux amant de la nuit solitaire,
Noir dragon, déployant l'aile aux ongles de fer,
Pâle, et s'épouvantant de son propre mystère,
               Du sein profané de la terre
45 Ses pas feront monter les vapeurs de l'enfer.

La nature entendra sa voix miraculeuse.
Son souffle emportera les cités aux déserts;
Il guidera des vents la course nébuleuse;
               Il aura des chars dans les airs;
50 Il domptera la flamme, il marchera sur l'onde;
               On verra l'arène inféconde
               Sous ses pieds de fleurs s'émailler;
Et les astres sur lui descendre en auréole;
Et les morts tressaillir au bruit de sa parole,
55   Comme s'ils allaient s'éveiller!

Fleuve aux flots débordés, volcan aux noires laves,
Il n'aura point d'amis pour avoir plus d'esclaves;
Il pèsera sur tous de toute sa hauteur;
Le monde, où passera le funeste fantôme,
60 Paraîtra sa conquête et non pas son royaume;
Il ne sera qu'un maître où Dieu fut un pasteur.

Il semblera, courbé sur la terre asservie,
Porter un autre poids, vivre d'une autre vie.
Il ne pourra vieillir, il ne pourra changer.
65 Les fleurs que nous cueillons pour lui seront flétries;
Sans tendresse et sans foi, dans toutes nos patries
               Il sera comme un étranger.

Son attente jamais ne sera l'espérance;
Battu de ses désirs comme d'un flot des mers,
70 Sa science en secret envîra l'ignorance,
          Et n'aura que des fruits amers.
Il bravera l'arrêt suspendu sur sa tête,
          Calme, comme avant la tempête,
          Et muet, comme après la mort;
75 Et son cœur ne sera qu'une arène insensible
Où dans le noir combat d'un hymen impossible,
          Le Crime étreindra le Remord!

Du temps prêt à finir il saisira le reste.
Son bras du dernier port éteindra le fanal!
80 Dieu, qui combla de maux son envoyé céleste,
Accablera de biens le Messie infernal.
Couché sur ses plaisirs ainsi que sur des proies,
Ses yeux n'exprimeront, durant son vain pouvoir,
Que la honte cachée au sein des fausses joies,
85 Et l'orgueil qui se lève au fond du désespoir.

De l'enfer aux mortels apportant les messages,
Sa main, semant l'erreur au champ de la raison,
Mêlera dans sa coupe, où boiront les faux sages,
Les venins aux parfums et le miel au poison.
90 Comme un funèbre mur, entre le ciel et l'homme
Il osera placer un effroyable adieu;
Ses forfaits n'auront pas de langue qui les nomme,
Et l'athée effrayé dira : Voilà mon Dieu!

III

Enfin, quand ce héraut du suprême mystère
95 Aura de crime en crime usé ses noirs destins,
Que la sainte vertu, que la foi salutaire
          Trouveront tous les cœurs éteints;
Quand du signe du meurtre et du sceau des supplices
          Il aura marqué ses complices;
100   Que son troupeau sera compté;
Il quittera la vie ainsi qu'une demeure,
Et son règne ici-bas n'aura pour dernière heure
          Que l'heure de l'Eternité.

                                        1823.

ODE QUATORZIÈME

ÉPITAPHE

*Hic praeteritos commemora dies, aeternos medi-
tare.*

Jeune ou vieux, imprudent ou sage,
Toi qui, de cieux en cieux errant comme un nuage,
Suis l'instinct d'un plaisir ou l'appel d'un besoin,
        Voyageur, où vas-tu si loin ? —
5 N'est-ce donc pas ici le but de ton voyage ?

La Mort, qui partout pose un pied victorieux,
A couvert mes splendeurs d'ombres expiatoires.
Mon nom même a subi son voile injurieux;
Et le morne oubli cache à ton œil curieux
10 S'il est dans mon néant quelqu'une de tes gloires.

        Passant, comme toi j'ai passé.
Le fleuve est revenu se perdre dans sa source.
Fais silence; assieds-toi sur ce marbre brisé.
Pose un instant le poids qui fatigue ta course :
15 J'eus de même un fardeau qu'ici j'ai déposé.

Si tu veux du repos, si tu cherches de l'ombre,
Ta couche est prête, accours! loin du bruit on y dort.
Si ton fragile esquif lutte sur la mer sombre,
Viens, c'est ici l'écueil; viens, c'est ici le port!

20 Ne sens-tu rien ici dont tressaille ton âme ?
Rien, qui borne tes pas d'un cercle impérieux ?
        Sur l'asile qui te réclame,
Ne lis-tu pas ton nom en mots mystérieux ?

Ephémère histrion qui sait son rôle à peine,
25 Chaque homme, ivre d'audace ou palpitant d'effroi,
Sous le sayon du pâtre ou la robe du roi,
Vient passer à son tour son heure sur la scène.

Ne foule pas les morts d'un pied indifférent :
Comme moi, dans leur ville il te faudra descendre,

30   L'homme de jour en jour s'en va pâle et mourant,
      Et tu ne sais quel vent doit emporter ta cendre.

      Mais devant moi ton cœur à peine est agité!
      Quoi donc! pas un soupir! pas même une prière!
      Tout ton néant te parle, et n'est point écouté!

35   Tu passes : — en effet, qu'importe cette pierre ?
      Que peut cacher la tombe à ton œil attristé ?
      Quelques os desséchés, un reste de poussière,
              Rien peut-être, — et l'éternité!

                                          1823.

                        ODE QUINZIÈME

        UN CHANT DE FÊTE DE NÉRON

                        A M. le Comte Alfred de V.

                              Nescio quid molle atque facetum.
                              HORACE.

      Amis! l'ennui nous tue, et le sage l'évite!
      Venez tous admirer la fête où vous invite
      Néron, César, Consul pour la troisième fois;
      Néron, maître du monde et dieu de l'harmonie,
5   Qui, sur le mode d'Ionie,
      Chante, en s'accompagnant de la lyre à dix voix!

      Que mon joyeux appel sur l'heure vous rassemble!
      Jamais vous n'aurez eu tant de plaisirs ensemble,
      Chez Pallas l'affranchi, chez le Grec Agénor;
10   Ni dans ces gais festins, d'où s'exilait la gêne,
      Où l'austère Sénèque, en louant Diogène,
              Buvait le falerne dans l'or!

      Ni lorsque sur le Tibre, Aglaé, de Phalère,
      Demi-nue, avec nous voguait dans sa galère,
15   Sous des tentes d'Asie aux brillantes couleurs;
      Ni quand au son des luths, le préfet des Bataves

Jetait aux lions vingt esclaves,
Dont on avait caché les chaînes sous des fleurs !

Venez, Rome à vos yeux va brûler, — Rome entière !
20 J'ai fait sur cette tour apporter ma litière
Pour contempler la flamme en bravant ses torrents.
Que sont les vains combats des tigres et de l'homme !
Les sept monts aujourd'hui sont un grand cirque, où Rome
Lutte avec les feux dévorants.

25 C'est ainsi qu'il convient au maître de la terre
De charmer son ennui profond et solitaire !
Il doit lancer parfois la foudre, comme un dieu !
Mais, venez, la nuit tombe et la fête commence.
Déjà l'Incendie, hydre immense,
30 Lève son aile sombre et ses langues de feu !

Voyez-vous ? voyez-vous ? sur sa proie enflammée,
Il déroule en courant ses replis de fumée ;
Il semble caresser ces murs qui vont périr ;
Dans ses embrassements les palais s'évaporent...
35 — Oh ! que n'ai-je aussi, moi, des baisers qui dévorent,
Des caresses qui font mourir !

Ecoutez ces rumeurs, voyez ces vapeurs sombres,
Ces hommes dans les feux errant comme des ombres,
Ce silence de mort par degrés renaissant !
40 Les colonnes d'airain, les portes d'or s'écroulent !
Des fleuves de bronze qui roulent
Portent des flots de flamme au Tibre frémissant !

Tout périt ! jaspe, marbre, et porphyre, et statues,
Malgré leurs noms divins dans la cendre abattues.
45 Le fléau triomphant vole au gré de mes vœux,
Il va tout envahir dans sa course agrandie,
Et l'Aquilon joyeux tourmente l'incendie,
Comme une tempête de feux.

Fier Capitole, adieu ! — Dans les feux qu'on excite,
50 L'aqueduc de Sylla semble un pont du Cocyte.
Néron le veut : ces tours, ces dômes tomberont.
Bien : sur Rome, à la fois, partout, la flamme gronde !
— Rends-lui grâces, Reine du monde :
Vois quel beau diadème il attache à ton front !

55 Enfant, on me disait que les voix sibyllines
   Promettaient l'avenir aux murs des sept collines,
   Qu'aux pieds de Rome, enfin, mourrait le temps dompté,
   Que son astre immortel n'était qu'à son aurore... —
   Mes amis! dites-moi combien d'heures encore
60   Peut durer son éternité ?

   Qu'un incendie est beau lorsque la nuit est noire!
   Erostrate lui-même eût envié ma gloire.
   D'un peuple à mes plaisirs qu'importe les douleurs ?
   Il fuit : de toutes parts le brasier l'environne... —
65   Otez de mon front ma couronne,
   Le feu qui brûle Rome en flétrirait les fleurs.

   Quand le sang rejaillit sur vos robes de fête,
   Amis, lavez la tache avec du vin de Crète;
   L'aspect du sang n'est doux qu'au regard des méchants.
70 Couvrons un jeu cruel de voluptés sublimes.
   Malheur à qui se plaît au cri de ses victimes! —
           Il faut l'étouffer dans des chants.

   Je punis cette Rome et je me venge d'elle!
   Ne poursuit-elle pas d'un encens infidèle
75 Tour à tour Jupiter et ce Christ odieux ?
   Qu'enfin à leur niveau sa terreur me contemple!
           Je veux avoir aussi mon temple,
   Puisque ces vils Romains n'ont point assez de dieux.

   J'ai détruit Rome, afin de la fonder plus belle.
80 Mais que sa chute au moins brise la croix rebelle!
   Plus de chrétiens! allez, exterminez-les tous!
   Que Rome de ses maux punisse en eux les causes;
   Exterminez!... — Esclave! apporte-moi des roses,
           Le parfum des roses est doux!

                                        Mars 1825.

ODE SEIZIÈME

LA DEMOISELLE

> Un rien sait l'animer. Curieuse et volage,
> Elle va parcourant tous les objets flatteurs,
> Sans se fixer jamais, non plus que sur les fleurs
> Les zéphyrs vagabonds doux rivaux des
> [abeilles,
> Ou le baiser ravi sur des lèvres vermeilles.
>
> ANDRÉ CHÉNIER.

Quand la demoiselle dorée
S'envole au départ des hivers,
Souvent sa robe diaprée,
Souvent son aile est déchirée
5   Aux mille dards des buissons verts.

Ainsi, jeunesse vive et frêle,
Qui, t'égarant de tous côtés,
Voles où ton instinct t'appelle,
Souvent tu déchires ton aile
10   Aux épines des voluptés.

                          Mai 1827.

ODE DIX-SEPTIÈME

A MON AMI S.-B.

Perseverando.
Devise des Ducie.

L'aigle, c'est le génie! oiseau de la tempête,
Qui des monts les plus hauts cherche le plus haut faîte;
Dont le cri fier, du jour chante l'ardent réveil;
Qui ne souille jamais sa serre dans la fange,
5 Et dont l'œil flamboyant incessamment échange
        Des éclairs avec le soleil.

Son nid n'est pas un nid de mousse; c'est une aire,
Quelque rocher, creusé par un coup de tonnerre,
Quelque brèche d'un pic, épouvantable aux yeux,
10 Quelque croulant asile, aux flancs des monts sublimes,
Qu'on voit, battu des vents, pendre entre deux abîmes,
       Le noir précipice et les cieux!

Ce n'est pas l'humble ver, les abeilles dorées,
La verte demoiselle aux ailes bigarrées,
15 Qu'attendent ses petits, béants, de faim pressés;
Non! c'est l'oiseau douteux, qui dans la nuit végète,
C'est l'immonde lézard, c'est le serpent qu'il jette,
       Hideux, aux aiglons hérissés.

Nid royal! palais sombre, et que d'un flot de neige
20 La roulante avalanche en bondissant assiège!
Le génie y nourrit ses fils avec amour,
Et, tournant au soleil leurs yeux remplis de flammes,
Sous son aile de feu couve de jeunes âmes,
       Qui prendront des ailes un jour!

25 Pourquoi donc t'étonner, Ami, si sur ta tête,
Lourd de foudres, déjà le nuage s'arrête?
Si quelque impur reptile en ton nid se débat?
Ce sont tes premiers jeux, c'est ta première fête:
Pour vous autres aiglons, chaque heure a sa tempête,
30   Chaque festin est un combat.

Rayonne, il en est temps! et, s'il vient un orage,
En prisme éblouissant change le noir nuage.
Que ta haute pensée accomplisse sa loi.
Viens, joins ta main de frère à ma main fraternelle.
35 Poète, prends ta lyre; aigle, ouvre ta jeune aile;
       Etoile, étoile, lève-toi!

La brume de ton aube, Ami, va se dissoudre.
Fais-toi connaître, aiglon, du soleil, de la foudre.
Viens arracher un nom par tes chants inspirés;
40 Viens; cette gloire, en butte à tant de traits vulgaires,
Ressemble aux fiers drapeaux qu'on rapporte des guerres,
       Plus beaux quand ils sont déchirés!

Vois l'astre chevelu qui, royal météore,
Roule, en se grossissant des mondes qu'il dévore;
45 Tel, ô jeune géant, qui t'accrois tous les jours,

Tel ton génie ardent, loin des routes tracées,
Entraînant dans son cours des mondes de pensées,
　　　Toujours marche et grandit toujours !

Décembre 1827.

ODE DIX-HUITIÈME

JÉHOVAH

> *Domini enim sunt cardines terrae et posuit super
> eos orbem.*
>
> CANT. ANNÆ, I.

> Jéhovah est le maître des deux pôles, et sur
> eux il fait tourner le monde.
>
> JOSEPH DE MAISTRE.
> *Soirées de Saint-Pétersbourg.*

Gloire à Dieu seul ! son nom rayonne en ses ouvrages !
Il porte dans sa main l'univers réuni ;
Il mit l'éternité par delà tous les âges,
Par delà tous les cieux, il jeta l'infini.

5　Il a dit au chaos sa parole féconde,
Et d'un mot de sa voix laissé tomber le monde !
L'archange auprès de lui compte les nations ;
Quand, des jours et des lieux franchissant les espaces,
　　　Il dispense aux siècles leurs races,
10　Et mesure leur temps aux générations !

Rien n'arrête en son cours sa puissance prudente.
Soit que son souffle immense, aux ouragans pareil,
Pousse de sphère en sphère une comète ardente,
Ou dans un coin du monde éteigne un vieux soleil !

15　Soit qu'il sème un volcan sous l'océan qui gronde,
Courbe ainsi que des flots le front altier des monts,
Ou de l'enfer troublé touchant la voûte immonde,
Au fond des mers de feu chasse les noirs démons !

Oh! la création se meut dans ta pensée,
20 Seigneur! tout suit la voie en tes desseins tracée.
Ton bras jette un rayon au milieu des hivers,
Défend la veuve en pleurs du publicain avide,
Ou dans un ciel lointain, séjour désert du vide,
           Crée en passant un univers!

25 L'homme n'est rien sans lui, l'homme, débile proie,
Que le malheur dispute un moment au trépas.
Dieu lui donne le deuil ou lui reprend la joie.
Du berceau vers la tombe il a compté ses pas.

Son nom, que des élus la harpe d'or célèbre,
30 Est redit par les voix de l'univers sauvé,
Et lorsqu'il retentit dans son écho funèbre,
L'enfer maudit son roi par les cieux réprouvé!

Oui, les anges, les saints, les sphères étoilées,
Et les âmes des morts devant toi rassemblées,
35 O Dieu! font de ta gloire un concert solennel;
Et tu veux bien que l'homme, être humble et périssable,
         Marchant dans la nuit sur le sable,
Mêle un chant éphémère à cet hymne éternel!

Gloire à Dieu seul! son nom rayonne en ses ouvrages,
40 Il porte dans sa main l'univers réuni;
Il mit l'éternité par-delà tous les âges,
Par-delà tous les cieux il jeta l'infini!

                              Décembre 1822.

LIVRE CINQUIÈME

1819-1828

Prend-moy tel que je suy.
Devise des Ély.

ODE PREMIÈRE

PREMIER SOUPIR

C'est que j'ai rencontré des regards dont la
[flamme
Semble avec mes regards ou briller ou mourir,
Et cette âme, sœur de mon âme,
Hélas! que j'attendais pour aimer et souffrir.
ÉMILE DESCHAMPS.

Sois heureuse, ô ma douce amie,
Salue en paix la vie et jouis des beaux jours;
Sur le fleuve du temps mollement endormie,
Laisse les flots suivre leurs cours!

5   Va, le sort te sourit encore,
Le ciel ne peut vouloir, dissipe tout effroi,
Qu'un jour triste succède à ta joyeuse aurore.
Le ciel doit m'écouter quand pour toi je l'implore.
Notre avenir commun ne pèse que sur moi!
10   Bientôt tu peux m'être ravie:
Peut-être, loin de toi, demain j'irai languir.
Quoi, déjà tout est sombre et fatal dans ma vie!
J'ai dû t'aimer, je dois te fuir!

Puis, — hélas! sur mon front que le malheur retombe!
15 Il faudra qu'à l'absence, à de nouveaux désirs,

                    Un sentiment bien doux succombe :
                    Tu m'oublîras dans les plaisirs,
                    Je me souviendrai dans la tombe.

              Oui, je mourrai ; déjà ma lyre en est en deuil.
       20   Jeune, je m'éteindrai, laissant peu de mémoire,
              Sans peur ; puisque de front j'ai contemplé la gloire,
                    Je puis voir de près le cercueil.
              L'Elysée immortel est près des noirs royaumes,
              Et la gloire et la mort ne sont que deux fantômes,
       25   En habits de fête ou de deuil !

                    Vis heureuse, ô ma jeune amie,
                    Jouis en paix de tes beaux jours ;
              Sur le fleuve du temps mollement endormie,
                    Laisse les flots suivre leur cours !

                                           Décembre 1819.

                              ODE DEUXIÈME

                                 REGRET

                    Il s'est trouvé parfois, comme pour faire voir
                    Que du bonheur en nous est encor le pouvoir,
                    Deux âmes s'élevant sur les plaines du monde,
                    Toujours l'une pour l'autre existence féconde,
                    Puissantes à sentir avec un feu pareil,
                    Double et brûlant rayon né d'un même soleil,
                    Vivant comme un seul être, intime et pur
                                                      [mélange,
                    Semblables dans leur vol aux deux ailes d'un
                                                      [ange,
                    Ou telles que des nuits les jumeaux radieux
                    D'un fraternel éclat illuminent les cieux.
                    Si l'homme a séparé leur ardeur mutuelle,
                    C'est alors que l'on voit, et rapide et fidèle,
                    Chacune, de la foule écartant l'épaisseur,
                    Traverser l'univers et voler à sa sœur.
                              ALFRED DE VIGNY. *Héléna.*

       Oui, le bonheur bien vite a passé dans ma vie !
       On le suit ; dans ses bras on se livre au sommeil ;
       Puis, comme cette vierge aux champs crétois ravie,
                    On se voit seul à son réveil.

5 On le cherche de loin dans l'avenir immense ;
  On lui crie : « Oh ! reviens, compagnon de mes jours. »
  Et le plaisir accourt ; mais sans remplir l'absence
        De celui qu'on pleure toujours.

  Moi, si l'impur plaisir m'offre sa vaine flamme,
10 Je lui dirai : « Va, fuis, et respecte mon sort :
  » Le bonheur a laissé le regret dans mon âme ;
        » Mais toi, tu laisses le remord ! »

  Pourtant je ne dois point troubler votre délire,
  Amis ; je veux paraître ignorer les douleurs ;
15 Je souris avec vous, je vous cache ma lyre
        Lorsqu'elle est humide de pleurs !

  Chacun de vous peut-être, en son cœur solitaire,
  Sous des ris passagers étouffe un long regret ;
  Hélas ! nous souffrons tous ensemble sur la terre,
20   Et nous souffrons tous en secret !

  Tu n'as qu'une colombe, à tes lois asservie ;
  Tu mets tous tes amours, vierge, dans une fleur.
  Mais à quoi bon ? La fleur passe comme la vie,
        L'oiseau fuit comme le bonheur !

25 On est honteux des pleurs ; on rougit de ses peines,
  Des innocents chagrins, des souvenirs touchants ;
  Comme si nous n'étions sous les terrestres chaînes
        Que pour la joie et pour les chants !

  Hélas ! il m'a donc fui sans me laisser de trace,
30 Mais pour le retenir j'ai fait ce que j'ai pu,
  Ce temps où le bonheur brille, et soudain s'efface,
        Comme un sourire interrompu !

                              Février 1821.

ODE TROISIÈME

AU VALLON DE CHÉRIZY

Factus sum peregrinus... et quaesivi qui simul contristaretur, et non fuit.

Ps. LXVIII.

Perfice gressus meos semitis tuis.

Ps. XVI.

Je suis devenu voyageur... et j'ai cherché qui
s'affligerait avec moi, et nul n'est venu.
Permets à mes pas de suivre ta trace.

Le voyageur s'assied sous votre ombre immobile,
Beau vallon ; triste et seul, il contemple en rêvant
L'oiseau qui fuit l'oiseau, l'eau que souille un reptile,
    Et le jonc qu'agite le vent !

5 Hélas ! l'homme fuit l'homme ; et souvent avant l'âge
Dans un cœur noble et pur se glisse le malheur ;
Heureux l'humble roseau qu'alors un prompt orage
    En passant brise dans sa fleur !

Cet orage, ô vallon, le voyageur l'implore.
10 Déjà las de sa course, il est bien loin encore
    Du terme où ses maux vont finir ;
Il voit devant ses pas, seul pour se soutenir,
Aux rayons nébuleux de sa funèbre aurore,
    Le grand désert de l'avenir !

15 De dégoûts en dégoûts il va traîner sa vie.
Que lui font ces faux biens qu'un faux orgueil envie ?
Il cherche un cœur fidèle, ami de ses douleurs ;
Mais en vain : nuls secours n'aplaniront sa voie,
Nul parmi les mortels ne rira de sa joie,
20   Nul ne pleurera de ses pleurs !

Son sort est l'abandon ; et sa vie isolée
Ressemble au noir cyprès qui croît dans la vallée.
Loin de lui, le lys vierge ouvre au jour son bouton ;
Et jamais, égayant son ombre malheureuse,

25   Une jeune vigne amoureuse
A ses sombres rameaux n'enlace un vert feston.

            Avant de gravir la montagne,
Un moment au vallon le voyageur a fui.
Le silence du moins répond à son ennui.
30 Il est seul dans la foule : ici, douce compagne,
            La solitude est avec lui !

Isolés comme lui, mais plus que lui tranquilles,
            Arbres, gazons, riants asiles,
Sauvez ce malheureux du regard des humains !
35 Ruisseaux, livrez vos bords, ouvrez vos flots dociles
A ses pieds qu'a souillés la fange de leurs villes,
            Et la poudre de leurs chemins !

Ah ! laissez-lui chanter, consolé sous vos ombres,
Ce long songe idéal de nos jours les plus sombres,
40 La vierge au front si pur, au sourire si beau !
Si pour l'hymen d'un jour c'est en vain qu'il l'appelle,
Laissez du moins rêver à son âme immortelle
            L'éternel hymen du tombeau !

La terre ne tient point sa pensée asservie ;
45 Le bel espoir l'enlève au triste souvenir ;
Deux ombres désormais dominent sur sa vie :
L'une est dans le passé, l'autre dans l'avenir !

Oh ! dis, quand viendras-tu ? quel Dieu va te conduire,
Etre charmant et doux, vers celui que tu plains ?
50   Astre ami, quand viendras-tu luire,
Comme un soleil nouveau, sur ses jours orphelins ?

Il ne t'obtiendra point, chère et noble conquête,
Au prix de ces vertus qu'il ne peut oublier ;
Il laisse au gré du vent le jonc courber sa tête ;
55 Il sera le grand chêne, et devant la tempête
            Il saura rompre et non plier.

Elle approche, il la voit ; mais il la voit sans crainte.
            Adieu, flots purs, berceaux épais,
Beau vallon où l'on trouve un écho pour sa plainte,
60   Bois heureux où l'on souffre en paix !

Heureux qui peut au sein du vallon solitaire,
Naître, vivre et mourir dans le champ paternel!
    Il ne connaît rien de la terre,
    Et ne voit jamais que le ciel!

Juillet 1821.

ODE QUATRIÈME

A TOI

Sub umbra alarum tuarum protege me.

Ps. XVI.

Couvre-moi de l'ombre de tes ailes.

Lyre longtemps oisive, éveillez-vous encore.
Il se lève, et nos chants le salueront toujours,
    Ce jour que son doux nom décore,
    Ce jour sacré parmi les jours!

5   O Vierge! à mon enfance un Dieu t'a révélée,
Belle et pure; et rêvant mon sort mystérieux,
Comme une blanche étoile aux nuages mêlée,
Dès mes plus jeunes ans je te vis dans mes cieux!

Je te disais alors : « O toi, mon espérance,
10   Viens, partage un bonheur qui ne doit pas finir. »
Car de ma vie encor, dans ces jours d'ignorance,
Le passé n'avait point obscurci l'avenir.

Ce doux penchant devint une indomptable flamme;
Et je pleurai ce temps, écoulé sans retour,
15   Où la vie était pour mon âme
Le songe d'un enfant que berce un vague amour.

Aujourd'hui, réveillant sa victime endormie,
Sombre, au lieu du bonheur que j'avais tant rêvé,
Devant mes yeux, troublés par l'espérance amie,
20   Avec un rire affreux le malheur s'est levé!

Quand seul dans cette vie, hélas! d'écueils semée,
Il faut boire le fiel dont le calice est plein,
    Sans les pleurs de sa bien-aimée
    Que reste-t-il à l'orphelin ?

25 Si les heureux d'un jour parent de fleurs leurs têtes,
Il fuit, souillé de cendre et vêtu de lambeaux;
    Et pour lui la coupe des fêtes
    Ressemble à l'urne des tombeaux!

Il est chez les vivants comme une lampe éteinte.
30 Le monde en ses douleurs se plaît à l'exiler,
Seulement vers le ciel il élève sans crainte
Ses yeux, chargés de pleurs qui ne peuvent couler.

Mais toi, console-moi, viens, consens à me suivre,
Arrache de mon sein le trait envenimé,
35 Daigne vivre pour moi, pour toi laisse-moi vivre,
J'ai bien assez souffert, Vierge, pour être aimé!

Oh! de ton doux sourire embellis-moi la vie!
Le plus grand des bonheurs est encor dans l'amour.
La lumière à jamais ne me fut point ravie,
40 Viens, je suis dans la nuit, mais je puis voir le jour!

Mes chants ne cherchent pas une illustre mémoire;
Et s'il faut me courber sous ce fatal honneur,
Ne crains rien, ton époux ne veut pas que sa gloire
    Retentisse dans son bonheur.

45 Goûtons du chaste hymen le charme solitaire.
Que la félicité nous cache à tous les yeux.
    Le serpent couché sur la terre
N'entend pas deux oiseaux qui volent dans les cieux!

Mais si ma jeune vie, à tant de flots livrée,
50 Si mon destin douteux t'inspire un juste effroi,
Alors fuis, toi qui fus mon épouse adorée; —
    Toi qui fus ma mère, attends-moi.

Bientôt j'irai dormir d'un sommeil sans alarmes,
Heureux si, dans la nuit dont je serai couvert,
55 Un œil indifférent donne en passant des larmes
A mon luth oublié, sur mon tombeau désert!

Toi, que d'aucun revers les coups n'osent t'atteindre,
Et puisses-tu jamais, gémissant à ton tour,

Ne regretter celui qui mourut sans se plaindre,
60   Et qui t'aimait de tant d'amour !

                                    Décembre 1821.

                    ODE CINQUIÈME

                LA CHAUVE-SOURIS

> Que me veux-tu ? Un ange planait sur mon
> cœur, et tu l'as effrayé... Viens donc, je te
> chanterai des chansons que les esprits des cime-
> tières m'ont apprises.
>
>   MATHURIN. *Bertram.*

Oui, je te reconnais, je t'ai vu dans mes songes,
Triste oiseau ! mais sur moi vainement tu prolonges
Les cercles inégaux de ton vol ténébreux ;
Des spectres réveillés porte ailleurs les messages ;
5   Va, pour craindre tes noirs présages,
Je ne suis point coupable et ne suis point heureux !

Attends qu'enfin la vierge, à mon sort asservie,
Que le ciel comme un ange envoya dans ma vie,
De ma longue espérance ait couronné l'orgueil ;
Alors tu reviendras, troublant la douce fête,
10 Joyeuse, déployer tes ailes sur ma tête,
        Ainsi que deux voiles de deuil !

Sœur du hibou funèbre et de l'orfraie avide,
Mêlant le houx lugubre au nénuphar livide,
15 Les filles de Satan t'invoquent sans remords ;
Fuis l'abri qui me cache et l'air que je respire ;
De ton ongle hideux ne touche pas ma lyre,
        De peur de réveiller des morts !

La nuit, quand les démons dansent sous le ciel sombre,
20 Tu suis le chœur magique en tournoyant dans l'ombre.
L'hymne infernal t'invite au conseil malfaisant.
Fuis ! car un doux parfum sort de ces fleurs nouvelles ;
        Fuis, il faut à tes mornes ailes
L'air du tombeau natal et la vapeur du sang.

25 Qui t'amène vers moi ? Viens-tu de ces collines
   Où la lune s'enfuit sur de blanches ruines ?
   Son front est, comme toi, sombre dans sa pâleur.
                 Tes yeux dans leur route incertaine
   Ont donc suivi les feux de ma lampe lointaine ?
30 Attiré par la gloire, ainsi vient le malheur !

   Sors-tu de quelque tour qu'habite le Vertige,
   Nain bizarre et cruel, qui sur les monts voltige,
   Prête aux feux du marais leur errante rougeur,
   Rit dans l'air, des grands pins courbe en criant les cimes,
35 Et chaque soir, rôdant sur le bord des abîmes,
   Jette aux vautours du gouffre un pâle voyageur ?

   En vain autour de moi ton vol qui se promène
   Sème une odeur de tombe et de poussière humaine ;
   Ton aspect m'importune et ne peut m'effrayer.
40 Fuis donc, fuis, ou demain je livre aux yeux profanes
   Ton corps sombre et velu, tes ailes diaphanes,
   Dont le pâtre conteur orne son noir foyer.

   Des enfants se joueront de ta dent furieuse ;
   Une vierge viendra, tremblante et curieuse,
45 De son rire craintif t'effrayer à grand bruit ;
   Et le jour te verra, dans le ciel exilée,
                 A mille oiseaux joyeux mêlée,
   D'un vol aveugle et lourd chercher en vain la nuit !

                                             Avril 1822.

                          ODE SIXIÈME

                          LE NUAGE

                    J'erre au hasard, en tous lieux, d'un mou-
                    vement plus doux que la sphère de la lune.
                                             SHAKESPEARE.

   Ce beau nuage, ô Vierge, aux hommes est pareil.
   Bientôt tu le verras, grondant sur notre tête,
   Aux champs de la lumière amasser la tempête,
   Et leur rendre en éclairs les rayons du soleil.

5 Oh! qu'un ange longtemps d'un souffle salutaire
Le soutienne en son vol, tel que l'ont vu tes yeux!
Car, s'il descend vers nous, le nuage des cieux
        N'est plus qu'un brouillard sur la terre.

Vois, pour orner le soir, ce matin il est né.
10 L'astre géant, fécond en splendeurs inconnues,
Change en cortège ardent l'amas jaloux des nues :
Le génie est plus grand d'envieux couronné!

La tempête qui fuit d'un orage est suivie.
L'âme a peu de beaux jours; mais, dans son ciel obscur,
15 L'amour, soleil divin, peut dorer d'un feu pur
        Le nuage errant de la vie.

Hélas! ton beau nuage aux hommes est pareil.
Bientôt tu le verras, grondant sur notre tête,
Aux champs de la lumière amasser la tempête,
20 Et leur rendre en éclairs les rayons du soleil!

                            Avril 1822.

ODE SEPTIÈME

LE CAUCHEMAR

> Oh! j'ai fait un songe!... Il est au-dessus des
> facultés de l'homme de dire ce qu'était mon
> songe... L'œil de l'homme n'a jamais ouï,
> l'oreille de l'homme n'a jamais vu, la main de
> l'homme ne peut jamais tâter, ni sa langue
> concevoir, ni ses sens exprimer en paroles ce
> qu'était mon rêve.
>
> SHAKESPEARE.

Sur mon sein haletant, sur ma tête inclinée,
Ecoute, cette nuit il est venu s'asseoir;
Posant sa main de plomb sur mon âme enchaînée,
Dans l'ombre il la montrait, comme une fleur fanée,
5   Aux spectres qui naissent le soir.

Ce monstre aux éléments prend vingt formes nouvelles.
Tantôt d'une eau dormante il lève son front bleu;
Tantôt son rire éclate en rouges étincelles;
Deux éclairs sont ses yeux, deux flammes sont ses ailes;
10   Il vole sur un lac de feu!

Comme d'impurs miroirs, des ténèbres mouvantes
Répètent son image en cercle autour de lui;
Son front confus se perd dans des vapeurs vivantes;
Il remplit le sommeil de vagues épouvantes,
15   Et laisse à l'âme un long ennui.

Vierge! ton doux repos n'a point de noir mensonge.
La nuit d'un pas léger court sur ton front vermeil.
Jamais jusqu'à ton cœur un rêve affreux ne plonge;
Et quand ton âme au ciel s'envole dans un songe,
20   Un ange garde ton sommeil!

                                              Avril 1822.

ODE HUITIÈME

LE MATIN

Moriturus morituræ!

Le voile du matin sur les monts se déploie.
Vois, un rayon naissant blanchit la vieille tour;
Et déjà dans les cieux s'unit avec amour,
          Ainsi que la gloire à la joie,
5 Le premier chant des bois aux premiers feux du jour.

Oui, souris à l'éclat dont le ciel se décore! —
Tu verras, si demain le cercueil me dévore,
Luire à tes yeux en pleurs un soleil aussi beau,
Et les mêmes oiseaux chanter la même aurore,
10   Sur mon noir et muet tombeau!

Mais dans l'autre horizon l'âme alors est ravie.
L'avenir sans fin s'ouvre à l'être illimité.

Au matin de l'éternité,
On se réveille de la vie,
15   Comme d'une nuit sombre ou d'un rêve agité!

Avril 1822.

ODE NEUVIÈME

MON ENFANCE

Voilà que tout cela est passé... Mon enfance
n'est plus; elle est morte pour ainsi dire,
quoique je vive encore.

SAINT AUGUSTIN. *Confessions.*

I

J'ai des rêves de guerre en mon âme inquiète;
J'aurais été soldat, si je n'étais poète.
Ne vous étonnez point que j'aime les guerriers!
Souvent, pleurant sur eux, dans ma douleur muette,
5   J'ai trouvé leur cyprès plus beau que nos lauriers.

Enfant, sur un tambour ma crèche fut posée.
Dans un casque pour moi l'eau sainte fut puisée.
Un soldat, m'ombrageant d'un belliqueux faisceau,
De quelque vieux lambeau d'une bannière usée
10   Fit les langes de mon berceau.

Parmi les chars poudreux, les armes éclatantes,
Une muse des camps m'emporta sous les tentes;
Je dormis sur l'affût des canons meurtriers;
J'aimai les fiers coursiers, aux crinières flottantes,
15   Et l'éperon froissant les rauques étriers.

J'aimai les forts tonnants, aux abords difficiles;
Le glaive nu des chefs guidant les rangs dociles;
La vedette, perdue en un bois isolé;
Et les vieux bataillons qui passaient dans les villes,
20   Avec un drapeau mutilé.

Mon envie admirait, et le hussard rapide,
Parant de gerbes d'or sa poitrine intrépide,
Et le panache blanc des agiles lanciers,
Et les dragons, mêlant sur leur casque gépide
25 Le poil taché du tigre aux crins noirs des coursiers.

Et j'accusais mon âge : — « Ah! dans une ombre obscure,
Grandir, vivre! laisser refroidir sans murmure
Tout ce sang jeune et pur, bouillant chez mes pareils,
Qui dans un noir combat, sur l'acier d'une armure,
30   Coulerait à flots si vermeils! »

Et j'invoquais la guerre, aux scènes effrayantes;
Je voyais en espoir, dans les plaines bruyantes,
Avec mille rumeurs d'hommes et de chevaux,
Secouant à la fois leurs ailes foudroyantes,
35 L'un sur l'autre à grands cris fondre deux camps rivaux.

J'entendais le son clair des tremblantes cymbales,
Le roulement des chars, le sifflement des balles,
Et de monceaux de morts semant leurs pas sanglants,
Je voyais se heurter, au loin, par intervalles
40   Les escadrons étincelants!

II

Avec nos camps vainqueurs, dans l'Europe asservie
J'errai, je parcourus la terre avant la vie;
Et, tout enfant encor, les vieillards recueillis
M'écoutaient racontant, d'une bouche ravie,
45 Mes jours si peu nombreux et déjà si remplis!

Chez dix peuples vaincus je passai sans défense,
Et leur respect craintif étonnait mon enfance;
Dans l'âge où l'on est plaint, je semblais protéger
Quand je balbutiais le nom chéri de France,
50   Je faisais pâlir l'étranger.

Je visitai cette île, en noirs débris féconde,
Plus tard, premier degré d'une chute profonde [40].
Le haut Cenis, dont l'aigle aime les rocs lointains,
Entendit, de son antre où l'avalanche gronde,
55 Ses vieux glaçons crier sous mes pas enfantins.

Vers l'Adige et l'Arno je vins des bords du Rhône.
Je vis de l'Occident l'auguste Babylone,
Rome, toujours vivante au fond de ses tombeaux,
Reine du monde encor sur un débris de trône,
60   Avec une pourpre en lambeaux.

Puis Turin, puis Florence aux plaisirs toujours prête,
Naple, aux bords embaumés, où le printemps s'arrête
Et que Vésuve en feu couvre d'un dais brûlant,
Comme un guerrier jaloux qui, témoin d'une fête,
65   Jette au milieu des fleurs son panache sanglant.

L'Espagne m'accueillit, livrée à la conquête.
Je franchis le Bergare, où mugit la tempête;
De loin, pour un tombeau, je pris l'Escurial;
Et le triple aqueduc vit s'incliner ma tête
70   Devant son front impérial [41].

Là, je voyais les feux des haltes militaires
Noircir les murs croulants des villes solitaires;
La tente, de l'église envahissait le seuil;
Les rires des soldats, dans les saints monastères,
75   Par l'écho répétés, semblaient des cris de deuil.

                        III

Je revins, rapportant de mes courses lointaines
Comme un vague faisceau de lueurs incertaines.
Je rêvais, comme si j'avais, durant mes jours,
Rencontré sur mes pas les magiques fontaines
80   Dont l'onde enivre pour toujours.

L'Espagne me montrait ses couvents, ses bastilles;
Burgos, sa cathédrale aux gothiques aiguilles;
Irun, ses toits de bois; Vittoria, ses tours;
Et toi, Valladolid, tes palais de familles,
85   Fiers de laisser rouiller des chaînes dans leurs cours.

Mes souvenirs germaient dans mon âme échauffée;
J'allais, chantant des vers d'une voix étouffée;
Et ma mère, en secret observant tous mes pas,
Pleurait et souriait, disant : « C'est une fée
90   Qui lui parle, et qu'on ne voit pas! »

                                    1823.

ODE DIXIÈME

À G...... Y.

O rus!
VIRGILE.

Il est pour tout mortel, soit que, loin de l'envie,
Un astre aux rayons purs illumine sa vie;
Soit qu'il suive à pas lents un cercle de douleurs,
Et, regrettant quelque ombre à son amour ravie,
5 Veille auprès de sa lampe, et répande des pleurs;

Il est des jours de paix, d'ivresse et de mystère,
Où notre cœur savoure un charme involontaire,
Où l'air vibre, animé d'ineffables accords,
Comme si l'âme heureuse entendait de la terre
10 Le bruit vague et lointain de la cité des morts.

Souvent ici, domptant mes douleurs étouffées,
Mon bonheur s'éleva comme un château de fées,
Avec ses murs de nacre, aux mobiles couleurs,
Ses tours, ses portes d'or, ses pièges, ses trophées,
15 Et ses fruits merveilleux, et ses magiques fleurs.

Puis soudain tout fuyait : sur d'informes décombres
Tour à tour à mes yeux passaient de pâles ombres;
D'un crêpe nébuleux le ciel était voilé;
Et de spectres en deuil peuplant ces déserts sombres,
20 Un tombeau dominait le palais écroulé.

Vallon! j'ai bien souvent laissé dans ta prairie,
Comme une eau murmurante, errer ma rêverie;
Je n'oublierai jamais ces fugitifs instants;
Ton souvenir sera, dans mon âme attendrie,
25 Comme un son triste et doux qu'on écoute longtemps!

1823.

ODE ONZIÈME

PAYSAGE

Hoc erat in votis!
Horace.

Lorsque j'étais enfant : — « Viens, me disait la Muse,
Viens voir le beau génie assis sur mon autel !
Il n'est dans mes trésors rien que je te refuse,
Soit que l'altier clairon ou l'humble cornemuse
5   Attendent ton souffle immortel.

« Mais fuis d'un monde étroit l'impure turbulence ;
Là, rampent les ingrats, là, règnent les méchants.
Sur un luth inspiré lorsqu'une âme s'élance,
Il faut que, l'écoutant dans un chaste silence,
10   L'écho lui rende tous ses chants !

« Choisis quelque désert pour y cacher ta vie,
Dans une ombre sacrée emporte ton flambeau.
Heureux qui, loin des pas d'une foule asservie,
Dérobant ses concerts aux clameurs de l'envie,
15   Lègue sa gloire à son tombeau !

« L'horizon de ton âme est plus haut que la terre.
Mais cherche à ta pensée un monde harmonieux,
Où tout, en l'exaltant, charme ton cœur austère,
Où des saintes clartés, que nulle ombre n'altère,
20   Le doux reflet suive tes yeux.

« Qu'il soit un frais vallon, ton paisible royaume,
Où parmi l'églantier, le saule et le glaïeul,
Tu penses voir parfois, errant comme un fantôme,
Ces magiques palais qui naissent sous le chaume,
25   Dans les beaux contes de l'aïeul.

« Qu'une tour en ruine, au flanc de la montagne,
Pende, et jette son ombre aux flots d'un lac d'azur.
Le soir qu'un feu de pâtre, au fond de la campagne,
Comme un ami dont l'œil de loin nous accompagne,
30   Perce le crépuscule obscur.

« Quand, guidant sur le lac deux rames vagabondes,
Le ciel, dans ce miroir, t'offrira ses tableaux,
Qu'une molle nuée, en déroulant ses ondes,
Montre à tes yeux, baissés sur les vagues profondes,
35   Des flots se jouant dans les flots.

« Que, visitant parfois une île solitaire
Et des bords ombragés de feuillages mouvants,
Tu puisses, savourant ton exil volontaire,
En silence épier s'il est quelque mystère
40   Dans le bruit des eaux et des vents.

« Qu'à ton réveil joyeux, les chants des jeunes mères
T'annoncent et l'enfance, et la vie et le jour.
Qu'un ruisseau passe auprès de tes fleurs éphémères,
Comme entre les doux soins et les tendres chimères
45   Passent l'espérance et l'amour.

« Qu'il soit dans la contrée un souvenir fidèle
De quelque bon seigneur, de hauteur dépourvu,
Ami de l'indigence et toujours aimé d'elle ;
Et que chaque vieillard, le citant pour modèle,
50   Dise : « Vous ne l'avez pas vu ! »

« Loin du monde surtout mon culte te réclame.
Sois le Prophète ardent, qui vit le ciel ouvert,
Dont l'œil, au sein des nuits, brillait comme une flamme,
Et qui, de l'esprit saint ayant rempli son âme,
55   Allait, parlant dans le désert! »

Tu le disais, ô Muse ! Et la cité bruyante
Autour de moi pourtant mêle ses mille voix !
Muse ! et je ne fuis pas la sphère tournoyante
Où le sort, agitant la foule imprévoyante,
60   Meut tant de destins à la fois !

C'est que, pour m'amener au terme où tout aspire,
Il m'est venu du ciel un guide au front joyeux ;
Pour moi, l'air le plus pur est l'air qu'elle respire ;
Je vois tous mes bonheurs, Muse, dans son sourire,
65   Et tous mes rêves dans ses yeux !

1823.

ODE DOUZIÈME

ENCORE A TOI

Ahora y siempre.
Devise des Pomfret.

A toi ! toujours à toi ! Que chanterait ma lyre ?
A toi l'hymne d'amour ! à toi l'hymne d'hymen !
Quel autre nom pourrait éveiller mon délire ?
Ai-je appris d'autres chants ? sais-je un autre chemin ?

5   C'est toi, dont le regard éclaire ma nuit sombre ;
Toi, dont l'image luit sur mon sommeil joyeux ;
C'est toi qui tiens ma main quand je marche dans l'ombre,
Et les rayons du ciel me viennent de tes yeux !

Mon destin est gardé par ta douce prière :
10 Elle veille sur moi, quand mon ange s'endort ;
Lorsque mon cœur entend ta voix modeste et fière,
Au combat de la vie il provoque le sort.

N'est-il pas dans le ciel de voix qui te réclame ?
N'es-tu pas une fleur étrangère à nos champs ?
15 Sœur des vierges du ciel, ton âme est pour mon âme
Le reflet de leurs feux et l'écho de leurs chants !

Quand ton œil noir et doux me parle et me contemple,
Quand ta robe m'effleure avec un léger bruit,
Je crois avoir touché quelque voile du temple,
20 Je dis comme Tobie : Un ange est dans ma nuit !

Lorsque de mes douleurs tu chassas le nuage,
Je compris qu'à ton sort mon sort devait s'unir,
Pareil au saint pasteur, lassé d'un long voyage,
Qui vit vers la fontaine une vierge venir !

25 Je t'aime comme un être au-dessus de ma vie,
Comme une antique aïeule aux prévoyants discours,
Comme une sœur craintive, à mes maux asservie,
Comme un dernier enfant, qu'on a dans ses vieux jours.

Hélas! je t'aime tant qu'à ton nom seul je pleure,
30   Je pleure, car la vie est si pleine de maux!
Dans ce morne désert tu n'as point de demeure,
Et l'arbre où l'on s'assied lève ailleurs ses rameaux.

Mon Dieu! mettez la paix et la joie auprès d'elle.
Ne troublez pas ses jours, ils sont à vous, Seigneur!
35   Vous devez la bénir, car son âme fidèle
Demande à la vertu le secret du bonheur.

1823.

ODE TREIZIÈME

SON NOM

Nomen, aut numen.

Le parfum d'un lis pur, l'éclat d'une auréole,
    La dernière rumeur du jour,
La plainte d'un ami qui s'afflige et console,
L'adieu mystérieux de l'heure qui s'envole,
5   Le doux bruit d'un baiser d'amour,

L'écharpe aux sept couleurs que l'orage en la nue
Laisse, comme un trophée, au soleil triomphant,
L'accent inespéré d'une voix reconnue,
Le vœu le plus secret d'une vierge ingénue,
10   Le premier rêve d'un enfant,

Le chant d'un chœur lointain, le soupir qu'à l'aurore
    Rendait le fabuleux Memnon,
Le murmure d'un son qui tremble et s'évapore...
Tout ce que la pensée a de plus doux encore,
15   O lyre, est moins doux que son nom!

Prononce-le tout bas, ainsi qu'une prière,
Mais que dans tous nos chants il résonne à la fois!
Qu'il soit du temple obscur la secrète lumière!
Qu'il soit le mot sacré qu'au fond du sanctuaire
20   Redit toujours la même voix!

O mes amis! avant qu'en paroles de flamme,
      Ma muse, égarant son essor,
Ose aux noms profanés qu'un vain orgueil proclame,
Mêler ce chaste nom, que l'amour dans mon âme
25   A caché, comme un saint trésor,

Il faudra que le chant de mes hymnes fidèles
Soit comme un de ces chants qu'on écoute à genoux;
Et que l'air soit ému de leurs voix solennelles,
Comme si, secouant ses invisibles ailes,
30   Un ange passait près de nous!

                             1823.

ODE QUATORZIÈME

ACTIONS DE GRACES

> Ceux qui auront semé dans les larmes mois-
> sonneront dans l'allégresse.
>
> SALOMON, *Ps.* CXXV, *v.* 5.

Vous avez dans le port poussé ma voile errante;
Ma tige a refleuri de sève et de verdeur;
Seigneur, je vous bénis! de ma lampe mourante
Votre souffle vivant rallume la splendeur.

5 Surpris par l'ouragan comme un aiglon sans ailes,
Qui tombe du grand chêne au pied de l'arbrisseau,
Faible enfant, du malheur j'ai su les lois cruelles.
L'orage m'assaillit voguant dans mon berceau.

Oui, la vie a pour moi commencé dès l'enfance,
10 Quoique le ciel jamais n'ait foudroyé de fleurs,
Et qu'il ne veuille pas qu'un être sans défense
Mêle à ses premiers jours l'amertume des pleurs.

La jeunesse en riant m'apporta ses mensonges,
Son avenir de gloire, et d'amour, et d'orgueil;
15 Mais quand mon cœur brûlant poursuivait ces beaux
Hélas! je m'éveillai dans la nuit d'un cercueil. [songes,

Alors je m'exilai du milieu de mes frères.
Calme, car ma douleur n'était pas le remords,
J'accompagnais de loin les pompes funéraires :
20   L'hymne de l'orphelin est écouté des morts.

L'œil tourné vers le ciel, je marchais dans l'abîme;
Bien souvent, de mon sort bravant l'injuste affront,
Les flammes ont jailli de ma pensée intime,
Et la langue de feu descendit sur mon front.

25   Mon esprit de Pathmos connut le saint délire,
L'effroi qui le précède et l'effroi qui le suit;
Et mon âme était triste, et les chants de ma lyre
Etaient comme ces voix qui pleurent dans la nuit.

J'ai vu sans murmurer la fuite de ma joie,
30   Seigneur; à l'abandon vous m'aviez condamné.
J'ai, sans plainte, au désert tenté la triple voie;
Et je n'ai pas maudit le jour où je suis né.

Voici la vérité qu'au monde je révèle :
Du ciel dans mon néant je me suis souvenu.
35   Louez Dieu! la brebis vient quand l'agneau l'appelle;
J'appelais le Seigneur, le Seigneur est venu.

Il m'a dit : « Va, mon fils, ma loi n'est pas pesante!
Toi qui, dans la nuit même, as suivi mes chemins,
Tu ceindras des heureux la robe éblouissante;
40   Parmi les innocents tu laveras tes mains. »

Je ne veux plus de loin t'offrir ma vie obscure,
Gloire, immortel reflet de l'éternel flambeau,
Du génie en son cours trace éclatante et pure,
Ou rayon merveilleux, émané d'un tombeau!

45   Un ange sur mon cœur ploie aujourd'hui ses ailes.
Pour Elle un orphelin n'est pas un étranger;
Les heures de mes jours à ses côtés sont belles :
Car son joug est aimable et son fardeau léger.

Vous avez dans le port poussé ma voile errante;
50   Ma tige a refleuri de sève et de verdeur;
Seigneur, je vous bénis! de ma lampe mourante
Votre souffle vivant rallume la splendeur.

Août 1823.

ODE QUINZIÈME

A MES AMIS

> O combien est heureux celui qui, solitaire,
> Ne va point mendiant de ce sot populaire
> L'appui ni la faveur; qui, paisible, s'étant
> Retiré de la cour et du monde inconstant,
> Ne s'entremêlant point des affaires publiques,
> Ne s'assujettissant aux plaisirs tyranniques
> D'un seigneur ignorant, et ne vivant qu'à soi,
> Est lui-même sa cour, son seigneur et son roi!
>
> JEAN DE LA TAILLE.

Sans monter au char de victoire,
Meurt le poète créateur;
Son siècle est trop près de sa gloire
Pour en mesurer la hauteur.
5   C'est Bélisaire au Capitole :
La foule court à quelque idole,
Et jette en passant une obole
Au mendiant triomphateur.

Amis, dans ma douce retraite
10   A tous vos maux je dis adieu.
Là, ma vie est molle et secrète :
J'ai des autels pour chaque dieu.
Le myrte, qu'au laurier j'enchaîne,
Y croît sous l'ombrage du chêne;
15   J'y mets Horace avec Mécène,
Et Corneille sans Richelieu.

Là, dans l'ombre descend ma muse,
A l'œil fier, aux traits ingénus,
Image éclatante et confuse
20   Des anges à l'homme inconnus.
Ses rayons cherchent le mystère :
Son aile, chaste et solitaire,
Jamais ne permet à la terre
D'effleurer ses pieds blancs et nus.

25   Là, je cache un hymen prospère;
Et, sur mon seuil hospitalier,
Parfois tu t'assieds, ô mon père!

Comme un antique chevalier;
Ma famille est ton humble empire;
30 Et mon fils, avec un sourire,
Dort aux sons de ma jeune lyre,
Bercé dans ton vieux bouclier.

Août 1823.

ODE SEIZIÈME

A L'OMBRE D'UN ENFANT

Qui es in cœlis.

Oh! parmi les soleils, les sphères, les étoiles,
Les portiques d'azur, les palais de saphir,
Parmi les saints rayons, parmi les sacrés voiles
      Qu'agite un éternel zéphir!

5 Dans le torrent d'amour où toute âme se noie,
Où s'abreuve de feux le séraphin brûlant;
Dans l'orbe flamboyant qui sans cesse tournoie
      Autour du trône étincelant!

Parmi les jeux sans fin des âmes enfantines;
10 Quand leurs soins, d'un vieil astre, égaré dans les cieux,
Avec de longs efforts et des voix argentines,
      Guident les chancelants essieux;

Ou lorsqu'entre ses bras quelque vierge ravie
Les prend, d'un saint baiser leur imprime le sceau,
15 Et rit, leur demandant si l'aspect de la vie
      Les effrayait dans leur berceau;

Ou qu'enfin, dans son arche éclatante et profonde,
Rangeant de cieux en cieux son cortège ébloui,
Jésus, pour accomplir ce qui fut dit au monde,
20   Les place le plus près de lui;

O! dans ce monde auguste où rien n'est éphémère,
Dans ces flots de bonheur que ne trouble aucun fiel,

Enfant! loin du sourire et des pleurs de ta mère,
    N'es-tu pas orphelin au ciel ?

Octobre 1823.

ODE DIX-SEPTIÈME

A UNE JEUNE FILLE

> Pourquoi te plaindre, tendre fille ? Tes jours
> n'appartiennent-ils pas à la première jeunesse ?
> *Daïno lithuanien.*

Vous qui ne savez pas combien l'enfance est belle,
Enfant! n'enviez point notre âge de douleurs,
Où le cœur tour à tour est esclave et rebelle,
Où le rire est souvent plus triste que vos pleurs.

5   Votre âge insouciant est si doux qu'on l'oublie!
Il passe, comme un souffle au vaste champ des airs,
Comme une voix joyeuse en fuyant affaiblie,
        Comme un alcyon sur les mers.

Oh! ne vous hâtez point de mûrir vos pensées!
10 Jouissez du matin, jouissez du printemps;
Vos heures sont des fleurs l'une à l'autre enlacées;
Ne les effeuillez pas plus vite que le temps.

Laissez venir les ans! Le destin vous dévoue,
Comme nous, aux regrets, à la fausse amitié,
15 A ces maux sans espoir que l'orgueil désavoue,
        A ses plaisirs qui font pitié!

Riez pourtant! du sort ignorez la puissance;
Riez! n'attristez pas votre front gracieux,
Votre œil d'azur, miroir de paix et d'innocence,
20 Qui révèle votre âme et réfléchit les cieux!

Février 1825.

ODE DIX-HUITIÈME

AUX RUINES DE MONTFORT-L'AMAURY

> La voyez-vous croître,
> La tour du vieux cloître,
> Et le grand mur noir
> Du royal manoir ?
> ALFRED DE VIGNY.

I

Je vous aime, ô débris! et surtout quand l'automne
Prolonge en vos échos sa plainte monotone.
Sous vos abris croulants je voudrais habiter,
Vieilles tours, que le temps l'une vers l'autre incline,
5 Et qui semblez de loin sur la haute colline,
           Deux noirs géants prêts à lutter.

Lorsque d'un pas rêveur foulant les grandes herbes,
Je monte jusqu'à vous, restes forts et superbes!
Je contemple longtemps vos créneaux meurtriers,
10 Et la tour octogone et ses briques rougies,
Et mon œil, à travers vos brèches élargies,
Voit jouer des enfants où mouraient des guerriers.

Ecartez de vos murs ceux que leur chute amuse!
Laissez le seul poète y conduire sa muse,
15 Lui qui donne du moins une larme au vieux fort;
Et, si l'air froid des nuits sous vos arceaux murmure,
Croit qu'une ombre a froissé la gigantesque armure
           D'Amaury, comte de Montfort!

II

Là, souvent je m'assieds, aux jours passés fidèle
20 Sur un débris qui fut un mur de citadelle.
Je médite longtemps, en mon cœur replié;
Et la ville, à mes pieds, d'arbres enveloppée,
Etend ses bras en croix et s'allonge en épée,
Comme le fer d'un preux dans la plaine oublié.

25 Mes yeux errent, du pied de l'antique demeure.
Sur les bois éclairés ou sombres, suivant l'heure,
Sur l'église gothique, hélas! prête à crouler,
Et je vois, dans le champ où la mort nous appelle,
Sous l'arcade de pierre et devant la chapelle,
30   Le sol immobile onduler.

Foulant créneaux, ogive, écussons, astragales,
M'attachant comme un lierre aux pierres inégales,
Au faîte des grands murs je m'élève parfois;
Là je mêle des chants au sifflement des brises;
35 Et, dans les cieux profonds suivant ses ailes grises,
Jusqu'à l'aigle effrayé j'aime à lancer ma voix!

Là quelquefois j'entends le luth doux et sévère
D'un ami qui sait rendre aux vieux temps un trouvère.
Nous parlons des héros, du ciel, des chevaliers,
40 De ces âmes en deuil dans le monde orphelines;
Et le vent qui se brise à l'angle des ruines
              Gémit dans les hauts peupliers!

                                        Octobre 1825.

ODE DIX-NEUVIÈME

LE VOYAGE

            ... Je veux que mon retour
      Te paraisse bien long. Je veux que nuit et jour
      Tu m'aimes. (Nuit et jour, hélas! je me tour-
                                                [mente!)
      Présente au milieu d'eux, sois seule, sois
                                                [absente.
      Dors en pensant à moi, rêve-moi près de toi,
      Ne vois que moi sans cesse, et sois toute avec
                                                moi!]
                        ANDRÉ CHÉNIER.

I

Le cheval fait sonner son harnois qu'il secoue,
Et l'éclair du pavé va jaillir sous la roue :

Il faut partir, adieu! de ton cœur inquiet
Chasse la crainte amère, adieu! point de faiblesse!
5 Mais quoi! le char s'ébranle et m'emporte, et te laisse...
      Hélas! j'ai cru qu'il t'oubliait!

Oh! suis-le bien longtemps d'une oreille attentive!
Ne t'en va pas avant d'avoir, triste et pensive,
Ecouté des coursiers s'évanouir le bruit!
10 L'un à l'autre déjà l'espace nous dérobe;
Je ne vois plus de loin flotter ta blanche robe,
Et toi, tu n'entends plus rouler le char qui fuit!...

Quoi! plus même un vain bruit! plus même une vaine
L'absence a sur mon âme étendu sa nuit sombre; [ombre!
15 C'en est fait; chaque pas m'y plonge plus avant,
Et dans cet autre enfer, plein de douleurs amères,
De tourments insensés, d'angoisses, de chimères,
      Me voilà descendu vivant!

II

Que faire maintenant de toutes mes pensées,
20 De mon front, qui dormait dans tes mains enlacées,
De tout ce que j'entends, de tout ce que je vois?
Que faire de mes maux, sans toi pleins d'amertume,
De mes yeux dont la flamme à tes regards s'allume,
De ma voix qui ne sait parler qu'après ta voix?

25 Et mon œil tour à tour, distrait, suit dans l'espace
Chaque arbre du chemin qui paraît et qui passe,
Les bois verts, le flot d'or de la jaune moisson,
Et les monts, et du soir l'étincelante étoile,
Et les clochers aigus, et les villes que voile
30   Un dais de brume à l'horizon!

Qu'importe les bois verts, la moisson, la colline,
Et l'astre qui se lève et l'astre qui décline,
Et la plaine et les monts, si tu ne les vois pas?
Que me font ces châteaux, ruines féodales,
35 Si leur donjon moussu n'entend point sur ses dalles
Tes pas légers courir à côté de mes pas?

Ainsi donc aujourd'hui, demain, après encore,
Il faudra voir sans toi naître et mourir l'aurore,

Sans toi! sans ton sourire et ton regard joyeux;
40 Sans t'entendre marcher près de moi quand je rêve;
Sans que ta douce main, quand mon front se soulève,
      Se pose en jouant sur mes yeux!

Pourtant, il faut encore, à tant d'ennuis en proie,
Dans mes lettres du soir t'envoyer quelque joie,
45 Dire : « Console-toi, le calme m'est rendu »;
Quand je crains chaque instant qui loin de toi s'écoule,
Et qu'inventant des maux qui t'assiègent en foule,
Chaque heure est sur ma tête un glaive suspendu!

III

Que fais-tu maintenant ? Près du foyer sans doute
50 La carte est déployée, et ton œil suit ma route;   [lieux
Tu dis : « Où peut-il être ? — Ah! qu'il trouve en tous
De tendres soins, un cœur qui l'estime et qui l'aime,
Et quelque bonne hôtesse, ayant, comme moi-même,
      Un être cher sous d'autres cieux!

55 Comme il s'éloigne vite, hélas! J'en suis certaine,
Il a déjà franchi cette ville lointaine,
Ces forêts, ce vieux pont d'un grand exploit témoin;
Peut-être en ce moment il roule en ces vallées,
Par une croix sinistre aux passants signalées,
60 Où, l'an dernier... Pourvu qu'il soit déjà plus loin! »

Et mon père, essuyant une larme qui brille,
T'invite en souriant à sourire à ta fille :
« Rassurez-vous! bientôt nous le reverrons tous.
Il rit, il est tranquille, il visite à cette heure
65 De quelque vieux héros la tombe ou la demeure;
      Il prie à quelque autel pour vous.

Car, vous le savez bien, ma fille, il aime encore
Ces créneaux, ces portails qu'un art naïf décore;
Il nous a dit souvent, assis à vos côtés,
70 L'ogive chez les Goths de l'Orient venue,
Et la flèche romane aiguisant dans la nue
      Ses huit angles de pierre en écailles sculptés! »

IV

Et puis le Vétéran, à ta douleur trompée,
Conte sa vie errante, et nos grands coups d'épée,
75 Et quelque ancien combat du Tage ou de Tésin,
Et l'Empereur, du siècle imposante merveille, —
Tout en baissant sa voix de peur qu'elle n'éveille
        Ton enfant qui dort sur ton sein !

                                    1825.

ODE VINGTIÈME

PROMENADE

> Voici les lieux chers à ma rêverie,
> Voici les prés dont j'ai chanté les fleurs...
> AMABLE TASTU. *La Lyre égarée.*

Ceins le voile de gaze aux pudiques couleurs,
Où la féconde aiguille a semé tant de fleurs !
        Viens respirer sous les platanes ;
Couvre-toi du tissu, trésor de Cachemir,
5 Qui peut-être a caché le poignard d'un émir,
        Ou le sein jaloux des sultanes.

Aux lueurs du couchant vois fumer les hameaux.
La vapeur monte et passe ; ainsi s'en vont nos maux,
        Gloire, ambition, renommée !
10 Nous brillons tour à tour, jouets d'un fol espoir :
Tel ce dernier rayon, ce dernier vent du soir
        Dore et berce un peu de fumée.

A l'heure où le jour meurt à l'horizon lointain,
Qu'il m'est doux, près d'un cœur qui bat pour mon destin,
15   D'égarer mes pas dans la plaine !
Qu'il m'est doux, près de toi d'errer libre d'ennuis,
Quand tu mêles, pensive, à la brise des nuits
        Le parfum de ta douce haleine !

C'est pour un tel bonheur, dès l'enfance rêvé,
20 Que j'ai longtemps souffert et que j'ai tout bravé !

Dans nos temps de fureurs civiles,
Je te dois une paix que rien ne peut troubler.
Plus de vide en mes jours! Pour moi tu sais peupler
Tous les déserts, même les villes!

25 Chaque étoile à son tour vient apparaître au ciel.
Tels, quand un grand festin d'ambroisie et de miel
Embaume une riche demeure,
Souvent sur le velours et le damas soyeux,
On voit les plus hâtifs des convives joyeux
30 S'asseoir au banquet avant l'heure.

Vois, — c'est un météore! il éclate et s'éteint.
Plus d'un grand homme aussi, d'un mal secret atteint,
Rayonne et descend dans la tombe.
Le vulgaire l'ignore et suit le tourbillon;
35 Au laboureur courbé le soir sur le sillon,
Qu'importe l'étoile qui tombe!

Ah! tu n'es point ainsi, toi dont les nobles pleurs
De toute âme sublime honorent les malheurs!
Toi qui gémis sur le poète!
40 Toi qui plains la victime et surtout les bourreaux!
Qui visites souvent la tombe des héros,
Silencieuse, et non muette!

Si quelque ancien château, devant tes pas distraits,
Lève son donjon noir sur les noires forêts,
45 Bien loin de la ville importune,
Tu t'arrêtes soudain; et ton œil tour à tour
Cherche et perd à travers les créneaux de la tour
Le pâle croissant de la lune.

C'est moi qui t'inspirai d'aimer ces vieux piliers,
50 Ces temples où jadis les jeunes chevaliers
Priaient, armés par leur marraine;
Ces palais où parfois le poète endormi
A senti sur sa bouche entrouverte à demi
Tomber le baiser d'une reine.

55 Mais rentrons; vois le ciel d'ombres s'environner;
Déjà le frêle esquif qui nous doit ramener
Sur les eaux du lac étincelle;
Cette barque ressemble à nos jours inconstants
Qui flottent dans la nuit sur l'abîme des temps;
60 Le gouffre porte la nacelle!

La vie à chaque instant fuit vers l'éternité;
Et le corps, sur la terre où l'âme l'a quitté,
   Reste comme un fardeau frivole.
Ainsi quand meurt la rose, aux royales couleurs,
65 Sa feuille, que l'aurore en vain baigne de pleurs,
   Tombe, et son doux parfum s'envole!

Octobre 1825.

ODE VINGT ET UNIÈME

A RAMON, DUC DE BENAV.

Por la boca de su herida.
GUILLEN DE CASTRO.

Hélas! j'ai compris ton sourire,
Semblable au ris du condamné,
Quand le mot qui doit le proscrire
A son oreille a résonné!
5 En pressant ta main convulsive,
J'ai compris ta douleur pensive,
Et ton regard morne et profond,
Qui, pareil à l'éclair des nues,
Brille sur des mers inconnues,
10 Mais ne peut en montrer le fond.

« Pourquoi faut-il donc qu'on me plaigne,
M'as-tu dit, je n'ai pas gémi?
Jamais de mes pleurs je ne baigne
La main d'un frère ou d'un ami!
15 Je n'en ai pas. Puisqu'à ma vie
La joie est pour toujours ravie,
Qu'on m'épargne au moins la pitié!
Je paye assez mon infortune
Pour que nulle voix importune
20 N'ose en réclamer la moitié!

« D'ailleurs, vaut-elle tant de larmes?
Appelle-t-on cela malheur? —
Oui! ce qui pour l'homme a des charmes
Pour moi n'a qu'ennuis et douleur.

25 Sur mon passé rien ne surnage
Des vains rêves de mon jeune âge
Que le sort chaque jour dément;
L'amour éteint pour moi sa flamme;
Et jamais la voix d'une femme
30 Ne dira mon nom doucement!

« Jamais d'enfants! jamais d'épouse!
Nul cœur près du mien n'a battu;
Jamais une bouche jalouse
Ne m'a demandé : « D'où viens-tu ? »
35 Point d'espérance qui me reste!
Mon avenir sombre et funeste
Ne m'offre que des jours mauvais;
Dans cet horizon de ténèbres
Ont passé vingt spectres funèbres,
40 Jamais l'ombre que je rêvais!

« Ma tête ne s'est point courbée;
Mais la main du sort ennemi
Est plus lourdement retombée
Sur mon front toujours raffermi.
45 A la jeunesse qui s'envole,
A la gloire, au plaisir frivole,
J'ai dit l'adieu fier de Caton.
Toutes fleurs pour moi sont fanées;
Mais c'est l'ordre des destinées;
50 Et si je souffre, qu'en sait-on ?

« Esclaves d'une loi fatale,
Sachons taire les maux soufferts.
Pourquoi veux-tu donc que j'étale
La meurtrissure de mes fers ?
55 Aux yeux que la misère effraie,
Qu'importe ma secrète plaie ?
Passez, je dois vivre isolé;
Vos voix ne sont qu'un bruit sonore;
Passez tous! j'aime mieux encore
60 Souffrir que d'être consolé!

« Je n'appartiens plus à la vie.
Qu'importe si parfois mes yeux,
Soit qu'on me plaigne ou qu'on m'envie,
Lancent un feu sombre ou joyeux!

65   Qu'importe, quand la coupe est vide,
        Que ses bords, sur la lèvre avide,
        Laissent encore un goût amer !
        A-t-il vaincu le flot qui gronde,
        Le vaisseau qui, perdu sous l'onde,
70   Lève encor son mât sur la mer ?

        « Qu'importe mon deuil solitaire ?
        D'autres coulent des jours meilleurs.
        Qu'est-ce que le bruit de la terre ?
        Un concert de ris et de pleurs.
75   Je veux, comme tous les fils d'Eve,
        Sans qu'une autre main le soulève,
        Porter mon fardeau jusqu'au soir ;
        A la foule qui passe et tombe,
        Qu'importe au seuil de quelle tombe
80   Mon ombre un jour ira s'asseoir ! »

        Ainsi, quand tout bas tu soupires,
        De ton cœur partent des sanglots,
        Comme un son s'échappe des lyres,
        Comme un murmure sort des flots !
85   Va, ton infortune est ta gloire !
        Les fronts marqués par la victoire
        Ne se couronnent pas de fleurs.
        De ton sein la joie est bannie ;
        Mais tu sais bien que le génie
90   Prélude à ses chants par des pleurs.

        Comme un soc de fer, dès l'aurore,
        Fouille le sol de son tranchant,
        Et l'ouvre, et le sillonne encore,
        Aux derniers rayons du couchant ;
95   Sur chaque heure qui t'est donnée
        Revient l'infortune acharnée,
        Infatigable à t'obséder ;
        Mais si de son glaive de flamme
        Le malheur déchire ton âme,
100   Ami, c'est pour la féconder !

                                    Novembre 1825.

ODE VINGT-DEUXIÈME

LE PORTRAIT D'UNE ENFANT

A Mlle J.-D. de M.

Quand ie voy tant de couleurs
        Et de fleurs
Qui esmaillent un riuage,
Ie pense voir le beau teint
        Qui est peint
Si vermeil en son visage.

Quand ie sens parmi les prez
        Diaprez,
Les fleurs dont la terre est pleine,
Lors ie fais croire à mes sens
        Que ie sens
La douceur de son haleine.

                                RONSARD.

I

Oui, ce front, ce sourire et cette fraîche joue,
        C'est bien l'enfant qui pleure et joue,
        Et qu'un esprit du ciel défend!
De ses doux traits, ravis à la sainte phalange,
5   C'est bien le délicat mélange;
        Poète, j'y crois voir un ange,
        Père, j'y trouve mon enfant.

On devine à ses yeux pleins d'une pure flamme,
        Qu'au paradis, d'où vient son âme,
10   Elle a dit un récent adieu.
Son regard, rayonnant d'une joie éphémère,
        Semble en suivre encor la chimère,
        Et revoir dans sa douce mère
        L'humble mère de l'Enfant-Dieu!

15 On dirait qu'elle écoute un chœur de voix célestes,
        Que, de loin, des vierges modestes
        Elle entend l'appel gracieux;
A son joyeux regard, à son naïf sourire,
        On serait tenté de lui dire :
20   — Jeune ange, quel fut ton martyre,
        Et quel est ton nom dans les cieux ?

II

O toi dont le pinceau me la fit si touchante,
   Tu me la peins, je te la chante !
   Car tes nobles travaux vivront ;
25 Une force virile à ta grâce est unie ;
   Tes couleurs sont une harmonie ;
   Et dans ton enfance, un Génie
   Mit une flamme sur ton front !

Sans doute quelque fée, à ton berceau venue,
30   Des sept couleurs que dans la nue
   Suspend le prisme aérien,
Des roses de l'aurore humide et matinale,
   Des feux de l'aube boréale,
   Fit une palette idéale
35   Pour ton pinceau magicien !

         Novembre 1825.

ODE VINGT-TROISIÈME

A MADAME LA COMTESSE A. H.

     Sur ma lyre, l'autre fois,
       Dans un bois,
     Ma main préludait à peine,
     Une colombe descend
       En passant,
     Blanche sur le luth d'ébène.

     Mais au lieu d'accords touchants,
       De doux chants,
     La colombe gémissante
     Me demande par pitié
       Sa moitié,
     Sa moitié loin d'elle absente.
        SAINTE-BEUVE.

Oh ! quel que soit le rêve, ou paisible, ou joyeux,
Qui dans l'ombre à cette heure illumine tes yeux,
   C'est le bonheur qu'il te signale ;
Loin des bras d'un époux qui n'est encor qu'amant,
5 Dors tranquille, ma sœur ! passe-la doucement,
   Ta dernière nuit virginale !

Dors : nous prîrons pour toi, jusqu'à ce beau matin !
Tu devais être à nous, et c'était ton destin,
          Et rien ne pouvait t'y soustraire.
10 Oui, la voix de l'autel va te nommer ma sœur ;
Mais ce n'est que l'écho d'une voix de mon cœur
          Qui déjà me nommait ton frère.

Dors, cette nuit encor, d'un sommeil pur et doux !
Demain, serments, transports, caresses d'un époux,
15   Festins que la joie environne,
Et soupirs inquiets dans ton sein renaissant,
Quand une main fera de ton front rougissant
          Tomber la tremblante couronne !

Ah ! puisse dès demain se lever sur tes jours
20 Un bonheur qui jamais ne s'éclipse, et toujours
          Brille, plus beau qu'un rêve même !
Vers le ciel étoilé laisse monter nos vœux.
Dors en paix cette nuit où nous veillons tous deux,
          Moi qui te chante, et lui qui t'aime !

                                        Décembre 1827.

ODE VINGT-QUATRIÈME

PLUIE D'ÉTÉ

                    L'aubépine et l'églantin,
                              Et le thym,
                    L'œillet, le lys et les roses,
                    En cette belle saison,
                              A foison
                    Montrent leurs robes écloses.

                    Le gentil rossignolet,
                              Doucelet,
                    Découpe, dessous l'ombrage,
                    Mille fredons babillards,
                              Frétillards,
                    Aux doux sons de son ramage.
                              RÉMI BELLEAU.

Que la soirée est fraîche et douce !
Oh ! viens ! il a plu ce matin ;

Les humides tapis de mousse
Verdissent tes pieds de satin.
5   L'oiseau vole sous les feuillées,
Secouant ses ailes mouillées;
Pauvre oiseau que le ciel bénit!
Il écoute le vent bruire,
Chante, et voit des gouttes d'eau luire,
10   Comme des perles, dans son nid.

La pluie a versé ses ondées;
Le ciel reprend son bleu changeant;
Les terres luisent fécondées
Comme sous un réseau d'argent.
15   Le petit ruisseau de la plaine,
Pour une heure enflé, roule et traîne
Brins d'herbe, lézards endormis,
Court, et précipitant son onde
Du haut d'un caillou qu'il inonde,
20   Fait des Niagaras aux fourmis!

Tourbillonnant dans ce déluge,
Des insectes sans avirons,
Voguent pressés, frêle refuge!
Sur des ailes de moucherons;
25   D'autres pendent, comme à des îles,
A des feuilles, errants asiles;
Heureux, dans leur adversité,
Si, perçant les flots de sa cime,
Une paille au bord de l'abîme
30   Retient leur flottante cité!

Les courants ont lavé le sable;
Au soleil montent les vapeurs,
Et l'horizon insaisissable
Tremble et fuit sous leurs plis trompeurs.
35   On voit seulement sous leurs voiles,
Comme d'incertaines étoiles,
Des points lumineux scintiller,
Et les monts, de la brume enfuie;
Sortir, et, ruisselants de pluie,
40   Les toits d'ardoise étinceler.

Viens errer dans la plaine humide.
A cette heure nous serons seuls.

Mets sur mon bras ton bras timide;
Viens, nous prendrons par les tilleuls.
45 Le soleil rougissant décline :
Avant de quitter la colline,
Tourne un moment tes yeux pour voir,
Avec ses palais, ses chaumières,
Rayonnants des mêmes lumières,
50 La ville d'or sur le ciel noir.

Oh! vois voltiger les fumées
Sur les toits de brouillards baignés!
Là, sont des épouses aimées,
Là, des cœurs doux et résignés.
55 La vie, hélas! dont on s'ennuie,
C'est le soleil après la pluie. —
Le voilà qui baisse toujours!
De la ville, que ses feux noient,
Toutes les fenêtres flamboient
60 Comme des yeux au front des tours.

L'arc-en-ciel! l'arc-en-ciel! Regarde. —
Comme il s'arrondit pur dans l'air!
Quel trésor le Dieu bon nous garde
Après le tonnerre et l'éclair!
65 Que de fois, sphères éternelles,
Mon âme a demandé ses ailes,
Implorant quelque Ithuriel,
Hélas! pour savoir à quel monde
Mène cette courbe profonde,
70 Arche immense d'un pont du ciel!

                                        Juin 1828.

ODE VINGT-CINQUIÈME

RÊVES

En la amena soledad
de aquesta apacible estancia,
bellisimo laberinto
de árboles, flores, y plantas,
Podeis dexarme, dexando
conmigo, que ellos me bastan
por compania, los libros
que os mande sacar de casa;
que yo, en tanto que Antioquia
celebra con fiestas tantas
la fabrica de esse templo,
que oy à Jupiter consagra,
. . . .
huyendo del gran bullicio,
que hay en sus calles, y plazas,
passar estudiando quiero
la edad que al dia le falta.

CALDERON.
El Mágico prodigioso.

I

Amis, loin de la ville,
Loin des palais de roi,
Loin de la cour servile,
Loin de la foule vile,
5   Trouvez-moi, trouvez-moi,

Aux champs où l'âme oisive
Se recueille en rêvant,
Sur une obscure rive
Où du monde n'arrive
10   Ni le flot, ni le vent,

Quelque asile sauvage,
Quelque abri d'autrefois,
Un port sur le rivage,
Un nid sous le feuillage,
15   Un manoir dans les bois!

Trouvez-le-moi bien sombre,
Bien calme, bien dormant,
Couvert d'arbres sans nombre,

Dans le silence et l'ombre,
20   Caché profondément!

Que là, sur toute chose,
Fidèle à ceux qui m'ont,
Mon vers plane, et se pose
Tantôt sur une rose,
25   Tantôt sur un grand mont.

Qu'il puisse avec audace,
De tout nœud détaché,
D'un vol que rien ne lasse,
S'égarer dans l'espace
30   Comme un oiseau lâché.

II

Qu'un songe au ciel m'enlève,
Que plein d'ombre et d'amour,
Jamais il ne s'achève,
Et que la nuit je rêve
35   A mon rêve du jour!

Aussi blanc que la voile
Qu'à l'horizon je voi,
Qu'il recèle une étoile,
Et qu'il soit comme un voile
40   Entre la vie et moi!

Que la muse qui plonge
En ma nuit pour briller,
Le dore et le prolonge,
Et de l'éternel songe
45   Craigne de m'éveiller!

Que toutes mes pensées
Viennent s'y déployer,
Et s'asseoir, empressées,
Se tenant embrassées,
50   En cercle à mon foyer.

Qu'à mon rêve enchaînées,
Toutes, l'œil triomphant,
Le bercent inclinées,
Comme des sœurs aînées
55   Bercent leur frère enfant!

III

On croit sur la falaise,
On croit dans les forêts,
Tant on respire à l'aise,
Et tant rien ne nous pèse,
60   Voir le ciel de plus près!

Là, tout est comme un rêve;
Chaque voix a des mots,
Tout parle, un chant s'élève
De l'onde sur la grève,
65   De l'air dans les rameaux.

C'est une voix profonde,
Un chœur universel,
C'est le globe qui gronde,
C'est le roulis du monde
70   Sur l'océan du ciel.

C'est l'écho magnifique
Des voix de Jéhova,
C'est l'hymne séraphique
Du monde pacifique
75   Où va ce qui s'en va;

Où, sourde aux cris de femmes,
Aux plaintes, aux sanglots,
L'âme se mêle aux âmes,
Comme la flamme aux flammes,
80   Comme le flot aux flots!

VI

Ce bruit vaste, à toute heure,
On l'entend au désert.
Paris, folle demeure,
Pour cette voix qui pleure
85   Nous donne un vain concert.

Oh! la Bretagne antique!
Quelque roc écumant!
Dans la forêt celtique
Quelque donjon gothique!
90   Pourvu que seulement

La tour hospitalière
Où je pendrai mon nid,
Ait, vieille chevalière,
Un panache de lierre
95   Sur son front de granit!

Pourvu que, blasonnée
D'un écusson altier,
La haute cheminée,
Béante, illuminée,
100   Dévore un chêne entier!

Que, l'été, la charmille
Me dérobe un ciel bleu;
Que l'hiver ma famille,
Dans l'âtre assise, brille
105   Toute rouge au grand feu!

Dans les bois, mes royaumes,
Si le soir l'air bruit,
Qu'il semble, à voir leurs dômes,
Des têtes de fantômes
110   Se heurtant dans la nuit!

Que des vierges, abeilles
Dont les cieux sont remplis,
Viennent sur moi, vermeilles,
Secouer dans mes veilles
115   Leur robe à mille plis!

Qu'avec des voix plaintives,
Les ombres des héros
Repassent fugitives,
Blanches sous mes ogives,
120   Sombres sur mes vitraux!

V

Si ma muse envolée
Porte son nid si cher
Et sa famille ailée
Dans la salle écroulée
125   D'un vieux baron de fer;

C'est que j'aime ces âges
Plus beaux, sinon meilleurs,
Que nos siècles plus sages;
A leurs débris sauvages
130 Je m'attache, et d'ailleurs

L'hirondelle enlevée
Par son vol sur la tour,
Parfois, des vents sauvée,
Choisit pour sa couvée
135 Un vieux nid de vautour.

Sa famille humble et douce,
Souvent, en se jouant,
Du bec remue et pousse,
Tout brisé sur la mousse,
140 L'œuf de l'oiseau géant.

Dans les armes antiques
Mes vers ainsi joûront,
Et remuant des piques,
Riront, nains fantastiques,
145 De grands casques au front!

VI

Ainsi, noués en gerbe,
Reverdiront mes jours
Dans le donjon superbe,
Comme une touffe d'herbe
150 Dans les brèches des tours.

Mais, donjon ou chaumière,
Du monde délié,
Je vivrai de lumière,
D'extase et de prière,
155 Oubliant, oublié!

Juin 1828.

BALLADES

(1823-1828)

Renouvelons aussi
Toute vieille pensée.

JOACHIM DU BELLAY.

BALLADE PREMIÈRE

UNE FÉE

... La reine Mab m'a visité. C'est elle
Qui fait dans le sommeil veiller l'âme immortelle.

ÉMILE DESCHAMPS. *Roméo et Juliette.*

Que ce soit Urgèle ou Morgane,
J'aime, en un rêve sans effroi,
Qu'une fée, au corps diaphane,
Ainsi qu'une fleur qui se fane,
5   Vienne pencher son front sur moi.

C'est elle dont le luth d'ivoire
Me redit, sur un mâle accord,
Vos contes, qu'on n'oserait croire,
Bons paladins, si votre histoire
10   N'était plus merveilleuse encor.

C'est elle, aux choses qu'on révère
Qui m'ordonne de m'allier,
Et qui veut que ma main sévère
Joigne la harpe du trouvère
15   Au gantelet du chevalier.

Dans le désert qui me réclame,
Cachée en tout ce que je vois,
C'est elle qui fait, pour mon âme,
De chaque rayon une flamme,
20   Et de chaque bruit une voix;

Elle, — qui dans l'onde agitée
Murmure en sortant du rocher;
Et, de me plaire tourmentée,

Suspend la cigogne argentée
25   Au faîte aigu du noir clocher;

Quand, l'hiver, mon foyer pétille,
C'est elle qui vient s'y tapir,
Et me montre, au ciel qui scintille,
L'étoile qui s'éteint et brille,
30   Comme un œil prêt à s'assoupir;

Qui, lorsqu'en des manoirs sauvages,
J'erre, cherchant nos vieux berceaux,
M'environnant de mille images,
Comme un bruit du torrent des âges,
35   Fait mugir l'air sous les arceaux;

Elle, — qui, la nuit, quand je veille,
M'apporte de confus abois,
Et pour endormir mon oreille,
Dans le calme du soir, éveille
40   Un cor lointain au fond des bois!

Que ce soit Urgèle ou Morgane,
J'aime, en un rêve sans effroi,
Qu'une fée, au corps diaphane,
Ainsi qu'une fleur qui se fane,
45   Vienne pencher son front sur moi!

1824.

BALLADE DEUXIÈME

LE SYLPHE

> Le vent, le froid et l'orage
> Contre l'enfant faisaient rage.
> — Ouvrez, dit-il, je suis nu!
>   LA FONTAINE.
>   *Imitation d'Anacréon.*

« Toi, qu'en ces murs, pareille aux rêveuses Sylphides,
Ce vitrage éclairé montre à mes yeux avides,
Jeune fille, ouvre-moi! Voici la nuit, j'ai peur,

La nuit, qui, peuplant l'air de figures livides,
5 Donne aux âmes des morts des robes de vapeur!

« Vierge, je ne suis point de ces pèlerins sages
Qui font de longs récits après de longs voyages;
Ni de ces paladins, qu'aime et craint la beauté,
Dont le cor, éveillant les varlets et les pages,
10 Porte un appel de guerre à l'hospitalité.

« Je n'ai ni lourd bâton, ni lance redoutée,
Point de longs cheveux noirs, point de barbe argentée,
Ni d'humble chapelet, ni de glaive vainqueur.
Mon souffle, dont une herbe est à peine agitée,
15 N'arrache au cor des preux qu'un murmure moqueur.

« Je suis l'enfant de l'air, un sylphe, moins qu'un rêve,
Fils du printemps qui naît, du matin qui se lève,
L'hôte du clair foyer, durant les nuits d'hiver,
L'esprit que la lumière à la rosée enlève,
20 Diaphane habitant de l'invisible éther.

« Ce soir un couple heureux, d'une voix solennelle,
Parlait tout bas d'amour et de flamme éternelle.
J'entendais tout; près d'eux je m'étais arrêté :
Ils ont dans un baiser pris le bout de mon aile,
25 Et la nuit est venue avant ma liberté.

« Hélas! il est trop tard pour rentrer dans ma rose!
Châtelaine, ouvre-moi, car ma demeure est close.
Recueille un fils du jour, égaré dans la nuit;
Permets, jusqu'à demain, qu'en ton lit je repose;
30 Je tiendrai peu de place et ferai peu de bruit.

« Mes frères ont suivi la lumière éclipsée,
Ou les larmes du soir dont l'herbe est arrosée;
Les lys leur ont ouvert leurs calices de miel;
Où fuir ?... Je ne vois plus de gouttes de rosée,
35 Plus de fleurs dans les champs! plus de rayons au ciel!

« Damoiselle, entends-moi, de peur que la Nuit sombre,
Comme en un grand filet, ne me prenne en son ombre,
Parmi les spectres blancs et les fantômes noirs,
Les démons, dont l'enfer même ignore le nombre,
40 Les hiboux du sépulcre et l'autour des manoirs!

« Voici l'heure où les morts dansent d'un pied débile.
La lune au pâle front les regarde, immobile ;
Et le hideux vampire, ô comble de frayeur !
Soulevant d'un bras fort une pierre inutile,
45 Traîne en sa tombe ouverte un tremblant fossoyeur.

« Bientôt, nains monstrueux, noirs de poudre et de cendre,
Dans leur gouffre sans fond les Gnomes vont descendre.
Le follet fantastique erre sur les roseaux.
Au frais Ondin s'unit l'ardente Salamandre,
50 Et de bleuâtres feux se croisent sur les eaux.

« Oh !... si pour amuser son ennui taciturne,
Un mort, parmi ses os, m'enfermait dans son urne !
Si quelque nécromant, riant de mon effroi,
Dans la tour, d'où minuit lève sa voix nocturne,
55 Liait mon vol paisible au sinistre beffroi !

« Que ta fenêtre s'ouvre !... Ah ! si tu me repousses,
Il me faudra chercher quelques vieux nids de mousses,
A des lézards troublés livrer de grands combats...
Ouvre !... mes yeux sont purs, mes paroles sont douces
60 Comme ce qu'à sa belle un amant dit tout bas.

« Et je suis si joli ! Si tu voyais mes ailes
Trembler aux feux du jour, transparentes et frêles !...
J'ai la blancheur des lys où, le soir, nous fuyons ;
Et les roses, nos sœurs, se disputent entr'elles
65 Mon souffle de parfums et mon corps de rayons.

« Je veux qu'un rêve heureux te révèle ma gloire.
Près de moi (ma Sylphide en garde la mémoire),
Les papillons sont lourds, les colibris sont laids,
Quand, roi vêtu d'azur, et de nacre et de moire,
70 Je vais de fleurs en fleurs visiter mes palais.

« J'ai froid : l'ombre me glace, et vainement je pleure.
Si je pouvais t'offrir, pour m'ouvrir ta demeure,
Ma goutte de rosée ou mes corolles d'or !
Mais non : je n'ai plus rien, il faudra que je meure.
75 Chaque soleil me donne et me prend mon trésor.

« Que veux-tu qu'en dormant je t'apporte en échange ?
L'écharpe d'une fée, ou le voile d'un ange ?...
J'embellirai ta nuit des prestiges du jour !

Ton sommeil passera, sans que ton bonheur change,
80 Des beaux songes du ciel aux doux rêves d'amour.

« Mais mon haleine en vain ternit la vitre humide!
O Vierge, crois-tu donc que, dans la nuit perfide,
La voix du Sylphe errant cache un amant trompeur ?
Ne me crains pas, c'est moi qui suis faible et timide,
85 Et si j'avais une ombre, hélas! j'en aurais peur. »

Il pleurait. — Tout à coup devant la tour antique,
S'éleva, murmurant comme un appel mystique,
Une voix... ce n'était sans doute qu'un esprit !
Bientôt parut la dame à son balcon gothique : —
90 On ne sait si ce fut au Sylphe qu'elle ouvrit.

                                                    1823.

BALLADE TROISIÈME

LA GRAND-MÈRE

                              To die — to sleep.
                              SHAKESPEARE.

« Dors-tu ?... réveille-toi, mère de notre mère!
D'ordinaire en dormant ta bouche remuait;
Car ton sommeil souvent ressemble à ta prière.
Mais, ce soir, on dirait la madone de pierre;
5 Ta lèvre est immobile et ton souffle est muet.

« Pourquoi courber ton front plus bas que de coutume ?
Quel mal avons-nous fait, pour ne plus nous chérir ?
Vois, la lampe pâlit, l'âme scintille et fume;
Si tu ne parles pas, le feu qui se consume,
10 Et la lampe, et nous deux, nous allons tous mourir !

« Tu nous trouveras morts près de la lampe éteinte.
Alors, que diras-tu quand tu t'éveilleras ?
Tes enfants à leur tour seront sourds à ta plainte.
Pour nous rendre la vie, en invoquant ta sainte,
15 Il faudra bien longtemps nous serrer dans tes bras !

« Donne-nous donc tes mains dans nos mains réchauffées.
Chante-nous quelque chant de pauvre troubadour.
Dis-nous ces chevaliers qui, servis par les fées,
Pour bouquets à leur dame apportaient des trophées,
20 Et dont le cri de guerre était un nom d'amour.

« Dis-nous quel divin signe est funeste aux fantômes;
Quel ermite dans l'air vit Lucifer volant;
Quel rubis étincelle au front du roi des Gnomes;
Et si le noir démon craint plus, dans ses royaumes,
25 Les psaumes de Turpin que le fer de Roland.

« Ou, montre-nous ta Bible et les belles images,
Le ciel d'or, les saints bleus, les saintes à genoux,
L'enfant-Jésus, la crèche, et le bœuf, et les nuages;
Fais-nous lire du doigt, dans le milieu des pages,
30 Un peu de ce latin, qui parle à Dieu de nous.

« Mère!... — Hélas! par degrés s'affaisse la lumière,
L'ombre joyeuse danse autour du noir foyer,
Les esprits vont peut-être entrer dans la chaumière...
Oh! sors de ton sommeil, interromps ta prière;
35 Toi qui nous rassurais, veux-tu nous effrayer ?

                                         [Naguère
« Dieu! que tes bras sont froids! rouvre les yeux...
Tu nous parlais d'un monde, où nous mènent nos pas,
Et de ciel, et de tombe, et de vie éphémère,
Tu parlais de la mort... dis-nous, ô notre mère!
40 Qu'est-ce donc que la mort ? — Tu ne nous réponds
                                         [pas! »

Leur gémissante voix longtemps se plaignit seule.
La jeune aube parut sans réveiller l'aïeule.
La cloche frappa l'air de ses funèbres coups;
Et, le soir, un passant, par la porte entrouverte
45 Vit, devant le saint livre et la couche déserte,
Les deux petits enfants qui priaient à genoux.

1823.

BALLADE QUATRIÈME

A TRILBY, LE LUTIN D'ARGAIL

A vous, ombre légère,
Qui d'aile passagère
Par le monde volez,
Et d'un sifflant murmure
L'ombrageuse verdure
Doucement esbranlez ;

J'offre ces violettes,
Ces lys et ces fleurettes,
Et ces roses ici,
Ces vermeillettes roses,
Tout fraischement escloses
Et ces œillets aussi.

Vieille chanson.

C'est toi, Lutin ! — Qui t'amène ?
Sur ce rayon du couchant
Es-tu venu ? Ton haleine
Me caresse en me touchant !
5   A mes yeux tu te révèles.
Tu m'inondes d'étincelles !
Et tes frémissantes ailes
Ont un bruit doux comme un chant.

Ta voix, de soupirs mêlée,
10   M'apporte un accent connu.
Dans ma cellule isolée,
Beau Trilby, sois bienvenu !
Ma demeure hospitalière
N'a point d'humble batelière
15   Dont ta bouche familière
Baise le sein demi-nu !

Viens-tu, dans l'âtre perfide,
Chercher mon Follet qui fuit,
Et ma Fée et ma Sylphide,
20   Qui me visitent sans bruit,
Et m'apportent, empressées,
Sur leurs ailes nuancées,
Le jour de douces pensées,
Et de doux rêves la nuit !

25 Viens-tu pas voir mes Ondines
   Ceintes d'algue et de glayeul ?
   Mes Nains, dont les voix badines
   N'osent parler qu'à moi seul ?
   Viens-tu réveiller mes Gnomes ?
30 Poursuivre en l'air les atomes,
   Et lutiner mes Fantômes
   En jouant dans leur linceul ?

   Hélas ! fuis ! — Ces lieux que j'aime
   N'ont plus ces hôtes chéris !
35 Des cruels à l'anathème
   Ont livré tous mes Esprits !
   Mon Ondine est étouffée ;
   Et comme un double trophée,
   Leurs mains ont cloué ma Fée
40 Près de ma Chauve-Souris !

   Mes Spectres, mes Nains si frêles,
   Quand leur courroux gronde encor,
   N'osent plus sur les tourelles
   S'appeler au son du cor !
45 Ma cour magique, en alarmes,
   A fui leurs pesantes armes ;
   Ils ont de mon Sylphe en larmes
   Arraché les ailes d'or !

   Toi-même, crains leur tonnerre,
50 Crains un combat inégal,
   Plus que la voix centenaire
   Qui jadis vengea Dougal,
   Dont la cabane fumeuse
   Voit, durant la nuit brumeuse,
55 Sur une roche écumeuse,
   S'asseoir l'ombre de Fingal !

   Celui qui de ta montagne
   T'a rapporté dans nos champs,
   Eut comme toi pour compagne
60 L'Espérance aux vœux touchants.
   Longtemps la France, sa mère,
   Vit fuir sa jeunesse amère
   Dans l'exil, où comme Homère,
   Il n'emportait que ses chants !

65   A la fois triste et sublime,
        Grave en son vol gracieux,
        Le Poète aime l'abîme
        Où fuit l'aigle audacieux,
70   Le parfum des fleurs mourantes,
        L'or des comètes errantes,
        Et les cloches murmurantes
        Qui se plaignent dans les cieux!

        Il aime un désert sauvage
        Où rien ne borne ses pas;
75   Son cœur, pour fuir l'esclavage,
        Vit plus loin que le trépas.
        Quand l'opprimé le réclame,
        Des peuples il devient l'âme;
        Il est pour eux une flamme
80   Que le tyran n'éteint pas.

        Tel est Nodier, le poète! —
        Va, dis à ce noble ami
        Que ma tendresse inquiète
        De tes périls a frémi;
85   Dis-lui bien qu'il te surveille;
        De tes jeux charme sa veille,
        Enfant! Et lorsqu'il sommeille,
        Dors sur son front endormi!

        N'erre pas à l'aventure!
90   Car on en veut aux Trilbys.
        Crains les maux et la torture
        Que mon doux Sylphe a subis.
        S'ils te prenaient, quelle gloire!
        Ils souilleraient d'encre noire,
95   Hélas! ton manteau de moire,
        Ton aigrette de rubis!

        Ou, pour danser avec Faune,
        Contraignant tes pas tremblants,
        Leurs Satyres au pied jaune,
100   Leurs vieux Sylvains pétulants
        Joindraient tes mains enchaînées
        Aux vieilles mains décharnées
        De leurs Naïades fanées,
        Mortes depuis deux mille ans!

                                        Avril 1825.

BALLADE CINQUIÈME

LE GÉANT

> Les nuées du ciel elles-mêmes craignent que
> je ne vienne chercher mes ennemis dans leur
> sein...
>
> MOTTENABBI.

O guerriers! je suis né dans le pays des Gaules.
Mes aïeux franchissaient le Rhin comme un ruisseau,
Ma mère me baigna dans la neige des pôles
Tout enfant, et mon père, aux robustes épaules,
5   De trois grandes peaux d'ours décora mon berceau.

Car mon père était fort! L'âge à présent l'enchaîne.
De son front tout ridé tombent ses cheveux blancs.
Il est faible; il est vieux. Sa fin est si prochaine,
Qu'à peine il peut encor déraciner un chêne
10   Pour soutenir ses pas tremblants!

C'est moi qui le remplace! et j'ai sa javeline,
Ses bœufs, son arc de fer, ses haches, ses colliers;
Moi! qui peux, succédant au vieillard qui décline,
Les pieds dans le vallon, m'asseoir sur la colline,
15   Et de mon souffle au loin courber les peupliers!

A peine adolescent, sur les Alpes sauvages,
De rochers en rochers je m'ouvrais des chemins;
Ma tête ainsi qu'un mont arrêtait les nuages;
Et souvent, dans les cieux épiant leurs passages,
20   J'ai pris des aigles dans mes mains!

Je combattais l'orage, et ma bruyante haleine
Dans leur vol anguleux éteignait les éclairs;
Ou, joyeux, devant moi chassant quelque baleine,
L'océan à mes pas ouvrait sa vaste plaine,
25 Et mieux que l'ouragan mes jeux troublaient les mers!

J'errais, je poursuivais d'une atteinte trop sûre
Le requin dans les flots, dans les airs l'épervier;
L'ours, étreint dans mes bras, expirait sans blessure,

Et j'ai souvent, l'hiver, brisé dans leur morsure
30   Les dents blanches du loup-cervier!

Ces plaisirs enfantins pour moi n'ont plus de charmes.
J'aime aujourd'hui la guerre et son mâle appareil,
Les malédictions des familles en larmes,
Les camps, et le soldat, bondissant dans ses armes,
35 Qui vient du cri d'alarme égayer mon réveil!

Dans la poudre et le sang, quand l'ardente Mêlée
Broie et roule une armée en bruyants tourbillons,
Je me lève, je suis sa course échevelée,
Et, comme un cormoran fond sur l'onde troublée,
40   Je plonge dans les bataillons!

Ainsi qu'un moissonneur parmi des gerbes mûres,
Dans les rangs écrasés, seul debout, j'apparais.
Leurs clameurs dans ma voix se perdent en murmures;
Et mon poing désarmé martèle les armures
45 Mieux qu'un chêne noueux choisi dans les forêts.

Je marche toujours nu. Ma valeur souveraine
Rit des soldats de fer dont vos camps sont peuplés.
Je n'emporte au combat que ma pique de frêne,
Et ce casque léger que traîneraient sans peine
50   Dix taureaux au joug accouplés.

Sans assiéger les forts d'échelles inutiles,
Des chaînes de leurs ponts je brise les anneaux.
Mieux qu'un bélier d'airain je bats leurs murs fragiles.
Je lutte corps à corps avec les tours des villes.
55 Pour combler les fossés j'arrache les créneaux.

O! quand mon tour viendra de suivre mes victimes,
Guerriers! ne laissez pas ma dépouille au corbeau;
Ensevelissez-moi parmi des monts sublimes,
Afin que l'étranger cherche en voyant leurs cimes
60   Quelle montagne est mon tombeau!

Mars 1825.

BALLADE SIXIÈME

LA FIANCÉE DU TIMBALIER

A M. J. F.

Douce est la mort qui vient en bien aimant !
DESPORTES. *Sonnet.*

« Monseigneur le duc de Bretagne
A, pour les combats meurtriers,
Convoqué de Nante à Mortagne,
Dans la plaine et sur la montagne,
5   L'arrière-ban de ses guerriers.

« Ce sont des barons dont les armes
Ornent des forts ceints d'un fossé ;
Des preux vieillis dans les alarmes,
Des écuyers, des hommes d'armes ;
10   L'un d'entre eux est mon fiancé.

« Il est parti pour l'Aquitaine
Comme timbalier, et pourtant
On le prend pour un capitaine,
Rien qu'à voir sa mine hautaine,
15   Et son pourpoint, d'or éclatant !

« Depuis ce jour, l'effroi m'agite.
J'ai dit, joignant son sort au mien :
Ma patronne, sainte Brigitte,
Pour que jamais il ne le quitte,
20   Surveillez son ange gardien !

« J'ai dit à notre abbé : Messire,
Priez bien pour tous nos soldats ! —
Et, comme on sait qu'il le désire,
J'ai brûlé trois cierges de cire
25   Sur la châsse de saint Gildas.

« A Notre-Dame de Lorette
J'ai promis, dans mon noir chagrin,

D'attacher sur ma gorgerette,
Fermée à la vue indiscrète,
30   Les coquilles du pèlerin.

« Il n'a pu, par d'amoureux gages,
Absent, consoler mes foyers ;
Pour porter les tendres messages,
La vassale n'a point de pages,
35   Le vassal n'a pas d'écuyers.

« Il doit aujourd'hui de la guerre
Revenir avec monseigneur ;
Ce n'est plus un amant vulgaire ;
Je lève un front baissé naguère,
40   Et mon orgueil est du bonheur !

« Le duc triomphant nous rapporte
Son drapeau dans les camps froissé ;
Venez tous sous la vieille porte
Voir passer la brillante escorte,
45   Et le prince, et mon fiancé !

« Venez voir pour ce jour de fête
Son cheval caparaçonné,
Qui sous son poids hennit, s'arrête,
Et marche en secouant la tête,
50   De plumes rouges couronné !

« Mes sœurs, à vous parer si lentes,
Venez voir près de mon vainqueur
Ces timbales étincelantes
Qui sous sa main toujours tremblantes
55   Sonnent et font bondir le cœur !

« Venez surtout le voir lui-même
Sous le manteau que j'ai brodé.
Qu'il sera beau ! c'est lui que j'aime !
Il porte comme un diadème
60   Son casque de crins inondé !

« L'Egyptienne sacrilège,
M'attirant derrière un pilier,
M'a dit hier (Dieu nous protège !)
Qu'à la fanfare du cortège
65   Il manquerait un timbalier.

« Mais j'ai tant prié, que j'espère!
Quoique, me montrant de la main
Un sépulcre, son noir repaire,
La vieille aux regards de vipère,
70   M'ait dit : Je t'attends là demain!

« Volons! plus de noires pensées!
Ce sont les tambours que j'entends.
Voici les dames entassées,
Les tentes de pourpre dressées,
75   Les fleurs et les drapeaux flottants!

« Sur deux rangs le cortège ondoie :
D'abord, les piquiers aux pas lourds;
Puis, sous l'étendard qu'on déploie,
Les barons, en robe de soie,
80   Avec leurs toques de velours.

« Voici les chasubles des prêtres;
Les hérauts sur un blanc coursier.
Tous, en souvenir des ancêtres,
Portent l'écusson de leurs maîtres,
85   Peint sur leur corselet d'acier.

« Admirez l'armure persane
Des Templiers, craints de l'enfer;
Et, sous la longue pertuisane,
Les archers venus de Lausanne,
90   Vêtus de buffle, armés de fer.

« Le duc n'est pas loin : ses bannières
Flottent parmi les chevaliers;
Quelques enseignes prisonnières,
Honteuses, passent les dernières... —
95   Mes sœurs! voici les timbaliers!... »

Elle dit, et sa vue errante
Plonge, hélas! dans les rangs pressés;
Puis, dans la foule indifférente,
Elle tomba, froide et mourante...
100   — Les timbaliers étaient passés.

                                              Octobre 1825.

BALLADE SEPTIÈME

LA MÊLÉE

> Les armées s'ébranlent, le choc est terrible,
> les combattants sont terribles, les blessures sont
> terribles, la mêlée est terrible.
>
> GONZALO BERCEO.
> *La bataille de Simancas.*

Pâtre! change de route. — Au pied de ces collines
Vois onduler deux rangs d'épaisses javelines;
Vois ces deux bataillons l'un vers l'autre marchant;
Au signal de leurs chefs que divise la haine,
5 Ils se sont pour combattre arrêtés dans la plaine.
Ecoute ces clameurs... tu frémis : c'est leur chant!

       « Accourez tous, oiseaux de proie,
       Aigles, hiboux, vautours, corbeaux!
       Volez! volez tous pleins de joie
10   A ces champs comme à des tombeaux!
       Que l'ennemi sous notre glaive
       Tombe avec le jour qui s'achève!
       Les psaumes du soir sont finis.
       Le prêtre, qui suit leurs bannières,
15   Leur a dit leurs vêpres dernières,
       Et le nôtre nous a bénis! »

Halbert, baron normand, Ronan, prince de Galles,
Vont mesurer ici leurs forces presqu'égales;
Les Normands sont adroits; les Gallois sont ardents.
20 Ceux-là viennent chargés d'une armure sonore;
Ceux-ci font, pour couvrir leur front sauvage encore,
De la gueule des loups un casque armé de dents!

       « Que nous fait la plainte des veuves,
       Et de l'orphelin gémissant ?
25   Demain nous laverons aux fleuves
       Nos bras teints de fange et de sang.
       Serrons nos rangs, brûlons nos tentes!
       Que nos trompettes éclatantes

Glacent l'ennemi méprisé !
30   En vain leurs essaims se déroulent ;
Dans chacun des sillons qu'ils foulent
Leur sépulcre est déjà creusé ! »

Le signal est donné. — Parmi des flots de poudre,
Leurs pas courts et pressés roulent comme la foudre... —
35 Comme deux chevaux noirs qui dévorent le frein,
Comme deux grands taureaux luttant dans les vallées,
Les deux masses de fer, à grand bruit ébranlées,
Brisent d'un même choc leur double front d'airain.

« Allons, guerriers ! la charge sonne !
40   Courez, frappez, c'est le moment !
Aux sons de la trompe saxonne,
Aux accords du clairon normand !
Dagues, hallebardes, épées,
Pertuisanes de sang trempées,
45   Haches, poignards à deux tranchants,
Parmi les cuirasses froissées,
Mêlez vos pointes hérissées,
Comme la ronce dans les champs ! »

Où donc est le soleil ? — Il luit dans la fumée
50 Comme un bouclier rouge en la forge enflammée.
Dans des vapeurs de sang on voit briller le fer ;
La vallée au loin semble une fournaise ardente ;
On dirait qu'au milieu de la plaine grondante
S'est ouverte soudain la bouche de l'enfer.

55   « Le jeu des héros se prolonge,
Les rangs s'enfoncent dans les rangs,
Le pied des combattants se plonge
Dans la blessure des mourants.
Avançons ! avançons ! courage !
60   Le fantassin mord avec rage
Le poitrail de fer du coursier ;
Les chevaux blanchissants frissonnent,
Et les masses d'armes résonnent
Sur leurs caparaçons d'acier ! »

65 Noir chaos de coursiers, d'hommes, d'armes heurtées !
Les Gallois, tout couverts de peaux ensanglantées,
Se roulent sur le dard des écus meurtriers ;
A mourir sur leurs morts obstinés et fidèles,

Ils semblent assiéger comme des citadelles
70 Les cavaliers normands sur leurs grands destriers.

            « Que ceux qui brisent leur épée
            Luttent des ongles et des dents,
            S'ils veulent fuir la faim trompée
            Des loups autour de nous rôdants!
75   Point de prisonniers! point d'esclaves!
            S'il faut mourir, mourons en braves
            Sur nos compagnons immolés.
            Que demain le jour, s'il se lève,
            Voie encor des tronçons de glaive
80   Etreints par nos bras mutilés!... »

Viens, berger : la nuit tombe, et plus de sang ruisselle;
De coups plus furieux chaque armure étincelle;
Les chevaux éperdus se dérobent au mors.
Viens, laissons achever cette lutte brûlante.
85 Ces hommes acharnés à leur tâche sanglante
Se reposeront tous demain, vainqueurs ou morts!

                                    Septembre 1825.

BALLADE HUITIÈME

LES DEUX ARCHERS

A M. Louis Boulanger [42].

                        Dames, oyez un conte lamentable.
                                            BAÏF.

C'était l'instant funèbre où la nuit est si sombre,
Qu'on tremble à chaque pas de réveiller dans l'ombre
Un démon, ivre encor du banquet des sabbats;
Le moment où, liant à peine sa prière,
5 Le voyageur se hâte à travers la clairière;
        C'était l'heure où l'on parle bas!

Deux francs archers passaient au fond de la vallée,
Là-bas! où vous voyez une tour isolée,

Qui, lorsqu'en Palestine allaient mourir nos rois,
10 Fut bâtie en trois nuits, au dire de nos pères,
Par un ermite saint qui remuait les pierres
   Avec le signe de la croix.

Tous deux, sans craindre l'heure, en ce lieu taciturne,
Allumèrent un feu pour leur repas nocturne;
15 Puis ils vinrent s'asseoir en déposant leur cor,
Sur un saint de granit, dont l'image grossière,
Les mains jointes, le front couché dans la poussière,
   Avait l'air de prier encor.

Cependant sur la tour, les monts, les bois antiques,
20 L'ardent foyer jetait des clartés fantastiques;
Les hiboux s'effrayaient au fond des vieux manoirs;
Et les chauves-souris que tout sabbat réclame,
Volaient, et par moments épouvantaient la flamme
   De leur grande aile aux ongles noirs!

25 Le plus vieux des archers alors dit au plus jeune :
« Portes-tu le cilice ? — Observes-tu le jeûne ? »
Reprit l'autre, et leur rire accompagna leur voix.
D'autres rires de loin tout à coup s'entendirent.
Le val était désert, l'ombre épaisse; ils se dirent :
30   « C'est l'écho qui rit dans les bois. »

Soudain à leurs regards une lueur rampante
En bleuâtres sillons sur la hauteur serpente;
Les deux blasphémateurs, hélas! sans s'effrayer,
Jetèrent au brasier d'autres branches de chênes,
35 Disant : « C'est, au miroir des cascades prochaines,
   Le reflet de notre foyer. »

Or cet écho (d'effroi qu'ici chacun s'incline!)
C'était Satan, riant tout haut sur la colline!
Ce reflet, émané du corps de Lucifer,
40 C'était le pâle jour qu'il traîne en nos ténèbres,
Le rayon sulfureux qu'en des songes funèbres
   Il nous apporte de l'enfer!

Aux profanes éclats de leur coupable joie,
Il était accouru comme un loup vers sa proie.
45 Sur les archers dans l'ombre erraient ses yeux ardents.
— « Riez et blasphémez dans vos heures oisives.
Moi, je ferai passer vos bouches convulsives
   Du rire au grincement de dents! »

A l'aube du matin, un peu de cendre éteinte
50 D'un pied large et fourchu portait l'étrange empreinte.
Le val fut tout le jour désert, silencieux.
Mais, au lieu du foyer, à minuit même, un pâtre
Vit soudain apparaître une flamme bleuâtre
      Qui ne montait pas vers les cieux!

55 Dès qu'au sol attachée elle rampa livide,
De longs rires soudain éclatant dans le vide,
Glacèrent le berger d'un grand effroi saisi;
Il ne vit point Satan et ceux de l'autre monde,
Et ne put concevoir, dans sa terreur profonde,
60   Ce qu'ils souffraient pour rire ainsi!

Dès lors, toutes les nuits, aux monts, aux bois antiques,
L'ardent foyer jeta ses clartés fantastiques;
Des rires effrayaient les hiboux des manoirs;
Et les chauves-souris que tout sabbat réclame,
65 Volaient, et par moments épouvantaient la flamme
      De leur grande aile aux ongles noirs.

Rien, avant le rayon de l'aube matinale,
Enfants, rien n'éteignait cette flamme infernale.
Si l'orage, à grands flots tombant, grondait dans l'air,
70 Les rires éclataient aussi haut que la foudre,
La flamme en tournoyant s'élançait de la poudre,
      Comme pour s'unir à l'éclair!

Mais enfin une nuit, vêtu du scapulaire,
Se leva du vieux saint le marbre séculaire;
75 Il fit trois pas, armé de son rameau bénit;
De l'effrayant prodige effrayant exorciste,
De ses lèvres de pierre il dit : « Que Dieu m'assiste! »
      En ouvrant ses bras de granit!

Alors tout s'éteignit, flammes, rires, phosphore,
80 Tout! et le lendemain, on trouva dès l'aurore
Les deux gens-d'armes morts sur la statue assis;
On les ensevelit; et, suivant sa promesse,
Le seigneur du hameau, pour fonder une messe,
      Légua trois deniers parisis.

85 Si quelque enseignement se cache en cette histoire,
Qu'importe! il ne faut pas la juger, mais la croire.
La croire! Qu'ai-je dit? ces temps sont loin de nous!

Ce n'est plus qu'à demi qu'on se livre aux croyances.
Nul, dans notre âge aveugle et vain de ses sciences,
90   Ne sait plier les deux genoux!

                                                    Juillet 1825.

BALLADE NEUVIÈME

L'AVEU DU CHATELAIN

> *Pource aimez-moy, cependant qu'estes belle.*
> RONSARD.

Ecoute-moi, Madeleine!
L'hiver a quitté la plaine
Qu'hier il glaçait encor.
Viens dans ces bois d'où ma suite
5   Se retire, au loin conduite
Par les sons errants du cor!

Viens! on dirait, Madeleine,
Que le Printemps, dont l'haleine
Donne aux roses leurs couleurs,
10   A cette nuit, pour te plaire,
Secoué sur la bruyère
Sa robe pleine de fleurs!

Si j'étais, ô Madeleine,
L'agneau dont la blanche laine
15   Se démêle sous tes doigts!...
Si j'étais l'oiseau qui passe,
Et que poursuit dans l'espace
Un doux appel de ta voix!...

Si j'étais, ô Madeleine,
20   L'ermite de Tombelaine
Dans son pieux tribunal,
Quand ta bouche à son oreille
De tes péchés de la veille
Livre l'aveu virginal!...

25   Si j'avais, ô Madeleine,
                   L'œil du nocturne phalène,
                   Lorsqu'au sommeil tu te rends,
                   Et que son aile indiscrète
                   De ta cellule secrète
30   Bat les vitraux transparents;

                   Quand ton sein, ô Madeleine,
                   Sort du corset de baleine,
                   Libre enfin du velours noir;
                   Quand, de peur de te voir nue,
35   Tu jettes, fille ingénue,
                   Ta robe sur ton miroir!

                   Si tu voulais, Madeleine,
                   Ta demeure serait pleine
                   De pages et de vassaux;
40   Et ton splendide oratoire
                   Déroberait sous la moire
                   La pierre de ses arceaux!...

                   Si tu voulais, Madeleine,
                   Au lieu de la marjolaine
45   Qui pare ton chaperon,
                   Tu porterais la couronne
                   De comtesse ou de baronne,
                   Dont la perle est le fleuron!

                   Si tu voulais, Madeleine,
50   Je te ferais châtelaine;
                   Je suis le comte Roger;
                   Quitte pour moi ces chaumières,
                   A moins que tu ne préfères
                   Que je me fasse berger!

                                Septembre 1825.

BALLADE DIXIÈME

A UN PASSANT

Au soleil couchant   Maint voleur te suit;
Toi qui vas cherchant   La chose est, la nuit,
    Fortune,   Commune.
Prends garde de choir :   Les dames des bois
La terre, le soir,   Nous gardent parfois
    Est brune.   Rancune.

L'océan trompeur   Elles vont errer;
Couvre de vapeur   Crains d'en rencontrer
    La dune.   Quelqu'une.
Vois; à l'horizon,   Les lutins de l'air
Aucune maison!   Vont danser au clair
    Aucune!   De lune.

                               La Chanson du fou.

Voyageur qui, la nuit, sur le pavé sonore
De ton chien inquiet passes accompagné,
Après le jour brûlant, pourquoi marcher encore ?
Où mènes-tu si tard ton cheval résigné ?

5   La nuit! — Ne crains-tu pas d'entrevoir la stature
Du brigand dont un sabre a chargé la ceinture ?
Ou qu'un de ces vieux loups près des routes rôdants,
Qui du fer des coursiers méprisent l'étincelle,
D'un bond brusque et soudain s'attachant à ta selle,
10   Ne mêle à ton sang noir l'écume de ses dents ?

Ne crains-tu pas surtout qu'un follet à cette heure
N'allonge sous tes pas le chemin qui te leurre,
Et ne te fasse, hélas! ainsi qu'aux anciens jours,
Rêvant quelque logis dont la vitre scintille
15   Et le faisan doré par l'âtre qui pétille,
Marcher vers des clartés qui reculent toujours ?

Crains d'aborder la plaine où le sabbat s'assemble,
Où les démons hurlants viennent danser ensemble;
Ces murs maudits par Dieu, par Satan profanés,
20   Ce magique château dont l'enfer sait l'histoire,
Et qui, désert le jour, quand tombe la nuit noire
Enflamme ses vitraux dans l'ombre illuminés!

Voyageur isolé, qui t'éloignes si vite,
De ton chien inquiet la nuit accompagné,
25 Après le jour brûlant, quand le repos t'invite,
Où mènes-tu si tard ton cheval résigné ?

Octobre 1825.

BALLADE ONZIÈME

LA CHASSE DU BURGRAVE [43]

A Paul.

> Un vieux faune en riait dans sa grotte sauvage.
>
> SEGRAIS.

« Daigne protéger notre chasse,
            Châsse
De monseigneur saint-Godefroi,
            Roi !

5 « Si tu fais ce que je désire,
            Sire,
Nous t'édifîrons un tombeau,
            Beau;

« Puis je te donne un cor d'ivoire,
10   Voire
Un dais neuf à pans de velours,
            Lourds,

« Avec dix chandelles de cire,
            Sire !
15 Donc, te prions à deux genoux,
            Nous,

« Nous qui, né de bons gentilhommes,
            Sommes
Le seigneur burgrave Alexis
20   Six ! » —

Voilà ce que dit le burgrave,
                    Grave,
Au tombeau de saint-Godefroi,
                    Froid.

25   — « Mon page, emplis mon escarcelle,
                    Selle
Mon cheval de Calatrava;
                    Va!

« Piqueur, va convier le comte.
30   Conte
Que ma meute aboie en mes cours.
                    Cours!

« Archers, mes compagnons de fêtes,
                    Faites
35   Votre épieu lisse et vos cornets
                    Nets.

« Nous ferons ce soir une chère
                    Chère;
Vous n'y recevrez, maître-queux,
40   Qu'eux.

« En chasse, amis! je vous invite.
                    Vite!
En chasse! allons courre les cerfs,
                    Serfs! »

45   Il part, et madame Isabelle,
                    Belle,
Dit gaiement du haut des remparts :
                    — Pars!

Tous les chasseurs sont dans la plaine,
                    Pleine
50   D'ardents seigneurs, de sénéchaux
                    Chauds.

Ce ne sont que baillis et prêtres,
                    Reîtres
55   Qui savent traquer à pas lourds
                    L'ours,

Dames en brillants équipages,
Pages,
Fauconniers, clercs, et peu bénins
60   Nains.

En chasse! — Le maître en personne
Sonne.
Fuyez! voici les paladins,
Daims.

65   Il n'est pour vous comte d'empire
Pire
Que le vieux burgrave Alexis
Six!

Fuyez! — Mais un cerf dans l'espace
70   Passe,
Et disparaît comme l'éclair,
Clair!

— « Taïaut les chiens, taïaut les hommes!
Sommes
75   D'argent et d'or paieront sa chair
Cher!

« Mon château pour ce cerf! — Marraine,
Reine
Des beaux sylphes et des follets
Laids!

80   « Donne-moi son bois pour trophée,
Fée!
Mère du brave, et du chasseur
Sœur!

« Tout ce qu'un prêtre à sa madone
Donne,
85   Moi, je te le promets ici,
Si

« Notre main, ta serve et sujette,
Jette
90   Ce beau cerf qui s'enfuit là-bas
Bas! »

Du Chasseur Noir craignant l'injure,
Jure
Le vieux burgrave haletant,
95   Tant

Que déjà sa meute qui jappe
Happe,
Et fête le pauvre animal
Mal.

100   Il fuit. La bande malévole
Vole
Sur sa trace, et par le plus court
Court.

Adieu clos, plaines diaprées,
105   Prées,
Vergers fleuris, jardins sablés,
Blés!

Le cerf, s'échappant de plus belle,
Bêle;
110   Un bois à sa course est ouvert,
Vert.

Il entend venir sur ses traces
Races
De chiens dont vous seriez jaloux,
115   Loups;

Piqueurs, ardentes haquenées,
Nées
De ces étalons aux longs crins
Craints,

120   Leurs flancs, que de blancs harnois ceignent,
Saignent
Des coups fréquents des éperons
Prompts.

Le cerf, que le son de la trompe
Trompe,
125   Se jette dans les bois épais... —
Paix!

Hélas, en vain!... la meute cherche,
                    Cherche,
130   Et là tu retentis encor,
                    Cor!

Où fuir ? dans le lac! Il s'y plonge,
                    Longe
Le bord où maint buisson rampant
135   Pend.

Ah! dans les eaux du lac agreste
                    Reste!
Hélas! pauvre cerf aux abois,
                    Bois!

140   Contre toi la fanfare ameute
                    Meute,
Et veneurs sonnant du hautbois...
                    Bois!

Les archers sournois qui t'attendent
145   Tendent
Leurs arcs dans l'épaisseur du bois!...
                    Bois!

Ils sont avides de carnage;
                    Nage!
150   C'est ton seul espoir désormais;
                    Mais

L'essaim, que sa chair palpitante
                    Tente,
Après lui dans le lac profond
155   Fond.

Il sort. — Plus d'espoir qui te leurre!
                    L'heure
Vient où pour toi tout est fini.
                    Ni

160   Tes pieds vifs, ni saint Marc de Leyde,
                    L'aide
Du cerf qu'un chien, à demi-mort,
                    Mord,

Ne te sauveront des morsures
                    Sûres
165
Des limiers ardents de courroux,
                    Roux.

Vois ces chiens qu'un serf bas et lâche
                    Lâche,
170
Vois les épieux à férir prêts,
                    Près!

Meurs donc! la fanfare méchante
                    Chante
Ta chute au milieu des clameurs.
175
                    Meurs!

Et ce soir, sur les délectables
                    Tables,
Tu feras un excellent mets;
                    Mais

180
On t'a vengé. — Fille d'Autriche
                    Triche
Quand l'hymen lui donne un barbon
                    Bon.

Or, sans son hôte le bon comte
                    Compte;
185
Il revient, quoique fatigué,
                    Gai.

Et tandis que ton sang ruiselle,
                    Celle
190
Qu'épousa le comte Alexis
                    Six,

Sur le front ridé du burgrave,
                    Grave,
Pauvre cerf, des rameaux aussi;
195
                    Si

Qu'au burg vous rentrez à la brune,
                    Brune,
Après un jour si hasardeux,
                    Deux!

                                    Janvier 1828.

BALLADE DOUZIÈME

LE PAS D'ARMES DU ROI JEAN

> Plus de six cents lances y furent brisées; on se battit à pied et à cheval, à la barrière, à coups d'épée et de pique, où partout les tenants et les assaillants ne firent rien qui ne répondît à la haute estime qu'ils s'étaient déjà acquise; ce qui fit éclater ces tournois doublement. Enfin, au dernier, un gentilhomme nommé de Fontaines, beau-frère de Chandiou, grand prévôt des maréchaux, fut blessé à mort; et au second encore, Saint-Aubin, autre gentilhomme, fut tué d'un coup de lance.
>
> *Ancienne chronique.*

Çà, qu'on selle,
Ecuyer,
Mon fidèle
Destrier.
5   Mon cœur ploie
Sous la joie,
Quand je broie
L'étrier.

Par saint-Gille,
10   Viens-nous-en,
Mon agile
Alezan;
Viens, écoute,
Par la route,
15   Voir la joute
Du roi Jean.

Qu'un gros carme
Chartrier
Ait pour arme
20   L'encrier;
Qu'une fille,
Sous la grille,
S'égosille
A prier;

25   Nous qui sommes,
De par Dieu,
Gentilshommes
De haut lieu,
Il faut faire
30   Bruit sur terre,
Et la guerre
N'est qu'un jeu.

Ma vieille âme
Enrageait;
35   Car ma lame,
Que rongeait
Cette rouille
Qui la souille,
En quenouille
40   Se changeait.

Cette ville,
Aux longs cris,
Qui profile
Son front gris,
45   Des toits frêles,
Cent tourelles,
Clochers grêles,
C'est Paris!

Quelle foule,
50   Par mon sceau!
Qui s'écoule
En ruisseau,
Et se rue,
Incongrue,
55   Par la rue
Saint-Marceau.

Notre-Dame! —
Que c'est beau!
Sur mon âme
60   De corbeau,
Voudrais être
Clerc ou prêtre
Pour y mettre
Mon tombeau!

65   Les quadrilles,
     Les chansons
     Mêlent filles
     Et garçons.
     Quelles fêtes!
70   Que de têtes
     Sur les faîtes
     Des maisons!

     Un maroufle,
     Mis à neuf,
75   Joue et souffle
     Comme un bœuf,
     Une marche
     De Luzarche
     Sur chaque arche
80   Du Pont-Neuf.

     Le vieux Louvre! —
     Large et lourd,
     Il ne s'ouvre
     Qu'au grand jour,
85   Emprisonne
     La couronne,
     Et bourdonne
     Dans sa tour.

     Los aux dames!
90   Au roi los!
     Vois les flammes
     Du champ clos,
     Où la foule,
     Qui s'écroule,
95   Hurle et roule
     A grands flots!

     Sans attendre,
     Çà, piquons!
     L'œil bien tendre,
100   Attaquons
     De nos selles
     Les donzelles,
     Roses, belles,
     Aux balcons.

105 Saulx-Tavane
     Le ribaud
     Se pavane,
     Et Chabot
     Qui ferraille,
110 Bossu, raille
     Mons Fontraille
     Le pied-bot.

     Là-bas, Serge
     Qui fit vœu
115 D'aller vierge
     Au saint lieu;
     Là, Lothaire,
     Duc sans terre;
     Sauveterre,
120 Diable et dieu.

     Le vidame
     De Conflans
     Suit sa dame
     A pas lents,
125 Et plus d'une
     S'importune
     De la brune
     Aux bras blancs.

     Là-haut brille,
130 Sur ce mur,
     Yseult, fille
     Au front pur;
     Là-bas, seules,
     Force aïeules
135 Portant gueules
     Sur azur.

     Dans la lice,
     Vois encor
     Berthe, Alice,
140 Léonor,
     Dame Irène,
     Ta marraine,
     Et la reine
     Toute en or.

145 Dame Irène
Parle ainsi ;
— Quoi ! la reine
Triste ici !
Son altesse
150 Dit : — Comtesse,
J'ai tristesse
Et souci.

On commence !
Le beffroi !
155 Coups de lance,
Cris d'effroi !
On se forge,
On s'égorge,
Par saint George !
160 Par le roi !

La cohue,
Flot de fer,
Frappe, hue,
Remplit l'air,
165 Et, profonde,
Tourne et gronde,
Comme une onde
Sur la mer !

Dans la plaine
170 Un éclair
Se promène
Vaste et clair ;
Quels mélanges !
Sang et franges !
175 Plaisirs d'anges !
Bruit d'enfer !

Sus, ma bête,
De façon
Que je fête
180 Ce grison !
Je te baille
Pour ripaille
Plus de paille,
Plus de son

185   Qu'un gros frère,
               Gai, friand,
               Ne peut faire,
               Mendiant
               Par les places
190   Où tu passes,
               De grimaces
               En priant!

               Dans l'orage,
               Lys courbé,
195   Un beau page
               Est tombé.
               Il se pâme,
               Il rend l'âme;
               Il réclame
200   Un abbé.

               La fanfare
               Aux sons d'or,
               Qui t'effare,
               Sonne encor
205   Pour sa chute;
               Triste lutte
               De la flûte
               Et du cor!

               Moines, vierges,
210   Porteront
               De grands cierges
               Sur son front;
               Et dans l'ombre
               Du lieu sombre,
215   Deux yeux d'ombre
               Pleureront.

               Car madame
               Isabeau
               Suit son âme
220   Au tombeau.
               Que d'alarmes!
               Que de larmes!... —
               Un pas d'armes,
               C'est très beau!

225   Çà, mon frère,
                   Viens, rentrons
                   Dans notre aire
                   De barons.
                   Va plus vite,
230   Car au gîte
                   Qui t'invite,
                   Trouverons,

                   Toi, l'avoine
                   Du matin,
235   Moi, le moine
                   Augustin,
                   Ce saint homme
                   Suivant Rome,
                   Qui m'assomme
240   De latin,

                   Et rédige
                   En romain
                   Tout prodige
                   De ma main,
245   Qu'à ma charge
                   Il émarge
                   Sur un large
                   Parchemin.

                   Un vrai sire
250   Châtelain
                   Laisse écrire
                   Le vilain;
                   Sa main digne,
                   Quand il signe,
255   Egratigne
                   Le vélin.

                                    Juin 1828.

BALLADE TREIZIÈME

LA LÉGENDE DE LA NONNE

A M. Louis Boulanger [42].

Acabòse vuestro bien,
Y vuestros males no acaban.
Reproches al Rey Rodrigo.

Venez, vous dont l'œil étincelle,
Pour entendre une histoire encor,
Approchez : je vous dirai celle
De doña Padilla del Flor.
5   Elle était d'Alanje, où s'entassent
Les collines et les halliers. —
Enfants, voici des bœufs qui passent,
Cachez vos rouges tabliers !

Il est des filles à Grenade,
10   Il en est à Séville aussi,
Qui, pour la moindre sérénade,
A l'amour demandent merci ;
Il en est que d'abord embrassent,
Le soir, les hardis cavaliers. —
15   Enfants, voici les bœufs qui passent,
Cachez vos rouges tabliers !

Ce n'est pas sur ce ton frivole
Qu'il faut parler de Padilla,
Car jamais prunelle espagnole
20   D'un feu plus chaste ne brilla ;
Elle fuyait ceux qui pourchassent
Les filles sous les peupliers. —
Enfants, voici des bœufs qui passent,
Cachez vos rouges tabliers !

25   Rien ne touchait ce cœur farouche,
Ni doux soins, ni propos joyeux ;
Pour un mot d'une belle bouche,
Pour un signe de deux beaux yeux,

On sait qu'il n'est rien que ne fassent
30 Les seigneurs et les bacheliers. —
Enfants, voici des bœufs qui passent,
Cachez vos rouges tabliers!

Elle prit le voile à Tolède,
Au grand soupir des gens du lieu,
35 Comme si, quand on n'est pas laide,
On avait droit d'épouser Dieu.
Peu s'en fallut que ne pleurassent
Les soudards et les écoliers. —
Enfants, voici des bœufs qui passent,
40 Cachez vos rouges tabliers!

Mais elle disait : « Loin du monde,
Vivre et prier pour les méchants!
Quel bonheur! quelle paix profonde
Dans la prière et dans les chants!
45 Là, si les démons nous menacent,
Les anges sont nos boucliers! » —
Enfants, voici des bœufs qui passent,
Cachez vos rouges tabliers!

Or, la belle à peine cloîtrée,
50 Amour dans son cœur s'installa.
Un fier brigand de la contrée
Vint alors et dit : Me voilà!
Quelquefois les brigands surpassent
En audace les chevaliers. —
55 Enfants, voici des bœufs qui passent,
Cachez vos rouges tabliers!

Il était laid : des traits austères,
La main plus rude que le gant;
Mais l'amour a bien des mystères,
60 Et la nonne aima le brigand.
On voit des biches qui remplacent
Leurs beaux cerfs par des sangliers. —
Enfants, voici des bœufs qui passent,
Cachez vos rouges tabliers!

65 Pour franchir la sainte limite,
Pour approcher du saint couvent,
Souvent le brigand d'un ermite
Prenait le cilice, et souvent

La cotte de maille où s'enchâssent
70   Les croix noires des templiers. —
Enfants, voici des bœufs qui passent,
Cachez vos rouges tabliers !

La nonne osa, dit la chronique,
Au brigand par l'enfer conduit,
75   Aux pieds de sainte Véronique
Donner un rendez-vous la nuit,
A l'heure où les corbeaux croassent,
Volant dans l'ombre par milliers. —
Enfants, voici des bœufs qui passent,
80   Cachez vos rouges tabliers !

Padilla voulait, anathème !
Oubliant sa vie en un jour,
Se livrer, dans l'église même,
Sainte à l'enfer, vierge à l'amour,
85   Jusqu'à l'heure pâle où s'effacent
Les cierges sur les chandeliers. —
Enfants, voici des bœufs qui passent,
Cachez vos rouges tabliers !

Or quand, dans la nef descendue,
90   La nonne appela le bandit,
Au lieu de la voix attendue,
C'est la foudre qui répondit.
Dieu voulut que ses coups frappassent
Les amants par Satan liés. —
95   Enfants, voici des bœufs qui passent,
Cachez vos rouges tabliers !

Aujourd'hui, des fureurs divines
Le pâtre enflammant ses récits,
Vous montre au penchant des ravines
100   Quelques tronçons de murs noircis,
Deux clochers que les ans crevassent,
Dont l'abri tuerait ses béliers. —
Enfants, voici des bœufs qui passent,
Cachez vos rouges tabliers !

105   Quand la nuit, du cloître gothique
Brunissant les portails béants,
Change à l'horizon fantastique
Les deux clochers en deux géants ;

A l'heure où les corbeaux croassent,
110 Volant dans l'ombre par milliers... —
Enfants, voici des bœufs qui passent,
Cachez vos rouges tabliers !

Une nonne, avec une lampe,
Sort d'une cellule à minuit ;
115 Le long des murs le spectre rampe,
Un autre fantôme le suit ;
Des chaînes sur leurs pieds s'amassent,
De lourds carcans sont leurs colliers. —
Enfants, voici des bœufs qui passent,
120 Cachez vos rouges tabliers !

La lampe vient, s'éclipse, brille,
Sous les arceaux court se cacher,
Puis tremble derrière une grille,
Puis scintille au bout d'un clocher ;
125 Et ses rayons dans l'ombre tracent
Des fantômes multipliés. —
Enfants, voici des bœufs qui passent,
Cachez vos rouges tabliers !

Les deux spectres qu'un feu dévore,
130 Traînant leur suaire en lambeaux,
Se cherchent pour s'unir encore,
En trébuchant sur des tombeaux ;
Leurs pas aveugles s'embarrassent
Dans les marches des escaliers. —
135 Enfants, voici des bœufs qui passent,
Cachez vos rouges tabliers !

Mais ce sont des escaliers fées
Qui sous eux s'embrouillent toujours ;
L'un est aux caves étouffées,
140 Quand l'autre marche au front des tours ;
Sous leurs pieds, sans fin se déplacent
Les étages et les paliers. —
Enfants, voici des bœufs qui passent,
Cachez vos rouges tabliers !

145 Elevant leurs voix sépulcrales,
Se cherchant les bras étendus,
Ils vont... Les magiques spirales
Mêlent leurs pas toujours perdus ;

Ils s'épuisent et se harassent
150   En détours, sans cesse oubliés. —
        Enfants, voici des bœufs qui passent,
        Cachez vos rouges tabliers !

        La pluie alors, à larges gouttes,
        Bat les vitraux frêles et froids ;
155   Le vent siffle aux brèches des voûtes ;
        Une plainte sort des beffrois ;
        On entend des soupirs qui glacent,
        Des rires d'esprits familiers. —
        Enfants, voici des bœufs qui passent,
160   Cachez vos rouges tabliers !

        Une voix faible, une voix haute,
        Disent : « Quand finiront les jours ?
        Ah ! nous souffrons par notre faute ;
        Mais l'éternité, c'est toujours !
165   Là, les mains des heures se lassent
        A retourner les sabliers... »
        Enfants, voici des bœufs qui passent,
        Cachez vos rouges tabliers !

        L'enfer, hélas ! ne peut s'éteindre.
170   Toutes les nuits, dans ce manoir,
        Se cherchent sans jamais s'atteindre
        Une ombre blanche, un spectre noir,
        Jusqu'à l'heure pâle où s'effacent
        Les cierges sur les chandeliers. —
175   Enfants, voici des bœufs qui passent,
        Cachez vos rouges tabliers !

        Si, tremblant à ces bruits étranges,
        Quelque nocturne voyageur,
        En se signant demande aux anges
180   Sur qui sévit le Dieu vengeur ?
        Des serpents de feu qui s'enlacent
        Tracent deux noms sur des piliers. —
        Enfants, voici des bœufs qui passent,
        Cachez vos rouges tabliers !

185   Cette histoire de la novice,
        Saint Ildefonse, abbé, voulut
        Qu'afin de préserver du vice
        Les vierges qui font leur salut,

Les prieures la racontassent
190 Dans tous les couvents réguliers. —
Enfants, voici des bœufs qui passent,
Cachez vos rouges tabliers!

                                        Avril 1828.

BALLADE QUATORZIÈME

LA RONDE DU SABBAT

A M. Charles N.

*Hic chorus ingens
... Colit orgia.*
AVIENUS.

Voyez devant les murs de ce noir monastère
La lune se voiler, comme pour un mystère!
L'esprit de minuit passe, et, répandant l'effroi,
Douze fois se balance au battant du beffroi.
5 Le bruit ébranle l'air, roule, et longtemps encore
Gronde, comme enfermé sous la cloche sonore,
Le silence retombe avec l'ombre... Ecoutez!
Qui pousse ces clameurs? qui jette ces clartés?
Dieu! les voûtes, les tours, les portes découpées,
10 D'un long réseau de feu semblent enveloppées,
Et l'on entend l'eau sainte, où trempe un buis bénit,
Bouillonner à grands flots dans l'urne de granit!...
A nos patrons du ciel recommandons nos âmes!
Parmi les rayons bleus, parmi les rouges flammes,
15 Avec des cris, des chants, des soupirs, des abois,
Voilà que de partout, des eaux, des monts, des bois,
Les larves. les dragons, les vampires, les gnomes,
Des monstres dont l'enfer rêve seul les fantômes,
La sorcière, échappée aux sépulcres déserts,
20 Volant sur le bouleau qui siffle dans les airs,
Les nécromants, parés de tiares mystiques
Où brillent flamboyants les mots cabalistiques,
Et les graves démons, et les lutins rusés,
Tous, par les toits rompus, par les portails brisés,

25 Par les vitraux détruits que mille éclairs sillonnent,
Entrent dans le vieux cloître où leurs flots tourbillonnent!
Debout au milieu d'eux, leur prince Lucifer
Cache un front de taureau sous la mitre de fer;
La chasuble a voilé son aile diaphane.
30 Et sur l'autel croulant il pose un pied profane.
O terreur! Les voilà qui chantent dans ce lieu immense,
Où veille incessamment l'œil éternel de Dieu.
Les mains cherchent les mains... Soudain la ronde
Comme un ouragan sombre, en tournoyant commence.
35 A l'œil qui n'en pourrait embrasser le contour,
Chaque hideux convive apparaît à son tour;
On croirait voir l'enfer tourner dans les ténèbres
Son zodiaque affreux, plein de signes funèbres.
Tous volent, dans le cercle emportés à la fois.
40 Satan règle du pied les éclats de leur voix;
Et leurs pas, ébranlant les arches colossales,
Troublent les morts couchés sous le pavé des salles.

                    « Mêlons-nous sans choix!
                    Tandis que la foule
45   Autour de lui roule,
                    Satan joyeux foule
                    L'autel et la croix.
                    L'heure est solennelle.
                    La flamme éternelle
50   Semble, sur son aile,
                    La pourpre des rois! »

Et leurs pas, ébranlant les arches colossales,
Troublent les morts couchés sous le pavé des salles.

                    « Oui, nous triomphons!
55   Venez, sœurs et frères,
                    De cent points contraires;
                    Des lieux funéraires,
                    Des antres profonds.
                    L'enfer vous escorte;
60   Venez en cohorte
                    Sur des chars qu'emporte
                    Le vol des griffons! »

Et leurs pas, ébranlant les arches colossales,
Troublent les morts couchés sous le pavé des salles.

65   « Venez sans remords,
            Nains aux pieds de chèvre,
            Goules, dont la lèvre
            Jamais ne se sèvre
            Du sang noir des morts!
70   Femmes infernales,
            Accourez rivales!
            Pressez vos cavales
            Qui n'ont point de mors! »

    Et leurs pas, ébranlant les arches colossales,
75 Troublent les morts couchés sous le pavé des salles.

            « Juifs, par Dieu frappés,
            Zingaris, Bohêmes,
            Chargés d'anathèmes,
            Follets, spectres blêmes
80   La nuit échappés,
            Glissez sur la brise,
            Montez sur la frise
            Du mur qui se brise,
            Volez, ou rampez! »

85 Et leurs pas, ébranlant les arches colossales,
    Troublent les morts couchés sous le pavé des salles.

            « Venez, boucs méchants,
            Psylles aux corps grêles,
            Aspioles frêles,
90   Comme un flot de grêles,
            Fondre dans ces champs!
            Plus de discordance!
            Venez en cadence
            Elargir la danse,
95   Répéter les chants! »

    Et leurs pas, ébranlant les arches colossales,
    Troublent les morts couchés sous le pavé des salles.

            « Qu'en ce beau moment
            Les clercs en magie
100   Brûlent dans l'orgie
            Leur barbe rougie
            D'un sang tout fumant;
            Que chacun envoie

Au feu quelque proie,
105   Et sous ses dents broie
Un pâle ossement ! »

Et leurs pas, ébranlant les arches colossales,
Troublent les morts couchés sous le pavé des salles.

« Riant au saint lieu,
110   D'une voix hardie,
Satan parodie
Quelque psalmodie
Selon saint Matthieu,
Et dans la chapelle
115   Où son roi l'appelle,
Un démon épelle
Le livre de Dieu ! »

Et leurs pas, ébranlant les arches colossales,
Troublent les morts couchés sous le pavé des salles.

120   « Sorti des tombeaux,
Que dans chaque stalle
Un faux moine étale
La robe fatale
Qui brûle ses os,
125   Et qu'un noir lévite
Attache bien vite
La flamme maudite
Aux sacrés flambeaux ! »

Et leurs pas, ébranlant les arches colossales,
130 Troublent les morts couchés sous le pavé des salles.

« Satan vous verra !
De vos mains grossières
Parmi des poussières,
Ecrivez, sorcières :
135   ABRACADABRA !
Volez, oiseaux fauves,
Dont les ailes chauves
Aux ciels des alcôves
Suspendent Smarra ! »

140 Et leurs pas, ébranlant les arches colossales,
Troublent les morts couchés sous le pavé des salles.

       « Voici le signal ! —
       L'enfer nous réclame :
       Puisse un jour toute âme
145   N'avoir d'autre flamme
       Que son noir fanal !
       Puisse notre ronde,
       Dans l'ombre profonde,
       Enfermer le monde
150   D'un cercle infernal ! »

L'aube pâle a blanchi les arches colossales.
Il fuit, l'essaim confus des démons dispersés !
Et les morts rendormis sous le pavé des salles,
Sur leurs chevets poudreux posent leurs fronts glacés.

                                        Octobre 1825.

                   BALLADE QUINZIÈME

                LA FÉE ET LA PÉRI

           Leur ombre vagabonde, à travers le feuillage,
           Frémira ; sur les vents ou sur quelque nuage,
           Tu les verras descendre ; ou, du sein de la mer
           S'élevant comme un songe, étinceler dans l'air ;
           Et leur voix, toujours tendre et doucement
                                                [plaintive,
           Caresser en fuyant ton oreille attentive.
                                        ANDRÉ CHÉNIER.

                           I

Enfants ! si vous mouriez, gardez bien qu'un esprit
De la route des cieux ne détourne votre âme !
Voici ce qu'autrefois un vieux sage m'apprit : —
Quelques démons, sauvés de l'éternelle flamme,
5 Rebelles moins pervers que l'Archange proscrit,
Sur la terre, où le feu, l'onde ou l'air les réclame,
Attendent, exilés, le jour de Jésus-Christ.
Il en est qui, bannis des célestes phalanges,
Ont de si douces voix qu'on les prend pour des anges.

10   Craignez-les : pour mille ans exclus du paradis,
     Ils vous entraîneraient, enfants, au purgatoire! —
     Ne me demandez pas d'où me vient cette histoire;
     Nos pères l'ont contée; et moi, je la redis.

                        II

                    LA PÉRI

          Où vas-tu donc jeune âme ?... Ecoute!
15   Mon palais pour toi veut s'ouvrir;
          Suis-moi, des cieux quitte la route;
          Hélas! tu t'y perdrais sans doute,
          Nouveau-né, qui viens de mourir!

          Tu pourras jouer à toute heure
20   Dans mes beaux jardins aux fruits d'or;
          Et de ma riante demeure
          Tu verras ta mère qui pleure
          Près de ton berceau, tiède encor.

          Des Péris je suis la plus belle :
25   Mes sœurs règnent où naît le jour;
          Je brille en leur troupe immortelle,
          Comme, entre les fleurs, brille celle
          Que l'on cueille en rêvant d'amour.

          Mon front porte un ruban de soie;
30   Mes bras de rubis sont couverts;
          Quand mon vol ardent se déploie,
          L'aile de pourpre qui tournoie
          Roule trois yeux de flamme ouverts.

          Plus blanc qu'une lointaine voile,
35   Mon corps n'en a point la pâleur;
          En quelque lieu qu'il se dévoile,
          Il l'éclaire comme une étoile,
          Il l'embaume comme une fleur!

                    LA FÉE

          Viens, bel enfant! je suis la Fée.
40   Je règne aux bords où le soleil

Au sein de l'onde réchauffée,
Se plonge éclatant et vermeil.
Les peuples d'Occident m'adorent :
Les vapeurs de leur ciel se dorent,
45   Lorsque je passe en les touchant ;
Reine des ombres léthargiques,
Je bâtis mes palais magiques
Dans les nuages du couchant.

Mon aile bleue est diaphane :
50   L'essaim des Sylphes enchantés
Croit voir sur mon dos, quand je plane,
Frémir deux rayons argentés.
Ma main luit, rose et transparente ;
Mon souffle est la brise odorante
55   Qui, le soir, erre dans les champs ;
Ma chevelure est radieuse,
Et ma bouche mélodieuse
Mêle un sourire à tous ses chants !

J'ai des grottes de coquillages ;
60   J'ai des tentes de rameaux verts ;
C'est moi que bercent les feuillages,
Moi que berce le flot des mers.
Si tu me suis, ombre ingénue,
Je puis t'apprendre où va la nue,
65   Te montrer d'où viennent les eaux ;
Viens, sois ma compagne nouvelle,
Si tu veux que je te révèle
Ce que dit la voix des oiseaux.

III

LA PÉRI

Ma sphère est l'Orient, région éclatante,
70   Où le soleil est beau comme un roi dans sa tente !
Son disque s'y promène en un ciel toujours pur.
Ainsi, portant l'émir d'une riche contrée,
    Aux sons de la flûte sacrée,
Vogue un navire d'or sur une mer d'azur.

75   Tous les dons ont comblé la zone orientale.
Dans tout autre climat, par une loi fatale,

Près des fruits savoureux croissent les fruits amers ;
Mais Dieu, qui pour l'Asie a des yeux moins austères,
     Y donne plus de fleurs aux terres,
80 Plus d'étoiles aux cieux, plus de perles aux mers !

Mon royaume s'étend depuis ces catacombes
Qui paraissent des monts et ne sont que des tombes,
Jusqu'à ce mur qu'un peuple ose en vain assiéger,
Qui, tel qu'une ceinture où le Cathay respire,
85   Environnant tout un empire,
Garde dans l'univers comme un monde étranger !

J'ai de vastes cités qu'en tous lieux on admire,
Lahore aux champs fleuris ; Golconde ; Cachemire ;
La guerrière Damas ; la royale Ispahan ;
90 Bagdad, que ses remparts couvrent comme une armure ;
     Alep dont l'immense murmure
Semble au pâtre lointain le bruit d'un Océan.

Mysore est sur son trône une reine placée ;
Médine aux mille tours, d'aiguilles hérissée,
95 Avec ses flèches d'or, ses kiosques brillants,
Est comme un bataillon, arrêté dans les plaines,
     Qui, parmi ses tentes hautaines,
Elève une forêt de dards étincelants.

On dirait qu'au désert, Thèbes, debout encore,
100 Attend son peuple entier, absent depuis l'aurore.
Madras a deux cités dans ses larges contours.
Plus loin brille Delhy, la ville sans rivales,
     Et sous ses portes triomphales
Douze éléphants de front passent avec leurs tours.

105 Bel enfant ! viens errer, parmi tant de merveilles
Sur ces toits pleins de fleurs ainsi que des corbeilles,
Dans le camp vagabond des Arabes ligués.
Viens ; nous verrons danser les jeunes bayadères,
     Le soir, lorsque les dromadaires
110 Près du puits du désert s'arrêtent fatigués.

Là, sous de verts figuiers, sous d'épais sycomores,
Luit le dôme d'étain du minaret des Maures ;
La pagode de nacre au toit rose et changeant ;
La tour de porcelaine aux clochettes dorées,
115   Et, dans les jonques azurées,
Le palanquin de pourpre aux longs rideaux d'argent.

J'écarterai pour toi les rameaux du platane
Qui voile dans son bain la rêveuse sultane ;
Viens, nous rassurerons contre un ingrat oubli
120 La vierge qui, timide, ouvrant la nuit sa porte,
          Ecoute si le vent lui porte
La voix qu'elle préfère au chant du bengali.

L'Orient fut jadis le paradis du monde. —
Un printemps éternel de ses roses l'inonde,
125 Et ce vaste hémisphère est un riant jardin.
Toujours autour de nous sourit la douce joie ;
          Toi qui gémis, suis notre voie :
Que t'importe le Ciel, quand je t'ouvre l'Eden ?

LA FÉE

L'Occident nébuleux est ma patrie heureuse.
130 Là, variant dans l'air sa forme vaporeuse,
Fuit la blanche nuée, ... et de loin bien souvent
Le mortel isolé qui, radieux ou sombre,
          Poursuit un songe ou pleure une ombre,
          Assis, la contemple en rêvant !

135 Car il est des douceurs pour les âmes blessées
Dans les brumes du lac sur nos bois balancées,
Dans nos monts où l'hiver semble à jamais s'asseoir ;
Dans l'étoile, pareille à l'espoir solitaire,
          Qui vient, quand le jour fuit la terre,
140   Mêler son orient au soir.

Nos cieux voilés plairont à ta douleur amère,
Enfant, que Dieu retire et qui pleures ta mère !
Viens, l'écho des vallons, les soupirs du ruisseau,
Et la voix des forêts au bruit des vents unie,
145   Te rendront la vague harmonie
          Qui t'endormait dans ton berceau !

Crains des bleus horizons le cercle monotone.
Les brouillards, les vapeurs, le nuage qui tonne,
Tempèrent le soleil dans nos cieux parvenu ;
150 Et l'œil voit au loin fuir leurs lignes nébuleuses,
          Comme des flottes merveilleuses
          Qui viennent d'un monde inconnu !

C'est pour moi que les vents font, sur nos mers bruyantes,
Tournoyer l'air et l'onde en trombes foudroyantes;
155 La tempête à mes chants suspend son vol fatal;
L'arc-en-ciel pour mes pieds, qu'un or fluide arrose,
            Comme un pont de nacre, se pose
            Sur les cascades de cristal.

Du moresque Alhambra j'ai les frêles portiques;
160 J'ai la grotte enchantée aux piliers basaltiques,
Où la mer de Staffa brise un flot inégal;
Et j'aide le pêcheur, roi des vagues brumeuses,
            A bâtir ses huttes fumeuses
            Sur les vieux palais de Fingal.

165 Epouvantant les nuits d'une trompeuse aurore,
Là, souvent à ma voix un rouge météore [44]
Croise en voûte de feu ses gerbes dans les airs;
Et le chasseur, debout sur la roche pendante,
            Croit voir une comète ardente
170   Baignant ses flammes dans les mers!

Viens, jeune âme, avec moi, de mes sœurs obéie,
Peupler de gais follets la morose abbaye;
Mes nains et mes géants te suivront à ma voix;
Viens, troublant de ton cor les monts inaccessibles,
175   Guider ces meutes invisibles
            Qui la nuit chassent dans nos bois.

Tu verras les barons, sous leurs tours féodales,
De l'humble pèlerin détachant les sandales;
Et les sombres créneaux d'écussons décorés;
180 Et la dame tout bas priant, pour un beau page,
            Quelque mystérieuse image
            Peinte sur des vitraux dorés.

C'est nous qui, visitant les gothiques églises,
Ouvrons leur nef sonore au murmure des brises;
185 Quand la lune du tremble argente les rameaux,
Le pâtre voit dans l'air, avec des chants mystiques,
            Folâtrer nos chœurs fantastiques
            Autour du clocher des hameaux.

De quels enchantements l'Occident se décore! —
190 Viens, le ciel est bien loin, ton aile est faible encore!
Oublie en notre empire un voyage fatal.

Un charme s'y révèle aux lieux les plus sauvages;
    Et l'étranger dit nos rivages
    Plus doux que le pays natal!

IV

195 Et l'enfant hésitait, et déjà moins rebelle
Ecoutait des esprits l'appel fallacieux;
La terre qu'il fuyait semblait pourtant si belle! —
Soudain il disparut à leur vue infidèle...
    Il avait entrevu les cieux!

Juillet 1824.

APPENDICE

AUX ODES ET BALLADES

1822

La première édition de ces *Odes* (juin 1822) était précédée des réflexions qu'on va lire :

« Il y a deux intentions dans la publication de ce livre, l'intention littéraire et l'intention politique; mais dans la pensée de l'auteur, la dernière est la conséquence de la première, car l'histoire des hommes ne présente de poésie que jugée du haut des idées monarchiques et des croyances religieuses.

On pourra voir dans l'arrangement de ces *Odes* une division qui, néanmoins, n'est pas méthodiquement tracée. Il a semblé à l'auteur que les émotions d'une âme n'étaient pas moins fécondes pour la poésie que les révolutions d'un empire.

Au reste, le domaine de la poésie est illimité. Sous le monde réel, il existe un monde idéal, qui se montre resplendissant à l'œil de ceux que des méditations graves ont accoutumés à voir dans les choses plus que les choses. Les beaux ouvrages de poésie en tout genre, soit en vers, soit en prose, qui ont honoré notre siècle, ont révélé cette vérité à peine soupçonnée auparavant, que la poésie n'est pas dans la forme des idées, mais dans les idées elles-mêmes. La poésie, c'est tout ce qu'il y a d'intime dans tout. »

Il est permis peut-être aujourd'hui à l'auteur d'ajouter à ce peu de lignes quelques autres observations sur le but qu'il s'est proposé en composant ces *Odes*.

Convaincu que tout écrivain, dans quelque sphère que s'exerce son esprit, doit avoir pour objet principal d'être utile, et espérant qu'une intention honorable lui ferait pardonner la témérité de ses essais, il a tenté de solenniser quelques-uns de ceux des principaux souvenirs de notre époque qui peuvent être des leçons pour les sociétés futures. Il a adopté, pour consacrer ces événements, la forme de l'Ode, parce que c'était sous cette forme que les inspirations des premiers poètes apparaissaient jadis aux premiers peuples.

Cependant l'Ode française, généralement accusée de froideur et de monotonie, paraissait peu propre à retracer ce que les trente dernières années de notre histoire présentent de touchant et de terrible, de sombre et d'éclatant, de monstrueux et de merveilleux. L'auteur de ce recueil, en réfléchissant sur cet obstacle, a cru découvrir que cette froideur n'était point dans l'essence de l'Ode, mais seulement dans la forme que lui ont jusqu'ici donnée les poètes lyriques. Il lui a semblé que la cause de cette monotonie était dans l'abus des apostrophes, des exclamations, des prosopopées, et autres figures véhémentes que l'on prodiguait dans l'Ode; moyens de chaleur qui glacent lorsqu'ils sont multipliés et étourdissent au lieu d'émouvoir. Il a donc pensé que, si l'on plaçait le mouvement de l'Ode dans les idées plutôt que dans les mots, si de plus on en essayait la composition sur une idée fondamentale quelconque qui fût appropriée au sujet, et dont le développement s'appuyât dans toutes ses parties sur le développement de l'événement qu'elle raconterait, en substituant aux couleurs usées et fausses de la mythologie païenne, les couleurs neuves et vraies de la théogonie chrétienne, on pourrait jeter dans l'Ode quelque chose de l'intérêt du drame, et lui faire parler en outre ce langage austère, consolant et religieux, dont a besoin une vieille société qui sort encore toute chancelante des saturnales de l'athéisme et de l'anarchie.

Voilà ce que l'auteur de ce livre a tenté, mais sans se flatter du succès; voilà ce qu'il ne pouvait dire à la première édition de son recueil, de peur que l'exposé de ses doctrines ne parût la défense de ses ouvrages. Il peut, aujourd'hui que ses Odes ont subi l'épreuve hasardeuse de la publication, livrer au lecteur la pensée qui les a inspirées, et qu'il a eu la satisfaction de voir déjà, sinon approuvée, du moins comprise en partie. Au reste, ce qu'il désire avant tout, c'est qu'on ne lui croie pas la prétention de frayer une route ou de créer un genre.

La plupart des idées qu'il vient d'énoncer s'appliquent principalement aux sujets historiques traités dans ce recueil; mais le lecteur pourra, sans qu'on s'étende davantage, remarquer dans le reste le même but littéraire et un semblable système de composition.

On arrêtera ici ces observations préliminaires qui exigeraient un volume de développement, et auxquelles on ne fera peut-être pas attention; mais il faut toujours parler comme si l'on devait être entendu, écrire comme si l'on devait être lu, et penser comme si l'on devait être médité.

Décembre 1822.

1824

Voici de nouvelles preuves pour ou contre le système de composition lyrique indiqué ailleurs * par l'auteur de ces *Odes*. Ce n'est pas sans une défiance extrême qu'il les présente à l'examen des gens de goût; car, s'il croit à des théories nées d'études consciencieuses et de méditations assidues, d'un autre côté, il croit fort peu à son talent. Il prie donc les hommes éclairés de vouloir bien ne pas étendre jusqu'à ses doctrines littéraires l'arrêt qu'ils seront sans doute fondés à prononcer contre ses essais poétiques. Aristote n'est-il pas innocent des tragédies de l'abbé d'Aubignac ?

Cependant, malgré son obscurité, il a déjà eu la douleur de voir ses principes littéraires, qu'il croyait irréprochables, calomniés ou du moins mal interprétés. C'est ce qui le détermine aujourd'hui à fortifier cette publication nouvelle d'une déclaration simple et loyale, laquelle le mette à l'abri de tout soupçon d'hérésie dans la querelle qui divise aujourd'hui le public lettré. Il y a maintenant deux partis dans la littérature comme dans l'état et la guerre poétique ne paraît pas devoir être moins acharnée que la guerre sociale n'est furieuse. Les deux camps semblent plus impatients de combattre que de traiter. Ils s'obstinent à ne vouloir point parler la même langue; ils n'ont d'autre langage que le mot d'ordre à l'intérieur et le cri de guerre à l'extérieur. Ce n'est pas le moyen de s'entendre.

Quelques voix importantes néanmoins se sont élevées, depuis quelque temps, parmi les clameurs des deux armées. Des conciliateurs se sont présentés avec de sages paroles entre les deux fronts d'attaque. Ils seront peut-

* Voyez la note précédente.

être les premiers immolés, mais n'importe! C'est dans leurs rangs que l'auteur de ce livre veut être placé, dût-il y être confondu. Il discutera, sinon avec la même autorité, du moins avec la même bonne foi. Ce n'est pas qu'il ne s'attende aux imputations les plus étranges, aux accusations les plus singulières. Dans le trouble où sont les esprits, le danger de parler est plus grand encore que celui de se taire; mais quand il s'agit d'éclairer et d'être éclairé, il faut regarder où est le devoir, et non où est le péril; il se résigne donc. Il agitera, sans hésitation, les questions les plus redoutées, et, comme le petit enfant thébain, il osera secouer la peau du lion.

Et d'abord, pour donner quelque dignité à cette discussion impartiale, dans laquelle il cherche la lumière bien plus qu'il ne l'apporte, il répudie tous ces termes de convention que les partis se rejettent réciproquement comme des ballons vides, signes sans signification, expressions sans expression, mots vagues que chacun définit au besoin de ses haines ou de ses préjugés, et qui ne servent de raisons qu'à ceux qui n'en ont pas. Pour lui, il ignore profondément ce que c'est que le *genre classique* et que le *genre romantique*. Selon une femme de génie, qui, la première, a prononcé le mot de *littérature romantique* en France, *cette division se rapporte aux deux grandes ères du monde, celle qui a précédé l'établissement du christianisme et celle qui l'a suivi* *. D'après le sens littéral de cette explication, il semble que le *Paradis perdu* serait un poème *classique* et la *Henriade* une œuvre *romantique*. Il ne paraît pas démontré que les deux mots importés par Madame de Staël soient aujourd'hui compris de cette façon.

En littérature, comme en toute chose, il n'y a que le bon et le mauvais, le beau et le difforme, le vrai et le faux. Or, sans établir ici de comparaisons qui exigeraient des restrictions et des développements, le *beau* ** dans Shakespeare est tout aussi classique (si *classique* signifie digne d'être étudié) que le *beau* dans Racine; et le *faux* dans Voltaire est tout aussi romantique (si *romantique* veut dire mauvais) que le *faux* dans Calderon. Ce sont là de ces vérités naïves qui ressemblent plus encore à des pléonasmes qu'à des axiomes; mais où n'est-on pas obligé de descendre pour convaincre l'entêtement et pour déconcerter la mauvaise foi?

---

* *De l'Allemagne.*
** Il est inutile de déclarer que cette expression est employée ici dans toute son étendue.

On objectera peut-être ici que les deux mots de guerre ont depuis quelque temps changé encore d'acception, et que certains critiques sont convenus d'honorer désormais du nom de *classique* toute production de l'esprit antérieure à notre époque, tandis que la qualification de *romantique* serait spécialement restreinte à cette littérature qui grandit et se développe avec le dix-neuvième siècle. Avant d'examiner en quoi cette littérature est propre à notre siècle, on demande en quoi elle peut avoir mérité ou encouru une désignation exceptionnelle. Il est reconnu que chaque littérature s'empreint plus ou moins profondément du ciel, des mœurs et de l'histoire du peuple dont elle est l'expression. Il y a donc autant de littératures diverses qu'il y a de sociétés différentes. David, Homère, Virgile, Le Tasse, Milton et Corneille, ces hommes, dont chacun représente une poésie et une nation, n'ont de commun entre eux que le génie. Chacun d'eux a exprimé et a fécondé la pensée publique dans son pays et dans son temps. Chacun d'eux a créé pour sa sphère sociale un monde d'idées et de sentiments approprié au mouvement et à l'étendue de cette sphère. Pourquoi donc envelopper d'une désignation vague et collective ces créations qui, pour être toutes animées de la même âme, la vérité, n'en sont pas moins dissemblables et souvent contraires dans leurs formes, dans leurs éléments et dans leurs natures ? Pourquoi en même temps cette contradiction bizarre de décerner à une autre littérature, expression imparfaite encore d'une époque encore incomplète, l'honneur ou l'outrage d'une qualification également vague, mais exclusive, qui la sépare des littératures qui l'ont précédée ? Comme si elle ne pouvait être pesée que dans l'autre plateau de la balance ! Comme si elle ne devait être inscrite que sur le revers du livre ! D'où lui vient ce nom de *romantique ?* Est-ce que vous lui avez découvert quelque rapport bien évident et bien intime avec la langue *romance* ou *romane ?* Alors expliquez-vous ; examinons la valeur de cette allégation ; prouvez d'abord qu'elle est fondée ; il vous restera ensuite à démontrer qu'elle n'est pas insignifiante.

Mais on se garde fort aujourd'hui d'entamer de ce côté une discussion qui pourrait n'enfanter que le *ridiculus mus ;* on veut laisser à ce mot de *romantique* un certain vague fantastique et indéfinissable qui en redouble l'horreur. Aussi, tous les anathèmes lancés contre d'illustres écrivains et poètes contemporains peuvent-ils se réduire à cette argumentation : « — Nous condamnons la littérature du dix-neuvième siècle, parce qu'elle est *romantique*... — Et pourquoi est-elle *romantique* ? — Parce qu'elle est la littérature du dix-neuvième siècle. » — On ose affirmer ici, après un mûr examen, que l'évidence d'un tel raisonnement ne paraît pas absolument incontestable.

Abandonnons enfin cette question de mots, qui ne peut suffire qu'aux esprits superficiels dont elle est le risible labeur. Laissons en paix la procession des rhéteurs et des pédagogues apporter gravement de l'eau claire au tonneau vide. Souhaitons longue haleine à tous ces pauvres Sisyphes essoufflés, qui vont roulant et roulant sans cesse leur pierre au haut d'une butte;

> *Palus inamabilis unda*
> *Alligat, et novies Styx interfusa coercet.*

Passons, et abordons la question de choses, car la frivole querelle des *romantiques* et des *classiques* n'est que la parodie d'une importante discussion, qui occupe aujourd'hui les esprits judicieux et les âmes méditatives. Quittons donc la *Batrachomyomachie* pour l'*Iliade*. Ici du moins les adversaires peuvent espérer de s'entendre, parce qu'ils en sont dignes. Il y a une discordance absolue entre les rats et les grenouilles, tandis qu'un intime rapport de noblesse et de grandeur existe entre Achille et Hector.

Il faut en convenir, un mouvement vaste et profond travaille intérieurement la littérature de ce siècle. Quelques hommes distingués s'en étonnent, et il n'y a précisément dans tout cela d'étonnant que leur surprise. En effet, si après une révolution politique qui a frappé la société dans toutes ses sommités et dans toutes ses racines, qui a touché à toutes les gloires et à toutes les infamies, qui a tout désuni et tout mêlé, au point d'avoir dressé l'échafaud à l'abri de la tente, et mis la hache sous la garde du glaive; après une commotion effrayante qui n'a rien laissé dans le cœur des hommes qu'elle n'ait remué, rien dans l'ordre des choses qu'elle n'ait déplacé; si, disonsnous, après un si prodigieux événement, nul changement n'apparaissait dans l'esprit et dans le caractère d'un peuple, n'est-ce pas alors qu'il faudrait s'étonner, et d'un étonnement sans bornes ?... — Ici se présente une objection spécieuse et déjà développée avec une conviction respectable par des hommes de talent et d'autorité. C'est précisément, disent-ils, parce que cette *révolution littéraire* est le résultat de notre *révolution politique*, que nous en déplorons le

triomphe, que nous en condamnons les œuvres. — Cette
conséquence ne paraît pas juste. La littérature actuelle
peut être en partie le *résultat* de la révolution, sans en être
l'*expression*. La société, telle que l'avait faite la révolution,
a eu sa littérature, hideuse et inepte comme elle. Cette
littérature et cette société sont mortes ensemble et ne
revivront plus. L'ordre renaît de toutes parts dans les
institutions ; il renaît également dans les lettres. La religion
consacre la liberté ; nous avons des citoyens. La foi épure
l'imagination ; nous avons des poètes. La vérité revient
partout, dans les mœurs, dans les lois, dans les arts. La
littérature nouvelle est vraie. Et qu'importe qu'elle soit le
résultat de la révolution ? La moisson est-elle moins belle,
parce qu'elle a mûri sur le volcan ? Quel rapport trouvez-
vous entre les laves qui ont consumé votre maison et
l'épi de blé qui vous nourrit ?

Les plus grands poètes du monde sont venus après
de grandes calamités publiques. Sans parler des chantres
sacrés, toujours inspirés par des malheurs passés ou futurs,
nous voyons Homère apparaître après la chute de Troie
et les catastrophes de l'Argolide ; Virgile après le trium-
virat. Jeté au milieu des discordes des Guelfes et des
Gibelins, Dante avait été proscrit avant d'être poète.
Milton rêvait Satan chez Cromwell. Le meurtre de
Henri IV précéda Corneille. Racine, Molière, Boileau,
avaient assisté aux orages de la Fronde. Après la révolution
française, Chateaubriand s'élève, et la proportion est
gardée.

Et ne nous étonnons point de cette liaison remarquable
entre les grandes époques politiques et les belles époques
littéraires. La marche sombre et imposante des événements par lesquels le pouvoir d'en haut se manifeste aux
pouvoirs d'ici-bas, l'unité éternelle de leur cause, l'accord
solennel de leurs résultats, ont quelque chose qui frappe
profondément la pensée. Ce qu'il y a de sublime et d'immortel dans l'homme se réveille comme en sursaut, au
bruit de toutes ces voix merveilleuses qui avertissent de
Dieu. L'esprit des peuples, en un religieux silence, entend
longtemps retentir de catastrophe en catastrophe la parole
mystérieuse qui témoigne dans les ténèbres :

Admonet, et magna testatur voce per umbras.

Quelques âmes choisies recueillent cette parole et s'en
fortifient. Quand elle a cessé de tonner dans les événements, elles la font éclater dans leurs inspirations, et c'est

ainsi que les enseignements célestes se continuent par des chants. Telle est la mission du génie; ses élus sont *ces sentinelles laissées par le Seigneur sur les tours de Jérusalem, et qui ne se tairont ni jour ni nuit.*

La littérature présente, telle que l'ont créée les Chateaubriand, les Staël, les Lamennais, n'appartient donc en rien à la révolution. De même que les écrits sophistiques et déréglés des Voltaire, des Diderot et des Helvétius, ont été d'avance l'expression des innovations sociales écloses dans la décrépitude du dernier siècle, la littérature actuelle, que l'on attaque avec tant d'instinct d'un côté et si peu de sagacité de l'autre, est l'expression anticipée de la société religieuse et monarchique qui sortira sans doute du milieu de tant d'anciens débris, de tant de ruines récentes. Il faut le dire et le redire, ce n'est pas un besoin de nouveauté qui tourmente les esprits, c'est un besoin de vérité; et il est immense.

Ce besoin de vérité, la plupart des écrivains supérieurs de l'époque tendent à le satisfaire. Le goût, qui n'est autre chose que l'*autorité* en littérature, leur a enseigné que leurs ouvrages, vrais pour le fond, devaient être également vrais dans la forme; sous ce rapport, ils ont fait faire un pas à la poésie. Les écrivains des autres peuples et des autres temps, même les admirables poètes du grand siècle, ont trop souvent oublié, dans l'exécution, le principe de vérité dont ils vivifiaient leur composition. On rencontre fréquemment dans leurs plus beaux passages des détails empruntés à des mœurs, à des religions ou à des époques trop étrangères au sujet. Ainsi *l'horloge* qui, au grand amusement de Voltaire, désigne au Brutus de Shakespeare l'heure où il doit frapper César, cette *horloge*, qui existait, comme on voit, bien avant qu'il y eût des horlogers, se retrouve, au milieu d'une brillante description des dieux mythologiques, placée par Boileau *à la main du Tems.* Le *canon*, dont Calderon arme les soldats d'Héraclius et Milton les archanges de ténèbres, est tiré, dans l'*Ode sur Namur*, par *dix mille vaillans Alcides* qui en font *pétiller les remparts.* Et certes, puisque les *Alcides* du législateur du Parnasse tirent du canon, le *Satan* de Milton peut, à toute force, considérer cet anachronisme comme de *bonne guerre.* Si dans un siècle littéraire encore barbare, le père Lemoyne, auteur d'un poème de *Saint Louis*, fait *sonner les vespres siciliennes* par *les cors des noires Euménides*, un âge éclairé nous montre J.-B. Rousseau envoyant (dans son *Ode au comte de Luc*, dont le mouvement lyrique est fort remarquable) un *prophète fidèle jusque chez les dieux interroger le Sort ;* et en trouvant fort ridicules les *Néréides* dont Camoëns obsède les compagnons de Gama, on désirerait, dans le célèbre *Passage du Rhin* de Boileau *, voir autre chose que des *naïades craintives* fuir devant Louis, par la grâce de Dieu, roi de France et de Navarre, accompagné de ses maréchaux-des-camps-et-armées.

Des citations de ce genre se prolongeraient à l'infini, mais il est inutile de les multiplier. Si de pareilles fautes de vérité se présentent fréquemment dans nos meilleurs auteurs, il faut se garder de leur en faire un crime. Ils auraient pu sans doute se borner à étudier les formes pures des divinités grecques, sans leur emprunter leurs attributs païens. Lorsqu'à Rome on voulut convertir en *Saint Pierre* un *Jupiter Olympien*, on commença du moins par ôter au maître du tonnerre l'aigle qu'il foulait sous ses pieds. Mais quand on considère les immenses services rendus à la langue et aux lettres par nos premiers grands poètes, on s'humilie devant leur génie, et on ne se sent pas la force de leur reprocher un défaut de goût. Certainement ce défaut a été bien funeste, puisqu'il a introduit en France je ne sais quel genre faux, qu'on a fort bien nommé le *genre scolastique*, genre qui est au *classique* ce que la superstition et le fanatisme sont à la religion, et qui ne contrebalance aujourd'hui le triomphe de la vraie poésie que par l'autorité respectable des illustres maîtres chez lesquels il trouve malheureusement des modèles. On a rassemblé ci-dessus quelques exemples pareils entre eux de ce faux goût, empruntés à la fois aux écrivains les plus opposés, à ceux que les scolastiques appellent *classiques* et à ceux qu'ils qualifient de *romantiques;* on espère par là faire voir que si Calderon a pu pécher par excès d'ignorance, Boileau a pu faillir aussi par excès de science; et que si, lorsqu'on étudie les écrits de ce dernier, on doit suivre religieusement les règles

* Les personnes de bonne foi comprendront aisément pourquoi nous citons ici fréquemment le nom de Boileau. Les fautes de goût, dans un homme d'un goût aussi pur, ont quelque chose de frappant qui les rend d'un utile exemple. Il faut que l'absence de vérité soit bien contraire à la poésie, puisqu'elle dépare même les vers de Boileau. Quant aux critiques malveillants, qui voudraient voir dans ces citations un manque de respect à un grand nom, ils sauront que nul ne pousse plus loin que l'auteur de ce livre l'estime pour cet excellent esprit. Boileau partage avec notre Racine le mérite *unique* d'avoir fixé la langue française, ce qui suffirait pour prouver que lui aussi avait un *génie créateur*.

imposées au langage par le critique *, il faut en même temps se garder scrupuleusement d'adopter les fausses couleurs employées quelquefois par le poète.

Et remarquons en passant que, si la littérature du grand siècle de Louis le Grand eût invoqué le christianisme au lieu d'adorer les dieux païens, si ses poètes eussent été ce qu'étaient ceux des temps primitifs, des prêtres chantant les grandes choses de leur religion et de leur patrie, le triomphe des doctrines sophistiques du dernier siècle eût été beaucoup plus difficile, peut-être même impossible. Aux premières attaques des novateurs, la religion et la morale se fussent réfugiées dans le sanctuaire des lettres, sous la garde de tant de grands hommes. Le goût national, accoutumé à ne point séparer les idées de religion et de poésie, eût répudié tout essai de poésie irréligieuse, et flétri cette monstruosité non moins comme un sacrilège littéraire que comme un sacrilège social. Qui peut calculer ce qui fût arrivé de la *philosophie*, si la cause de Dieu, défendue en vain par la vertu, eût été aussi plaidée par le génie ? Mais la France n'eut pas ce bonheur; ses poètes nationaux étaient presque tous des poètes païens; et notre littérature était plutôt l'expression d'une société idolâtre et démocratique que d'une société monarchique et chrétienne. Aussi les philosophes parvinrent-ils, en moins d'un siècle, à chasser des cœurs une religion qui n'était pas dans les esprits.

C'est surtout à réparer le mal fait par les sophistes que doit s'attacher aujourd'hui le poète. Il doit marcher devant

---

* Insistons sur ce point afin d'ôter tout prétexte aux *malvoyans*. S'il est utile et parfois nécessaire de rajeunir quelques tournures usées, de renouveler quelques vieilles expressions, et peut-être d'essayer encore d'embellir notre versification par la plénitude du mètre et la pureté de la rime, on ne saurait trop répéter que là doit s'arrêter l'esprit de perfectionnement. Toute innovation contraire à la nature de notre prosodie et au génie de notre langue doit être signalée comme un attentat aux premiers principes du goût.

Après une si franche déclaration, il sera sans doute permis de faire observer ici aux *hypercritiques* que le vrai talent regarde avec raison les règles comme la limite qu'il ne faut jamais franchir, et non comme le sentier qu'il faut toujours suivre. Elles rappellent incessamment la pensée vers un centre unique, le *beau*; mais elles ne la circonscrivent pas. Les règles sont en littérature ce que sont les lois en morale : elles ne peuvent tout prévoir. Un homme ne sera jamais réputé vertueux, parce qu'il aura borné sa conduite à l'observance du Code. Un poète ne sera jamais réputé grand, parce qu'il se sera contenté d'écrire suivant les règles. La morale ne résulte pas des lois, mais de la religion et de la vertu. La littérature ne vit pas seulement par le goût; il faut qu'elle soit vivifiée par la poésie et fécondée par le génie.

les peuples comme une lumière et leur montrer le chemin. Il doit les ramener à tous les grands principes d'ordre, de morale et d'honneur; et pour que sa puissance leur soit douce, il faut que toutes les fibres du cœur humain vibrent sous ses doigts comme les cordes d'une lyre. Il ne sera jamais l'écho d'aucune parole, si ce n'est de celle de Dieu. Il se rappellera toujours ce que ses prédécesseurs ont trop oublié, que lui aussi il a une religion et une patrie. Ses chants célébreront sans cesse les gloires et les infortunes de son pays, les austérités et les ravissements de son culte, afin que ses aïeux et ses contemporains recueillent quelque chose de son génie et de son âme, et que, dans la postérité, les autres peuples ne disent pas de lui : « Celui-là chantait dans une terre barbare. »

In qua scribebat, barbara terra fuit!

Février 1824.

Pour la première fois, l'auteur de ce recueil de compositions lyriques, dont les *Odes et Ballades* forment le troisième volume, a cru devoir séparer les genres de ces compositions par une division marquée.

Il continue à comprendre sous le titre d'*Odes* toute inspiration purement religieuse, toute étude purement antique, toute traduction d'un événement contemporain ou d'une impression personnelle. Les pièces qu'il intitule *Ballades* ont un caractère différent; ce sont des esquisses d'un genre capricieux : tableaux, rêves, scènes, récits, légendes superstitieuses, traditions populaires. L'auteur en les composant a essayé de donner quelque idée de ce que pouvaient être les poèmes des premiers troubadours du Moyen Age, de ces rapsodes chrétiens qui n'avaient au monde que leur épée et leur guitare, et s'en allaient de château en château, payant l'hospitalité avec des chants.

S'il n'y avait beaucoup trop de pompe dans ces expressions, l'auteur dirait, pour compléter son idée, qu'il a mis plus de son âme dans les *Odes*, plus de son imagination dans les *Ballades*.

Au reste, il n'attache pas à ces classifications plus d'importance qu'elles n'en méritent. Beaucoup de personnes, dont l'opinion est grave, ont dit que ses *Odes* n'étaient pas des odes; soit. Beaucoup d'autres diront sans doute, avec non moins de raison, que ses *Ballades* ne sont pas des ballades; passe encore. Qu'on leur donne tel autre titre qu'on voudra; l'auteur y souscrit d'avance.

A cette occasion, mais en laissant absolument de côté ses propres ouvrages, si imparfaits et si incomplets, il hasardera quelques réflexions.

On entend tous les jours, à propos de productions

littéraires, parler de la *dignité* de tel genre, des *convenances*
de tel autre, des *limites* de celui-ci, des *latitudes* de celui-là;
la *tragédie* interdit ce que le *roman* permet; la *chanson*
tolère ce que l'*ode* défend, etc. L'auteur de ce livre a le
malheur de ne rien comprendre à tout cela; il y cherche
des choses et n'y voit que des mots; il lui semble que ce
qui est réellement beau et vrai, est beau et vrai partout;
que ce qui est dramatique dans un roman sera dramatique
sur la scène; que ce qui est lyrique dans un couplet sera
lyrique dans une strophe; qu'enfin et toujours la seule
distinction véritable dans les œuvres de l'esprit est celle
du bon et du mauvais. La pensée est une terre vierge et
féconde dont les productions veulent croître librement,
et pour ainsi dire au hasard, sans se classer, sans s'aligner
en plates-bandes comme les bouquets dans un jardin
classique de Le Nôtre, ou comme les fleurs du langage
dans un traité de rhétorique.

Il ne faut pas croire pourtant que cette liberté doive
produire le désordre; bien au contraire. Développons
notre idée. Comparez un moment au jardin royal de
Versailles, bien nivelé, bien taillé, bien nettoyé, bien
ratissé, bien sablé, tout plein de petites cascades, de
petits bassins, de petits bosquets, de tritons de bronze
folâtrant en cérémonie sur des océans pompés à grands
frais dans la Seine, de faunes de marbre courtisant les
dryades allégoriquement renfermées dans une multitude
d'ifs coniques, de lauriers cylindriques, d'orangers sphé-
riques, de myrtes elliptiques, et d'autres arbres dont la
forme naturelle, trop triviale sans doute, a été gracieuse-
ment corrigée par la serpette du jardinier; comparez ce
jardin si vanté à une forêt primitive du Nouveau-Monde,
avec ses arbres géants, ses hautes herbes, sa végétation
profonde, ses mille oiseaux de mille couleurs, ses larges
avenues où l'ombre et la lumière ne se jouent que sur
de la verdure, ses sauvages harmonies, ses grands fleuves
qui charrient des îles de fleurs, ses immenses cataractes
qui balancent des arcs-en-ciel! Nous ne dirons pas:
Où est la magnificence? où est la grandeur? où est la
beauté? mais simplement: Où est l'ordre? où est le
désordre? Là, des eaux captives ou détournées de leur
cours, ne jaillissant que pour croupir; des dieux pétrifiés,
des arbres transplantés de leur sol natal, arrachés de leur
climat, privés même de leur forme, de leurs fruits, et
forcés de subir les grotesques caprices de la serpe et du
cordeau; partout enfin l'ordre naturel contrarié, interverti,

bouleversé, détruit. Ici, au contraire, tout obéit à une loi
invariable; un Dieu semble vivre en tout. Les gouttes
d'eau suivent leur pente et font des fleuves qui feront des
mers; les semences choisissent leur terrain et produisent
une forêt. Chaque plante, chaque arbuste, chaque arbre
naît dans sa saison, croît en son lieu, produit son fruit,
meurt à son temps. La ronce même y est belle. Nous le
demandons encore : Où est l'ordre ?

Choisissez donc du chef-d'œuvre du jardinage ou de
l'œuvre de la nature, de ce qui est beau de convention
ou de ce qui est beau sans les règles, d'une littérature
artificielle ou d'une poésie originale!

On nous objectera que la forêt vierge cache dans ses
magnifiques solitudes mille animaux dangereux, et que
les bassins marécageux du jardin français recèlent tout
au plus quelques bêtes insipides. C'est un malheur sans
doute; mais à tout prendre, nous aimons mieux un cro-
codile qu'un crapaud; nous préférons une barbarie de
Shakespeare à une ineptie de Campistron.

Ce qu'il est très important de fixer, c'est qu'en littérature comme en politique l'ordre se concilie merveilleu-
sement avec la liberté; il en est même le résultat. Au reste,
il faut bien se garder de confondre l'ordre avec la régularité. La régularité ne s'attache qu'à la forme extérieure;
l'ordre résulte du fond même des choses, de la disposition intelligente des éléments intimes d'un sujet. La régularité est une combinaison matérielle et purement
humaine; l'ordre est pour ainsi dire divin. Ces deux qualités si diverses dans leur essence marchent fréquemment
l'une sans l'autre. Une cathédrale gothique présente un
ordre admirable dans sa naïve irrégularité; nos édifices
français modernes, auxquels on a si gauchement appliqué
l'architecture grecque ou romaine, n'offrent qu'un désordre
régulier. Un homme ordinaire pourra toujours faire un
ouvrage régulier; il n'y a que les grands esprits qui
sachent ordonner une composition. Le créateur qui voit
de haut ordonne; l'imitateur qui regarde de près régu-
larise; le premier procède selon la loi de sa nature, le
dernier suivant les règles de son école. L'art est une
inspiration pour l'un; il n'est qu'une science pour l'autre.
En deux mots, et nous ne nous opposons pas à ce qu'on
juge d'après cette observation les deux littératures dites
classique et *romantique*, la régularité est le goût de la
médiocrité, l'ordre est le goût du génie.

Il est bien entendu que la liberté ne doit jamais être

l'anarchie; que l'originalité ne peut en aucun cas servir
de prétexte à l'incorrection. Dans une œuvre littéraire,
l'exécution doit être d'autant plus irréprochable que la
conception est plus hardie. Si vous voulez avoir raison
autrement que les autres, vous devez avoir dix fois raison.
Plus on dédaigne la rhétorique, plus il sied de respecter
la grammaire. On ne doit détrôner Aristote que pour faire
régner Vaugelas; et il faut aimer l'*Art poétique* de Boileau,
sinon pour les préceptes, du moins pour le style. Un
écrivain qui a quelque souci de la postérité cherchera
sans cesse à purifier sa diction, sans effacer toutefois le
caractère particulier par lequel son expression révèle
l'individualité de son esprit. Le néologisme n'est d'ailleurs
qu'une triste ressource pour l'impuissance. Des fautes de
langue ne rendront jamais une pensée, et le style est comme
le cristal : sa pureté fait son éclat.

L'auteur de ce recueil développera peut-être ailleurs
tout ce qui n'est ici qu'indiqué. Qu'il lui soit permis de
déclarer avant de terminer que l'esprit d'imitation,
recommandé par d'autres comme le salut des écoles, lui
a toujours paru le fléau de l'art; et il ne condamnerait
pas moins l'imitation qui s'attache aux écrivains dits
romantiques que celle dont on poursuit les auteurs dits
classiques. Celui qui imite un poète *romantique* devient
nécessairement un *classique*, puisqu'il imite*. Que vous
soyez l'écho de Racine ou le reflet de Shakespeare, vous
n'êtes toujours qu'un écho et qu'un reflet. Quand vous
viendrez à bout de calquer exactement un homme de
génie, il vous manquera toujours son originalité, c'est-à-
dire son génie. Admirons les grands maîtres; ne les imi-
tons pas. Faisons autrement. Si nous réussissons, tant
mieux; si nous échouons, qu'importe ?

Il existe certaines eaux qui, si vous y plongez une
fleur, un fruit, un oiseau, ne vous les rendent, au bout
de quelque temps, que revêtus d'une épaisse croûte de
pierre, sous laquelle on devine encore, il est vrai, leur
forme primitive; mais le parfum, la saveur, la vie, ont
disparu. Les pédantesques enseignements, les préjugés
scolastiques, la contagion de la routine, la manie d'imitation, produisent le même effet. Si vous y ensevelissez
vos facultés natives, votre imagination, votre pensée,
elles n'en sortiront pas. Ce que vous en retirerez conser-

---

* Ces mots sont employés ici dans l'acception à demi comprise,
bien que non définie, qu'on leur donne le plus généralement.

vera bien peut-être quelque apparence d'esprit, de talent, de génie; mais ce sera pétrifié.

A entendre des écrivains qui se proclament *classiques*, celui-là s'écarte de la route du vrai et du beau qui ne suit pas servilement les vestiges que d'autres y ont imprimés avant lui. Erreur! ces écrivains confondent la routine avec l'art; ils prennent l'ornière pour le chemin.

Le poète ne doit avoir qu'un modèle, la nature; qu'un guide, la vérité. Il ne doit pas écrire avec ce qui a été écrit, mais avec son âme et avec son cœur. De tous les livres qui circulent entre les mains des hommes, deux seuls doivent être étudiés par lui, Homère et la Bible. C'est que ces deux livres vénérables, les premiers de tous par leur date et par leur valeur, presque aussi anciens que le monde, sont eux-mêmes deux mondes pour la pensée. On y retrouve en quelque sorte la création tout entière considérée sous son double aspect, dans Homère par le génie de l'homme, dans la Bible par l'esprit de Dieu.

Octobre 1826.

NOTES

ODES

LIVRE PREMIER

LA VENDÉE. — ODE II

1.   « Autour du froid tombeau d'une épouse ou d'un frère,
         « Qui de nous n'a mené le deuil ? »

« Quel Français ignore aujourd'hui les cantiques funèbres ? Qui de nous n'a mené le deuil autour d'un tombeau, n'a fait retentir le cri des funérailles ? »   CHATEAUBRIAND. *Martyrs.*

2.   Elle a dit : « Dans ces temps, la France eut ses victimes
         « Mais la Vendée eut ses martyrs. »

Allusion à la belle Notice sur la Vendée, publiée dans *Le Conservateur* en 1819, par M. de Chateaubriand. C'est dans l'émotion de cette lecture que l'Ode fut composée, et publiée d'abord sous ce titre emphatique et vague : *Les Destins de la Vendée.*

3.   Ceux-là promèneront des os sans sépulture,
             Et cacheront leurs morts sous une terre obscure
                 Pour les dérober aux vivants.

La noble veuve de M. de Lescure emporta, dans sa voiture, le corps de son mari, et on l'enterra dans un coin de terre ignorée pour le soustraire aux outrages de l'exhumation.

4.   Grand Dieu! si toutefois, etc.

Cette strophe et la suivante renferment, sur des actes du ministère d'alors envers les Vendéens, des allusions devenues obscures aujourd'hui, et qui en 1819 n'étaient peut-être que trop claires pour le repos de l'auteur. Au reste, s'il ne les explique pas ici, c'est qu'il n'y a plus de danger à le faire, et que d'ailleurs ces passages sont trop empreints de colère de parti.

LES VIERGES DE VERDUN. — ODE III

5. Henriette, Hélène et Agathe Watrin, filles d'un officier supérieur, Barbe Henri, Sophie Tabouillot, et plusieurs autres jeunes filles de Verdun, furent traduites devant le tribunal révolutionnaire, comme coupables d'avoir présenté des fleurs aux Prussiens, lors de leur entrée en cette ville. Les trois premières, qui seules font le sujet de cette Ode, étaient accusées, en outre, d'avoir distribué de l'argent et des secours

aux émigrés. Une loi punissait de mort ce singulier genre de délit. Fouquier-Tinville, charmé de la beauté des trois jeunes filles, leur fit insinuer qu'il tairait cette dernière partie de l'accusation, si elles voulaient écouter des propositions injurieuses à leur honneur. Elles refusèrent, furent condamnées et traînées à la mort, avec vingt-neuf habitants de Verdun. La plus âgée de ces trois sœurs avait dix-sept ans.

Barbe Henri, Sophie Tabouillot et leurs compagnes, parmi lesquelles se trouvaient des enfants de treize à quatorze ans, furent condamnées au carcan et à vingt ans de détention à la Salpêtrière. Le Directoire leur rendit la liberté.

6.   C'est Tainville : on le voit, au nom de la patrie,
         Convier aux forfaits cette horde flétrie
                 D'assassins, juges à leur tour;
             Le besoin du sang le tourmente;
         Et sa voix homicide à la hache fumante
                 Désigne les têtes du jour!

Fouquier-Tinville, accusateur public, réunissait à cette horrible fonction le privilège non moins horrible de marquer les soixante ou quatre-vingts têtes qui devaient tomber chaque jour à Paris.

7.   Que faisaient nos guerriers ?... Leur vaillance trompée
         Prêtait au vil couteau le secours de l'épée;
             Ils sauvaient ces bourreaux qui souillaient leurs combats.
         Hélas! un même jour, jour d'opprobre et de gloire,
         Voyait Moreau monter au char de la victoire,
                 Et son père au char du trépas!

Moreau enlevait à des ennemis supérieurs en nombre l'île Cazan et le fort de l'Écluse, le jour où son vieux père marchait à l'échafaud.

8.   Verdun se revêtit de sa robe de fête
         Et, libre de ses fers, vint offrir sa conquête
                 Au monarque vengeur des rois!

Verdun brûlait d'ouvrir ses portes au roi de Prusse. L'intrépide commandant résista durant trois jours aux instances des habitants et aux menaces de Frédéric Guillaume. Forcé enfin de capituler, il se brûla la cervelle. Ce brave se nommait Beaurepaire. L'honneur français ne s'est jamais démenti dans les camps.

9.   Charlotte, autre Judith, qui vous vengea d'avance.

L'année précédente, Charlotte Corday avait tué Marat, l'un des représentants qui contribuèrent le plus puissamment à faire adopter la loi contre ceux qui secouraient les émigrés.

10.   Et Sombreuil, qui trahit par ses pâleurs soudaines
         Le sang glacé des morts circulant dans ses veines.

Mademoiselle de Sombreuil acheta le bonheur de sauver son père en buvant un verre de sang. Longtemps après encore, on l'a vue pâlir et tressaillir au seul souvenir de cet horrible et sublime effort, qui détruisit sa santé, et la laissa, pour sa vie, sujette à de douloureuses convulsions.

QUIBERON. — ODE IV

11. Après la prise du fort Penthièvre, les émigrés, commandés par le comte de Sombreuil, frère de l'illustre mademoiselle de Sombreuil, se virent poussés à l'extrémité de la presqu'île de Quiberon par les soldats de la Convention. Le général républicain, Hoche, craignit l'horrible carnage qui allait commencer de part et d'autre, les gentils-

hommes étant réduits au désespoir. Il proposa à Sombreuil de les traiter comme prisonniers de guerre, s'ils voulaient se rendre. Il ajouta que Sombreuil était le seul pour lequel il ne pût rien promettre. *Je mourrai volontiers*, répondit ce jeune homme, *si je puis sauver mes frères d'armes*. Se fiant à cette capitulation verbale, Sombreuil ordonna aux siens de mettre bas les armes. On observa le traité à son égard : il fut fusillé avec l'évêque de Dol. Mais on n'eut pas la même fidélité envers les émigrés faits prisonniers de guerre. Le cri d'horreur et de pitié qui s'élève aujourd'hui au seul nom de Quiberon dispense d'en dire davantage.

Au reste, ce n'est pas le nom du général Hoche qui reste souillé de cet attentat.

Les Vendéens ont donné le nom de *Prairie des Martyrs* à la plaine où ces vaillants gentilshommes furent fusillés par détachements, et les soldats de La Rochejaquelein viennent aujourd'hui en pèlerinage visiter les restes des compagnons de Sombreuil.

LE RÉTABLISSEMENT DE LA STATUE DE HENRI IV. — ODE VI

12.   Que dis-je ? Ils ont détruit sa statue adorée.
               Hélas ! cette horde égarée
               Mutilait l'airain renversé ;
        Et cependant, des morts souillant le saint asile,
        Leur sacrilège main demandait à l'argile
               L'empreinte de son front glacé.

La statue de Henri IV fut renversée à l'époque du 10 août. On sait que ce fut vers le même temps, qu'après avoir violé les tombes royales, on posa un masque de plâtre sur le visage de Henri exhumé, pour mouler ses traits.

13.   Assis près de la Seine, en mes douleurs amères,
            Je me disais : « La Seine arrose encore Ivry,
            « Et les flots sont passés où, du temps de nos pères,
            « Se peignaient les traits de Henri. »

Il y a ici une énorme faute d'histoire et de géographie. Cette ode fut composée au sortir du collège, et ce n'est pas là qu'on apprend la géographie et l'histoire.

14.   Où courez-vous ?...

Personne n'ignore l'enthousiasme avec lequel le peuple, le 13 août 1818, s'empara de la statue de Henri IV, et la traîna à force de bras au lieu où elle devait être élevée.

LA MORT DU DUC DE BERRY. — ODE VII

15.   Et tu seras semblable à la mère accablée,
            Qui s'assied sur sa couche et pleure inconsolée,
               Parce que son enfant n'est plus !

« *Et noluit consolari, quia non sunt.* »

16.   D'Enghien s'étonnera, dans les célestes sphères,
            De voir sitôt l'ami cher à ses jeunes ans,
        A qui le vieux Condé, prêt à quitter nos terres,
              Léguait ses devoirs bienfaisants.

On se rappelle que le prince de Condé recommandait en mourant à M. le duc de Berry l'honorable indigence de ses vieux compagnons d'armes.

LA NAISSANCE DU DUC DE BORDEAUX. — ODE VIII

17.   Lève-toi! Henri doit te plaire
                       Au sein du berceau populaire.
Le berceau donné par les halles de Bordeaux.

18.   Dis, qu'irais-tu chercher au lieu qui te vit naître,
           Princesse ? Parthénope outrage son vieux maître :
           L'étranger, qu'attiraient des bords exempts d'hivers,
           Voit Palerme en fureur, voit Messine en alarmes,
                       Et, plaignant la Sicile en armes,
           De ce funèbre Eden fuit les sanglantes mers!

A l'époque où cette ode fut publiée pour la première fois, la
révolution de Naples venait d'éclater.

LIVRE DEUXIÈME

LA BANDE NOIRE. — ODE III

19.   Quel Dieu leur inspira ces travaux intrépides ?
           Tout joyeux du néant par leurs soins découvert,
           Peut-être ils ne voulaient que des sépulcres vides,
                       Comme ils n'avaient qu'un ciel désert;
           Ou, domptant les respects dont la mort nous fascine,
                       Leur main peut-être, en sa racine,
                       Frappait quelque auguste arbrisseau;
           Et, courant en espoir à d'autres hécatombes,
           Leur sublime courage, en attaquant ces tombes,
                       S'essayait à vaincre un berceau.

On sait qu'à l'époque de notre Révolution, la violation des
tombes royales précéda les attentats régicides, dont le plus odieux
peut-être fut celui qui s'exécuta lentement et comme à plaisir sur un
enfant.

LA LIBERTÉ. — ODE VI

20.   Car mon luth est de ceux dont les voix importunes
                       Pleurent toutes les infortunes,
                       Bénissent toutes les vertus;
           Mes hymnes dévoués ne traînent point la chaîne
           Du vil gladiateur, mais ils vont dans l'arène
                       Du linceul des martyrs vêtus.

Les martyrs, condamnés aux bêtes, descendaient dans le cirque
couverts d'une tunique bleue.

LA GUERRE D'ESPAGNE. — ODE VII

21.   Des pas d'un conquérant l'Espagne encor fumante
           Pleurait, prostituée à notre liberté,
           Entre les bras sanglants de l'effroyable amante,
                       Sa royale virginité.

La Constitution des cortès était calquée sur notre constitution
de 1791. Selon nous, c'était là son tort.

LA MORT DE MADEMOISELLE DE SOMBREUIL. — ODE IX

22. Nous avons conservé ici à mademoiselle de Sombreuil (morte, en 1823, comtesse de *Villelume*) le nom qu'elle a illustré. Il est inutile de rien ajouter à ce nom. Il en dit assez, il en dit trop. Nous ne pouvons cependant nous empêcher de rappeler ici que la charité de madame de Villelume fut aussi admirable peut-être que l'héroïsme de mademoiselle de Sombreuil.

LIVRE TROISIÈME

LE SACRE DE CHARLES X. — ODE IV

23.   Elle vient, échappée aux profanations.

Le 6 octobre 1793, la sainte Ampoule qui depuis quatorze siècles, déposée dans le tombeau de saint Rémy, était en vénération dans l'église de Reims, fut brisée par un commissaire de la Convention sur le piédestal de la statue de Louis XV; mais des mains fidèles parvinrent à recueillir des fragments de la sainte Ampoule, et une partie du baume qu'elle renfermait, ainsi qu'il est constaté par un procès-verbal authentique, déposé au greffe du tribunal de Reims. (*Livre des prières et cérémonies du sacre*, publié par ordre de M. l'archevêque de Reims.)

24.   Charles sera sacré suivant l'ancien usage,
                  Comme Salomon, le roi sage,
                  Qui goûta les célestes mets,
              Quand Sadoch et Nathan d'un baume l'arrosèrent,
              Et s'approchant de lui, sur le front le baisèrent,
                  En disant : « Qu'il vive à jamais ! »

« *Unxerunt Salomonem Sadoch sacerdos et Nathan propheta regem in Sion,* » etc. (Prières du sacre.)

25.   Puis le Roi se prosterne, et les évêques disent :
                  « Seigneur, ayez pitié de nous ! »

Le roi se prosterne, et on récite les litanies :

LES ÉVÊQUES

            « Seigneur, ayez pitié de nous ! — *Kyrie eleison.* »
                      (*Cérémonial du sacre.*)

26. Nous vous louons, Seigneur; nous vous confessons Dieu !

« *Te Deum laudamus, te Dominum confitemur.* »
                              (Hymne d'actions de grâces.)

27.   Vous êtes Sabaoth, le Dieu de la victoire !
                  Les chérubins, remplis de gloire,
                  Vous ont proclamé Saint trois fois.

« *Tibi Cherubim et Seraphim incessabili voce proclamant :*
                  « *Sanctus, sanctus, sanctus,*
                  « *Dominus Deus Sabaoth.* »
                              (Hymne d'actions de grâces.)

28. *Devant ces grands témoins de la grandeur française,* etc.

L'auteur a essayé de caractériser dans cette strophe les princi-
pales cérémonies du sacre, la *préparation du saint-chrême*, la *consécra-
tion du roi*, le *couronnement*, la *bénédiction de l'épée*, la *tradition du
sceptre et de la main de justice*, la *bénédiction des gants*.

29.   Entre, ô peuple!...

Quand le roi est intronisé, on ouvre la porte au peuple et on
lâche les oiseaux, conformément aux vieilles traditions de ce royaume.

30.   Le voilà Prêtre et Roi!...

« *Tu es sacerdos in æternum secundum ordinem Melchisedech.* »
(Psaume 109.) L'Eglise appelle le roi l'*évêque du dehors ;* à la messe du
sacre, il communie sous les deux espèces.

31.   Il faut qu'il sacrifie...

« *Holocaustum tuum pingue fiat.* » (Psaume.)

32.   O Dieu! garde à jamais ce Roi qu'un peuple adore.

« *Domine, salvum fac regem !* » (Prière pour le roi.)

33.   Romps de ses ennemis les flèches et les dards!

« *Rumpe tela inimicorum.* » (Psaume.)

34. Qu'ils viennent du couchant, qu'ils viennent de l'aurore,
         Sur des coursiers ou sur des chars.

« *Hi in curribus, et hi in equis.* » (Prière pour le roi.)

A LA COLONNE DE LA PLACE VENDOME. — ODE VII

35. Mais non : l'Autrichien, dans sa fierté qu'il dompte,
         Est content, si leurs noms ne disent que sa honte.
         Il fait de sa défaite un titre à nos guerriers,
         Et, craignant des vainqueurs moins que des feudataires,
         Il pardonne aux fleurons de nos ducs militaires,
              Si ce ne sont que des lauriers.

L'Autriche refuse de reconnaître les titres qui semblent insti-
tuer des fiefs dans ses domaines; mais elle admet ceux qui rappellent
simplement *des victoires.*

LIVRE QUATRIÈME

MOÏSE SUR LE NIL. — ODE III

36.   Et ces jeunes beautés qu'elle effaçait encor,
         Quand la fille des Rois quittait ses voiles d'or,
              Croyaient voir naître la fille de l'Onde.

Les Egyptiens, comme les Grecs et les Tyriens, croyaient la
déesse de la Beauté née de l'écume des mers.

37.   Accours, toi qui de loin, dans un doute cruel,
         Suivais des yeux ton fils sur qui veillait le ciel.

La Bible dit que la mère de Moïse laissa sa fille au bord du fleuve
pour veiller sur le berceau; l'auteur a cru pouvoir supposer que la
mère était restée elle-même afin de remplir ce triste devoir.

LE GÉNIE. — ODE VI

38.   Les Grecs courbent leurs fronts serviles,
         Et le rocher des Thermopyles
         Porte les tours de leurs tyrans!

Il est inutile sans doute de rappeler au lecteur que la première publication de cette ode est antérieure au réveil héroïque de la Grèce.

39.   Tel l'oiseau du cap des Tempêtes
         Voit les nuages sur nos têtes
         Rouler leurs flots séditieux;
         Pour lui, loin des bruits de la terre,
         Bercé par son vol solitaire,
         Il va s'endormir dans les cieux.

L'albatros dort en volant.

LIVRE CINQUIÈME

MON ENFANCE. — ODE IX

40.   Je visitai cette île en noirs débris féconde,
         Plus tard premier degré d'une chute profonde.

L'île d'Elbe, où l'on trouve une foule de vestiges volcaniques.

41.   De loin, pour un tombeau, je pris l'Escurial;
         Et le triple aqueduc vit s'incliner ma tête
         Devant son front impérial.

Le célèbre aqueduc romain de Ségovie, où l'on admire trois rangs superposés d'arcades de granit.

BALLADES

LES DEUX ARCHERS. — BALLADE VIII

LA LÉGENDE DE LA NONNE. — BALLADE XIII

42. M. Louis Boulanger, à qui ces deux ballades sont dédiées, s'est placé bien jeune au premier rang de cette nouvelle génération de peintres qui promet d'élever notre école au niveau des magnifiques écoles d'Italie, d'Espagne, de Flandre et d'Angleterre. La réputation de M. Boulanger s'appuie déjà sur beaucoup d'œuvres du premier ordre, entre lesquelles nous rappellerons seulement le beau tableau de *Mazeppa*, si remarqué au dernier Salon, et cette gigantesque lithographie où il a jeté tant de vie, de réalité et de poésie sur la *Ronde du Sabbat*. L'auteur de ce recueil lui a donné ces deux ballades en signe d'admiration, de reconnaissance et d'amitié.

LA CHASSE DU BURGRAVE. — BALLADE XI

43. Le sujet de cette ballade, peut-être trop gothique de forme, est emprunté au *Recueil des traditions des bords du Rhin*.

LA FÉE ET LA PÉRI. — BALLADE XV

44.   Epouvantant les nuits d'une trompeuse aurore,
           Là souvent à ma voix un rouge météore
           Croise en voûte de feu ses gerbes dans les airs.

L'aurore boréale.

LES ORIENTALES

au seul d'une session P320. Moderate Martignac Ministry had pleased neither Royalists nor liberals. ch $\overline{X}$ opposition to his reforms foreshadowed reaction of '29 & ultra ministry of Polignac.

PRÉFACE

L'auteur de ce recueil n'est pas de ceux qui reconnaissent à la critique le droit de questionner le poète sur sa fantaisie, et de lui demander pourquoi il a choisi tel sujet, broyé telle couleur, cueilli à tel arbre, puisé à telle source. L'ouvrage est-il bon ou est-il mauvais ? Voilà tout le domaine de la critique. Du reste, ni louanges ni reproches pour les couleurs employées, mais seulement pour la façon dont elles sont employées. A voir les choses d'un peu haut, il n'y a en poésie ni bons ni mauvais sujets, mais de bons et de mauvais poètes. D'ailleurs, tout est sujet; tout relève de l'art; tout a droit de cité en poésie. Ne nous enquérons donc pas du motif qui vous a fait prendre ce sujet, triste ou gai, horrible ou gracieux, éclatant ou sombre, étrange ou simple, plutôt que cet autre. Examinons comment vous avez travaillé, non sur quoi et pourquoi.

Hors de là, la critique n'a pas de raison à demander, le poète pas de compte à rendre. L'art n'a que faire des lisières, des menottes, des bâillons; il vous dit : Va! et vous lâche dans ce grand jardin de poésie, où il n'y a pas de fruit défendu. L'espace et le temps sont au poète. Que le poète donc aille où il veut en faisant ce qui lui plaît : c'est la loi. Qu'il croie en Dieu ou aux dieux, à Pluton ou à Satan, à Canidie ou à Morgane, ou à rien; qu'il acquitte le péage du Styx, qu'il soit du sabbat; qu'il écrive en prose ou en vers, qu'il sculpte en marbre ou coule en bronze; qu'il prenne pied dans tel siècle ou dans tel climat; qu'il soit du midi, du nord, de l'occident, de l'orient; qu'il soit antique ou moderne; que sa muse soit une Muse ou une fée, qu'elle se drape de la colocasia ou s'ajuste la cotte-hardie. C'est à merveille. Le poète est libre. Mettons-nous à son point de vue, et voyons.

L'auteur insiste sur ces idées, si évidentes qu'elles

paraissent, parce qu'un certain nombre d'*Aristarques* n'en
est pas encore à les admettre pour telles. Lui-même, si peu
de place qu'il tienne dans la littérature contemporaine, il
a été plus d'une fois l'objet de ces méprises de la critique.
Il est advenu souvent qu'au lieu de lui dire simplement :
Votre livre est mauvais, on lui a dit : Pourquoi avez-vous
fait ce livre ? Pourquoi ce sujet ? Ne voyez-vous point
que l'idée première est horrible, grotesque, absurde (n'importe!) et que le sujet chevauche hors des *limites de l'art* ?
Cela n'est pas joli, cela n'est pas gracieux. Pourquoi ne
point traiter des sujets qui nous plaisent et nous agréent ?
les étranges caprices que vous avez là! etc., etc. A quoi il
a toujours fermement répondu : que ces caprices étaient
ses caprices ; qu'il ne savait pas en quoi étaient faites les
limites de l'art ; que de géographie précise du monde intel-
lectuel, il n'en connaissait point ; qu'il n'avait point encore
vu de cartes routières de l'art, avec les frontières du possible et de l'impossible tracées en rouge et en bleu ; qu'enfin
il avait fait cela, parce qu'il avait fait cela.

Si donc aujourd'hui quelqu'un lui demande à quoi bon
ces *Orientales* ? qui a pu lui inspirer de s'aller promener
en Orient pendant tout un volume ? que signifie ce livre
inutile de pure poésie, jeté au milieu des préoccupations
graves du public et au seuil d'une session ? Où est l'oppor-
tunité ? A quoi rime l'Orient... ? Il répondra qu'il n'en
sait rien, que c'est une idée qui lui a pris ; et qui lui a pris
d'une façon assez ridicule, l'été passé, en allant voir coucher
le soleil.

Il regrettera seulement que le livre ne soit pas meilleur.

Et puis, pourquoi n'en serait-il pas d'une littérature dans
son ensemble, et en particulier de l'œuvre d'un poète,
comme de ces belles vieilles villes d'Espagne, par exemple,
où vous trouvez tout : fraîche promenade d'orangers le
long d'une rivière ; larges places ouvertes au grand soleil
pour les fêtes ; rues étroites, tortueuses, quelquefois
obscures, où se lient les unes aux autres mille maisons
de toute forme, de tout âge, hautes, basses, noires, blanches,
peintes, sculptées ; labyrinthes d'édifices dressés côte à côte,
pêle-mêle, palais, hospices, couvents, casernes, tous divers,
tous portant leur destination écrite dans leur architecture ;
marchés pleins de peuple et de bruit ; cimetières où les
vivants se taisent comme les morts ; ici, le théâtre avec ses
clinquants, sa fanfare et ses oripeaux ; là-bas, le vieux gibet
permanent, dont la pierre est vermoulue, dont le fer est
rouillé, avec quelque squelette qui craque au vent ; — au

centre, la grande cathédrale gothique avec ses hautes
flèches tailladées en scies, sa large tour du bourdon, ses
cinq portails brodés de bas-reliefs, sa frise à jour comme
une collerette, ses solides arcs-boutants si frêles à l'œil;
et puis, ses cavités profondes, sa forêt de piliers à chapiteaux
bizarres, ses chapelles ardentes, ses myriades de saints
et de châsses, ses colonnettes en gerbes, ses rosaces, ses
ogives, ses lancettes qui se touchent à l'abside et en font
comme une cage de vitraux, son maître-autel aux mille
cierges; merveilleux édifice, imposant par sa masse, curieux
par ses détails, beau à deux lieues et beau à deux pas; —
et enfin, à l'autre bout de la ville, cachée dans les sycomores
et les palmiers, la mosquée orientale, aux dômes de cuivre
et d'étain, aux portes peintes, aux parois vernissées, avec
son jour d'en haut, ses grêles arcades, ses cassolettes qui
fument jour et nuit, ses versets du Koran sur chaque porte,
ses sanctuaires éblouissants, et la mosaïque de son pavé et
la mosaïque de ses murailles; épanouie au soleil comme
une large fleur pleine de parfums.

Certes, ce n'est pas l'auteur de ce livre qui réalisera
jamais un ensemble d'œuvres auquel puisse s'appliquer
la comparaison qu'il a cru pouvoir hasarder. Toutefois,
sans espérer que l'on trouve dans ce qu'il a déjà bâti
même quelque ébauche informe des monuments qu'il
vient d'indiquer, soit la cathédrale gothique, soit le théâtre,
soit encore le hideux gibet; si on lui demandait ce qu'il a
voulu faire ici, il dirait que c'est la mosquée.

Il ne se dissimule pas, pour le dire en passant, que bien
des critiques le trouveront hardi et insensé de souhaiter
pour la France une littérature qu'on puisse comparer à
une ville du Moyen Age. C'est là une des imaginations les
plus folles où l'on se puisse aventurer. C'est vouloir
hautement le désordre, la profusion, la bizarrerie, le mauvais goût. Qu'il vaut bien mieux une belle et correcte
nudité, de grandes murailles toutes *simples*, comme on dit,
avec quelques ornements sobres et de *bon goût :* des oves
et des volutes, un bouquet de bronze pour les corniches,
un nuage de marbre avec des têtes d'anges pour les voûtes,
une flamme de pierre pour les frises, et puis des oves et
des volutes. Le château de Versailles, la place Louis XV,
la rue de Rivoli : voilà. Parlez-moi d'une belle littérature
tirée au cordeau!

Les autres peuples disent : Homère, Dante, Shakespeare. Nous disons : Boileau.

Mais passons.

En y réfléchissant, si cela pourtant vaut la peine qu'on y réfléchisse, peut-être trouvera-t-on moins étrange la fantaisie qui a produit ces *Orientales*. On s'occupe aujourd'hui, et ce résultat est dû à mille causes qui toutes ont amené un progrès, on s'occupe beaucoup plus de l'Orient qu'on ne l'a jamais fait. Les études orientales n'ont jamais été poussées si avant. Au siècle de Louis XIV on était helléniste, maintenant on est orientaliste. Il y a un pas de fait. Jamais tant d'intelligences n'ont fouillé à la fois ce grand abîme de l'Asie. Nous avons aujourd'hui un savant cantonné dans chacun des idiomes de l'Orient, depuis la Chine jusqu'à l'Egypte.

Il résulte de tout cela que l'Orient, soit comme image, soit comme pensée, est devenu pour les intelligences autant que pour les imaginations une sorte de préoccupation générale à laquelle l'auteur de ce livre a obéi peut-être à son insu. Les couleurs orientales sont venues comme d'elles-mêmes empreindre toutes ses pensées, toutes ses rêveries; et ses rêveries et ses pensées se sont trouvées tour à tour, et presque sans l'avoir voulu, hébraïques, turques, grecques, persanes, arabes, espagnoles même, car l'Espagne c'est encore l'Orient; l'Espagne est à demi africaine, l'Afrique est à demi asiatique.

Lui s'est laissé faire à cette poésie qui lui venait. Bonne ou mauvaise, il l'a acceptée et en a été heureux. D'ailleurs il avait toujours eu une vive sympathie de poète, qu'on lui pardonne d'usurper un moment ce titre, pour le monde oriental. Il lui semblait y voir briller de loin une haute poésie. C'est une source à laquelle il désirait depuis longtemps se désaltérer. Là, en effet, tout est grand, riche, fécond, comme dans le Moyen Age, cette autre mer de poésie. Et, puisqu'il est amené à le dire ici en passant, pourquoi ne le dirait-il pas ? Il lui semble que jusqu'ici on a beaucoup trop vu l'époque moderne dans le siècle de Louis XIV et l'antiquité dans Rome et la Grèce : ne verrait-on pas de plus haut et plus loin, en étudiant l'ère moderne dans le moyen âge et l'antiquité dans l'Orient ?

Au reste, pour les empires comme pour les littératures, avant peu peut-être l'Orient est appelé à jouer un rôle dans l'Occident. Déjà la mémorable guerre de Grèce avait fait se retourner tous les peuples de ce côté. Voici maintenant que l'équilibre de l'Europe paraît prêt à se rompre; le *statu quo* européen, déjà vermoulu et lézardé, craque du côté de Constantinople. Tout le continent penche à l'Orient. Nous verrons de grandes choses. La vieille barbarie asia-

tique n'est peut-être pas aussi dépourvue d'hommes supérieurs que notre civilisation le veut croire. Il faut se rappeler que c'est elle qui a produit le seul colosse que ce
siècle puisse mettre en regard de Buonaparte, si toutefois
Buonaparte peut avoir un pendant; cet homme de génie,
turc et tartare à la vérité, cet Ali-pacha qui est à Napoléon
ce que le tigre est au lion, le vautour à l'aigle

Janvier 1829.

LES ORIENTALES

LE FEU DU CIEL

24. Alors le Seigneur fit descendre du ciel
sur Sodome et sur Gomorrhe une pluie de
soufre et de feu,

25. Et il perdit ces villes avec tous leurs
habitants, tout le pays à l'entour avec ceux qui
l'habitaient, et tout ce qui avait quelque verdeur sur la terre.

— Genèse. *19 : 24-5*

6 lines, 12 + 8 syl.

I

12

La voyez-vous passer/ la nuée au flanc noir ?
Tantôt pâle,/ tantôt rouge et splendide à voir, *8*
    Morne/ comme un été stérile ? *// pillar of cloud + fire of Moses*
On croit voir à la fois/ sur le/ vent de la nuit,
Fuir toute la fumée ardente/et tout le bruit,
5   De l'embrasement d'une ville.

D'où vient-elle ? des cieux, de la mer ou des monts ? *A*
Est-ce le char de feu qui porte des démons *A*
    A quelque planète prochaine ? *B*
10 O terreur! de son sein, chaos mystérieux, *C*
D'où vient que par moments un éclair furieux *C*
    Comme un long serpent se déchaîne ? *B*

II

La mer! partout la mer! des flots, des flots encor.
L'oiseau fatigue en vain son inégal essor.
15   Ici les flots, là-bas les ondes;
Toujours des flots sans fin par des flots repoussés;
L'œil ne voit que des flots dans l'abîme entassés
    Rouler sous les vagues profondes.

Parfois de grands poissons, à fleur d'eau voyageant,
20 Font reluire au soleil leurs nageoires d'argent,
    Ou l'azur de leurs larges queues.
  La mer semble un troupeau secouant sa toison :
Mais un cercle d'airain ferme au loin l'horizon;
    Le ciel bleu se mêle aux eaux bleues.

25 — Faut-il sécher ces mers ? dit le nuage en feu.
    — Non! — Il reprit son vol sous le souffle de Dieu.

    III

    Un golfe aux vertes collines
    Se mirant dans le flot clair! —
    Des buffles, des javelines,
30   Et des chants joyeux dans l'air! —
    C'était la tente et la crèche,
    La tribu qui chasse et pêche,
    Qui vit libre, et dont la flèche
    Jouterait avec l'éclair.

35   Pour ces errantes familles
    Jamais l'air ne se corrompt.
    Les enfants, les jeunes filles,
    Les guerriers dansaient en rond,
40   Autour d'un feu sur la grève,
    Que le vent courbe et relève,
    Pareils aux esprits qu'en rêve
    On voit tourner sur son front.

    Les vierges aux seins d'ébène,
    Belles comme les beaux soirs,
45   Riaient de se voir à peine
    Dans le cuivre des miroirs;
    D'autres, joyeuses comme elles,
    Faisaient jaillir des mamelles
    De leurs dociles chamelles
50   Un lait blanc sous leurs doigts noirs.

    Les hommes, les femmes nues
    Se baignaient au gouffre amer. —
    Ces peuplades inconnues,
    Où passaient-elles hier ? —
55   La voix grêle des cymbales,

Qui fait hennir les cavales, *mare*
Se mêlait par intervalles
Aux bruits de la grande mer.

La nuée un moment hésita dans l'espace.
60 — Est-ce là ? — Nul ne sait qui lui répondit : — Passe!

6 lines, 12 & 8 syl.

IV

g

L'Égypte! — Elle étalait, toute blonde d'épis, *12*   A
Ses champs, bariolés comme un riche tapis, *many coloured* A
        Plaines que des plaines prolongent; *8*   B
L'eau vaste et froide au nord, au sud le sable ardent   C
65 Se disputent l'Égypte : elle rit cependant   C
        Entre ces deux mers qui la rongent.   B

90   the Pyramids

Trois monts bâtis par l'homme au loin perçaient les cieux
D'un triple angle de marbre, et dérobaient aux yeux
        Leurs bases de cendre inondées;
70 Et de leur faîte aigu jusqu'aux sables dorés,
Allaient s'élargissant leurs monstrueux degrés,
        Faits pour des pas de six coudées. *cubit*

10   (not really there)

Un sphinx de granit rose, un dieu de marbre vert,
Les gardaient, sans qu'il fût vent de flamme au désert
75   Qui leur fît baisser la paupière.
Des vaisseaux au flanc large entraient dans un grand port.
Une ville géante, assise sur le bord,
        Baignait dans l'eau ses pieds de pierre.

12   *burning wind*

On entendait mugir le semoun meurtrier,
80 Et sur les cailloux blancs les écailles crier
        Sous le ventre des crocodiles. *scales*
82 Les obélisques gris s'élançaient d'un seul jet.
Comme une peau de tigre, au couchant s'allongeait
        Le Nil jaune, tacheté d'îles.

13

85 L'astre-roi se couchait. Calme, à l'abri du vent,
La mer réfléchissait ce globe d'or vivant,
        Ce monde, âme et flambeau du nôtre;
Et dans le ciel rougeâtre et dans les flots vermeils,
Comme deux rois amis, on voyait deux soleils
90   Venir au-devant l'un de l'autre.

Hiring sun reflected in water

— Où faut-il s'arrêter ? dit la nuée encor.
— Cherche ! dit une voix dont trembla le Thabor.

V

Du sable, puis du sable !
Le désert ! noir chaos
Toujours inépuisable
En monstres, en fléaux !
Ici rien ne s'arrête.
Ces monts à jaune crête,
Quand souffle la tempête,
Roulent comme des flots !

Parfois, de bruits profanes
Troublant ce lieu sacré,
Passent les caravanes
D'Ophyr ou de Membré.
L'œil de loin suit leur foule,
Qui sur l'ardente houle
Ondule et se déroule
Comme un serpent marbré.

Ces solitudes mornes,
Ces déserts sont à Dieu :
Lui seul en sait les bornes,
En marque le milieu.
Toujours plane une brume
Sur cette mer qui fume,
Et jette pour écume
Une cendre de feu.

— Faut-il changer en lac ce désert ? dit la nue.
— Plus loin ! dit l'autre voix du fond des cieux venue.

VI

Comme un énorme écueil sur les vagues dressé,
Comme un amas de tours, vaste et bouleversé,
        Voici Babel, déserte et sombre.
Du néant des mortels prodigieux témoins,
Aux rayons de la lune, elle couvrait au loin
        Quatre montagnes de son ombre.

125 L'édifice écroulé plongeait aux lieux profonds.
    Les ouragans captifs sous ses larges plafonds
            Jetaient une étrange harmonie.
    Le genre humain jadis bourdonnait à l'entour,
    Et sur le globe entier Babel devait un jour
130   Asseoir sa spirale infinie.

    Ses escaliers devaient monter jusqu'au zénith.
    Chacun des plus grands monts à ses flancs de granit
            N'avait pu fournir qu'une dalle.
    Et des sommets nouveaux d'autres sommets chargés
135 Sans cesse surgissaient aux yeux découragés
            Sur sa tête pyramidale.

    Les boas monstrueux, les crocodiles verts,
    Moindres que des lézards sur ses murs entrouverts,
            Glissaient parmi les blocs superbes;
140 Et, colosses perdus dans ses larges contours,
    Les palmiers chevelus, pendant au front des tours,
            Semblaient d'en bas des touffes d'herbes.

    Des éléphants passaient aux fentes de ses murs;
    Une forêt croissait sous ses piliers obscurs
145   Multipliés par la démence;
    Des essaims d'aigles roux et de vautours géants
    Jour et nuit tournoyaient à ses porches béants,
            Comme autour d'une ruche immense.

    — Faut-il l'achever ? dit la nuée en courroux. —
150 Marche ! — Seigneur, dit-elle, où donc m'emportez-vous ?

VII

    Voilà que deux cités, étranges, inconnues,
    Et d'étage en étage escaladant les nues,
    Apparaissent, dormant dans la brume des nuits,
    Avec leurs dieux, leur peuple, et leurs chars, et leurs bruits.
155 Dans le même vallon c'étaient deux sœurs couchées.
    L'ombre baignait leurs tours par la lune ébauchées;
    Puis l'œil entrevoyait, dans le chaos confus,
    Aqueducs, escaliers, piliers aux larges fûts,
    Chapiteaux évasés; puis un groupe difforme
160 D'éléphants de granit portant un dôme énorme;
    Des colosses debout, regardant autour d'eux

Ramper des monstres nés d'accouplements hideux;
Des jardins suspendus, pleins de fleurs et d'arcades,
Où la lune jetait son écharpe aux cascades;
165 Des temples, où siégeaient sur de riches carreaux
Cent idoles de jaspe à têtes de taureaux;
Des plafonds d'un seul bloc couvrant de vastes salles,
Où, sans jamais lever leurs têtes colossales,
Veillaient, assis en cercle, et se regardant tous,
170 Des dieux d'airain, posant leurs mains sur leurs genoux.
Ces rampes, ces palais, ces sombres avenues
Où partout surgissaient des formes inconnues,
Ces ponts, ces aqueducs, ces arcs, ces rondes tours,
Effrayaient l'œil perdu dans leurs profonds détours;
175 On voyait dans les cieux, avec leurs larges ombres,
Monter comme des caps ces édifices sombres,
Immense entassement de ténèbres voilé!
Le ciel à l'horizon scintillait étoilé,
Et, sous les mille arceaux du vaste promontoire,
180 Brillait comme à travers une dentelle noire.

Ah! villes de l'enfer, folles dans leurs désirs!
Là, chaque heure inventait de monstrueux plaisirs,
Chaque toit recelait quelque mystère immonde,
Et comme un double ulcère, elles souillaient le monde.

185 Tout dormait cependant : au front des deux cités,
A peine encor glissaient quelques pâles clartés,
Lampes de la débauche, en naissant disparues,
Derniers feux des festins oubliés dans les rues.
De grands angles de murs, par la lune blanchis,
190 Coupaient l'ombre, ou tremblaient dans une eau réfléchis.
Peut-être on entendait vaguement dans les plaines
S'étouffer des baisers, se mêler des haleines,
Et les deux villes sœurs, lasses des feux du jour,
Murmurer mollement d'une étreinte d'amour!
195 Et le vent, soupirant sous le frais sycomore,
Allait tout parfumé de Sodome à Gomorrhe.
C'est alors que passa le nuage noirci,
Et que la voix d'en haut lui cria : — C'est ici!

VIII

La nuée éclate!
200   La flamme écarlate

Déchire ses flancs,
L'ouvre comme un gouffre,
Tombe en flots de soufre
Aux palais croulants,
205   Et jette, tremblante,
Sa lueur sanglante
Sur leurs frontons blancs!

26   Gomorrhe! Sodome!
De quel brûlant dôme
210   Vos murs sont couverts!
L'ardente nuée
Sur vous s'est ruée,
O peuples pervers!
Et ses larges gueules
215   Sur vos têtes seules
Soufflent leurs éclairs!

27   Ce peuple s'éveille,
Qui dormait la veille
Sans penser à Dieu.
220   Les grands palais croulent;
Mille chars qui roulent
Heurtent leur essieu;
Et la foule accrue,
Trouve en chaque rue
225   Un fleuve de feu.

28   Sur ces tours altières,
Colosses de pierres,
Trop mal affermis,
Abondent dans l'ombre
230   Des mourants sans nombre
Encore endormis.
Sur des murs qui pendent
Ainsi se répandent
De noires fourmis!

235   29   Se peut-il qu'on fuie
Sous l'horrible pluie?
Tout périt, hélas!
Le feu qui foudroie
Bat les ponts qu'il broie,
240   Crève les toits plats,
Roule, tombe, et brise

Sur la dalle grise
Ses rouges éclats!

Sous chaque étincelle
245   Grossit et ruisselle
Le feu souverain.
Vermeil et limpide,
Il court plus rapide
Qu'un cheval sans frein;
250   Et l'idole infâme,
Croulant dans la flamme,
Tord ses bras d'airain!

Il gronde, il ondule,
Du peuple incrédule
255   Bat les tours d'argent;
Son flot vert et rose,
Que le soufre arrose,
Fait, en les rongeant,
Luire les murailles
260   Comme les écailles
D'un lézard changeant.

Il fond comme cire
Agathe, porphyre,
265   Pierres du tombeau,
Ploie, ainsi qu'un arbre,
Le géant de marbre
Qu'ils nommaient Nabo,
Et chaque colonne
Brûle et tourbillonne
270   Comme un grand flambeau!

En vain quelques mages
Portent les images
Des dieux du haut lieu;
En vain leur roi penche
275   Sa tunique blanche
Sur le soufre bleu;
Le flot qu'il contemple
Emporte leur temple
Dans ses plis de feu!

280   Plus loin il charrie
Un palais, où crie

to be cramped for room

Un peuple à l'étroit;
L'onde incendiaire
Mord l'îlot de pierre
285   Qui fume et décroît,
Flotte à sa surface,   *good picture*
Puis fond et s'efface
Comme un glaçon froid!

Le grand-prêtre arrive
290   Sur l'ardente rive
D'où le reste a fui.
Soudain sa tiare
Prend feu comme un phare,
Et pâle, ébloui,
295   Sa main qui l'arrache
A son front s'attache,
Et brûle avec lui.

Le peuple, hommes, femmes,
Court... Partout les flammes
300   Aveuglent ses yeux;
Des deux villes mortes
Assiégeant les portes
A flots furieux,
La foule maudite
305   Croit voir, interdite,
L'enfer dans les cieux!

4 lines 12 syl.   IX

On dit qu'alors, ainsi que pour voir un supplice   A
Un vieux captif se dresse aux murs de sa prison,   B
On vit de loin Babel, leur fatale complice,   A
310   Regarder par-dessus les monts de l'horizon.   B

On entendit, durant cet étrange mystère,   A
Un grand bruit qui remplit le monde épouvanté,   B
Si profond qu'il troubla, dans leur morne cité,   B
Jusqu'à ces peuples sourds qui vivent sous la terre.   A

6 lines – 12 + 8 syl.

315   Le feu fut sans pitié! Pas un des condamnés   A
Ne put fuir de ces murs brûlants et calcinés.   A

oxydized
burnt to death

Pourtant, ils levaient leurs mains viles,   *B*
Et ceux qui s'embrassaient dans un dernier adieu, *C*
Terrassés, éblouis, se demandaient quel dieu   *C*
320   Versait un volcan sur leurs villes.   *B*

Contre le feu vivant, contre le feu divin,
De larges toits de marbre ils s'abritaient en vain.
          Dieu sait atteindre qui le brave.
Ils invoquaient leurs dieux; mais le feu qui punit
325   Frappait ces dieux muets dont les yeux de granit
          Soudain fondaient en pleurs de lave!

Ainsi tout disparut sous le noir tourbillon,
L'homme avec la cité, l'herbe avec le sillon!
          Dieu brûla ces mornes campagnes;
330   Rien ne resta debout de ce peuple détruit,
Et le vent inconnu qui souffla cette nuit
          Changea la forme des montagnes.

XI

Aujourd'hui le palmier qui croît sur le rocher
Sent sa feuille jaunir et sa tige sécher
335   A cet air qui brûle et qui pèse.
Ces villes ne sont plus; et, miroir du passé,
Sur leurs débris éteints s'étend un lac glacé,
          Qui fume comme une fournaise!

Octobre 1828.

II

CANARIS

Faire sans dire.
VIEILLE DEVISE.

Lorsqu'un vaisseau vaincu dérive en pleine mer;
          Que ses voiles carrées
Pendent le long des mâts, par les boulets de fer
          Largement déchirées;

5 Qu'on n'y voit que des morts, tombés de toutes parts,
       Ancres, agrès, voilures,
Grands mâts rompus, traînant leurs cordages épars
       Comme des chevelures;

Que le vaisseau, couvert de fumée et de bruit,
10   Tourne ainsi qu'une roue;
Qu'un flux et qu'un reflux d'hommes roule et s'enfuit
       De la poupe à la proue;

Lorsqu'à la voix des chefs nul soldat ne répond;
       Que la mer monte et gronde;
15 Que les canons éteints nagent dans l'entrepont,
       S'entrechoquant dans l'onde;

Qu'on voit le lourd colosse ouvrir au flot marin
       Sa blessure béante,
Et saigner, à travers son armure d'airain,
20   La galère géante;

Qu'elle vogue au hasard, comme un corps palpitant,
       La carène entrouverte,
Comme un grand poisson mort, dont le ventre flottant
       Argente l'onde verte;

25 Alors gloire au vainqueur! Son ancre noir s'abat
       Sur la nef qu'il foudroie :
Tel un aigle puissant pose, après le combat,
       Son ongle sur sa proie!

Puis, il pend au grand mât, comme au front d'une tour,
30   Son drapeau que l'air ronge,
Et dont le reflet d'or dans l'onde, tour à tour,
       S'élargit et s'allonge.

Et c'est alors qu'on voit les peuples étaler
       Les couleurs les plus fières,
35 Et la pourpre, et l'argent, et l'azur onduler
       Aux plis de leurs bannières.

Dans ce riche appareil leur orgueil insensé
       Se flatte et se repose,
Comme si le flot noir, par le flot effacé,
40   En gardait quelque chose!

Malte arborait sa croix; Venise, peuple-roi,
        Sur ses poupes mouvantes,
L'héraldique lion qui fait rugir d'effroi
        Les lionnes vivantes.

45 Le pavillon de Naple est éclatant dans l'air,
        Et quand il se déploie
On croit voir ondoyer de la poupe à la mer
        Un flot d'or et de soie.

Espagne peint aux plis des drapeaux voltigeant
50   Sur ses flottes avares
Léon aux lions d'or, Castille aux tours d'argent,
        Les chaînes des Navarres.

Rome a les clefs; Milan, l'enfant qui hurle encor
        Dans les dents de la guivre;
55 Et les vaisseaux de France ont des fleurs de lis d'or
        Sur leurs robes de cuivre.

Stamboul la Turque autour du croissant abhorré
        Suspend trois blanches queues;
L'Amérique enfin libre étale un ciel doré,
60   Semé d'étoiles bleues.

L'Autriche a l'aigle étrange, aux ailerons dressés,
        Qui, brillant sur la moire,
Vers les deux bouts du monde à la fois menacés
        Tourne une tête noire.

65 L'autre aigle au double front, qui des czars suit les lois,
        Son antique adversaire,
Comme elle regardant deux mondes à la fois,
        En tient un dans sa serre.

L'Angleterre en triomphe impose aux flots amers
70   Sa splendide oriflamme,
Si riche qu'on prendrait son reflet dans les mers
        Pour l'ombre d'une flamme.

C'est ainsi que les rois font aux mâts des vaisseaux
        Flotter leurs armoiries,
75 Et condamnent les nefs conquises sur les eaux
        A changer de patries.

Ils traînent dans leurs rangs ces voiles dont le sort
        Trompa les destinées,
Tout fiers de voir rentrer plus nombreuses au port
80   Leurs flottes blasonnées.

Aux navires captifs toujours ils appendront
        Leurs drapeaux de victoire,
Afin que le vaincu porte écrite à son front
        Sa honte avec leur gloire!

85 Mais le bon Canaris, dont un ardent sillon   *refers to fire-ships*
        Suit la barque hardie,
Sur les vaisseaux qu'il prend, comme son pavillon,
        Arbore l'incendie!

                              Novembre 1828.

                        III

            LES TÊTES DU SÉRAIL

                        O horrible! o horrible! most horrible!
                        SHAKESPEARE. Hamlet.

                On a cru devoir réimprimer cette ode telle
            qu'elle a été composée et publiée en juin 1826,
            à l'époque du désastre de Missolonghi. Il est
            important de se rappeler, en la lisant, que tous
            les journaux d'Europe annoncèrent alors la
            mort de Canaris, tué dans son brûlot par une
            bombe turque, devant la ville qu'il venait
            secourir. Depuis, cette nouvelle fatale a été
            heureusement démentie.

*rhyme scheme maintained throughout. also 12 & 8 lines
tho' in different arrangement*

                                              12
Le dôme obscur des nuits, semé d'astres sans nombre, A
Se mirait dans la mer resplendissante et sombre;   A
  La riante Stamboul, le front d'ombres voilé,   B
Semblait, couchée au bord du golfe qui l'inonde,   C
5 Entre les feux du ciel et les reflets de l'onde, C
        Dormir dans un globe étoilé.   B   8

On eût dit la cité dont les esprits nocturnes
Bâtissent dans les airs les palais taciturnes,
A voir ses grands harems, séjours des longs ennuis,
10 Ses dômes bleus, pareils au ciel qui les colore,
Et leurs mille croissants, que semblaient faire éclore
          Les rayons du croissant des nuits.

L'œil distinguait les tours par leurs angles marquées,
Les maisons aux toits plats, les flèches des mosquées,
15 Les moresques balcons en trèfles découpés,
Les vitraux, se cachant sous des grilles discrètes,
Et les palais dorés, et comme des aigrettes
          Les palmiers sur leur front groupés.

Là, de blancs minarets dont l'aiguille s'élance
20 Tels que des mâts d'ivoire armés d'un fer de lance;
Là, des kiosques peints; là, des fanaux changeants;
Et sur le vieux sérail, que ses hauts murs décèlent,
Cent coupoles d'étain, qui dans l'ombre étincellent
          Comme des casques de géants!

II

25 Le sérail...! Cette nuit il tressaillait de joie.
Au son des gais tambours, sur des tapis de soie,
Les sultanes dansaient sous son lambris sacré;
Et, tel qu'un roi couvert de ses joyaux de fête,
Superbe, il se montrait aux enfants du prophète,
30   De six mille têtes paré!

Livides, l'œil éteint, de noirs cheveux chargées,
Ces têtes couronnaient, sur les créneaux rangées,
Les terrasses de rose et de jasmins en fleur :
Triste comme un ami, comme lui consolante,
35 La lune, astre des morts, sur leur pâleur sanglante
          Répandait sa douce pâleur.

Dominant le sérail, de la porte fatale
Trois d'entre elles marquaient l'ogive orientale;
Ces têtes, que battait l'aile du noir corbeau,
40 Semblaient avoir reçu l'atteinte meurtrière,
L'une dans les combats, l'autre dans la prière,
          La dernière dans le tombeau.

On dit qu'alors, tandis qu'immobiles comme elles,
Veillaient stupidement les mornes sentinelles,
45 Les trois têtes soudain parlèrent; et leurs voix
Ressemblaient à ces chants qu'on entend dans les rêves,
Aux bruits confus du flot qui s'endort sur les grèves,
      Du vent qui s'endort dans les bois!

III

LA PREMIÈRE VOIX

« Où suis-je... ? mon brûlot! à la voile! à la rame!
50 Frères, Missolonghi fumante nous réclame,
Les Turcs ont investi ses remparts généreux.
Renvoyons leurs vaisseaux à leurs villes lointaines,
      Et que ma torche, ô capitaines!
Soit un phare pour vous, soit un foudre pour eux!

55 « Partons! Adieu Corinthe et son haut promontoire,
Mers dont chaque rocher porte un nom de victoire,
Ecueils de l'Archipel sur tous les flots semés,
Belles îles, des cieux et du printemps chéries,
Qui le jour paraissez des corbeilles fleuries,
60   La nuit, des vases parfumés!

« Adieu, fière patrie, Hydra, Sparte nouvelle!
Ta jeune liberté par des chants se révèle;
Des mâts voilent tes murs, ville de matelots!
Adieu! j'aime ton île où notre espoir se fonde,
65   Tes gazons caressés par l'onde,
Tes rocs battus d'éclairs et rongés par les flots!

« Frères, si je reviens, Missolonghi sauvée,
Qu'une église nouvelle au Christ soit élevée.
Si je meurs, si je tombe en la nuit sans réveil,
70 Si je verse le sang qui me reste à répandre,
Dans une terre libre allez porter ma cendre,
      Et creusez ma tombe au soleil!

« Missolonghi! — Les Turcs! — Chassons, ô camarades,
Leurs canons de ses forts, leurs flottes de ses rades.
75 Brûlons le capitan sous son triple canon.
Allons! que des brûlots l'ongle ardent se prépare.
      Sur sa nef, si je m'en empare,
C'est en lettres de feu que j'écrirai mon nom.

14 « Victoire! amis...! — O ciel! de mon esquif agile
80 Une bombe en tombant brise le pont fragile...
    Il éclate, il tournoie, il s'ouvre aux flots amers!
    Ma bouche crie en vain, par les vagues couverte!
    Adieu! je vais trouver mon linceul d'algue verte,
        Mon lit de sable au fond des mers.

15 85 « Mais non! Je me réveille enfin...! Mais quel mystère?
    Quel rêve affreux...! mon bras manque à mon cimeterre.
    Quel est donc près de moi ce sombre épouvantail?
    Qu'entends-je au loin...? des chœurs... sont-ce des voix de
        Des chants murmurés par des âmes? [femmes?
90 Ces concerts...! suis-je au ciel? — Du sang... c'est le sérail!

IV

LA DEUXIÈME VOIX

16 « Oui, Canaris, tu vois le sérail et ma tête
    Arrachée au cercueil pour orner cette fête [1].
    Les Turcs m'ont poursuivi sous mon tombeau glacé.
    Vois! ces os desséchés sont leur dépouille opime :
95 Voilà de Botzaris ce qu'au sultan sublime
        Le ver du sépulcre a laissé!

17 « Ecoute : Je dormais dans le fond de ma tombe,
    Quand un cri m'éveilla : *Missolonghi succombe!*
    Je me lève à demi dans la nuit du trépas;
100 J'entends des canons sourds les tonnantes volées,
        Les clameurs aux clameurs mêlées,
    Les chocs fréquents du fer, le bruit pressé des pas.

18 « J'entends, dans le combat qui remplissait la ville,
    Des voix crier : « Défends d'une horde servile,
105 Ombre de Botzaris, tes Grecs infortunés! »
    Et moi, pour m'échapper, luttant dans les ténèbres,
    J'achevais de briser sur les marbres funèbres
        Tous mes ossements décharnés.

19 « Soudain, comme un volcan, le sol s'embrase et gronde... —
110 Tout se tait; — et mon œil ouvert pour l'autre monde
    Voit ce que nul vivant n'eût pu voir de ses yeux.
    De la terre, des flots, du sein profond des flammes,
        S'échappaient des tourbillons d'âmes
    Qui tombaient dans l'abîme ou s'envolaient aux cieux!

115 « Les Musulmans vainqueurs dans ma tombe fouillèrent;
Ils mêlèrent ma tête aux vôtres qu'ils souillèrent.
Dans le sac du Tartare on les jeta sans choix.
Mon corps décapité tressaillit d'allégresse;
Il me semblait, ami, pour la Croix et la Grèce
120   Mourir une seconde fois.

« Sur la terre aujourd'hui notre destin s'achève.
Stamboul, pour contempler cette moisson du glaive,
Vile esclave, s'émeut du Fanar aux Sept-Tours;
Et nos têtes, qu'on livre aux publiques risées,
125   Sur l'impur sérail exposées,
Repaissent le sultan, convive des vautours!

22 « Voilà tous nos héros! Costas le palicare;
Christo, du mont Olympe; Hellas, des mers d'Icare;
Kitzos, qu'aimait Byron, le poète immortel;
130 Et cet enfant des monts, notre ami, notre émule,
Mayer², qui rapportait aux fils de Thrasybule
          La flèche de Guillaume Tell!

23 « Mais ces morts inconnus, qui dans nos rangs stoïques
Confondent leurs fronts vils à des fronts héroïques,
135 Ce sont des fils maudits d'Eblis et de Satan,
Des Turcs, obscur troupeau, foule au sabre asservie,
          Esclaves dont on prend la vie,
Quand il manque une tête au compte du sultan!

24 « Semblable au Minotaure inventé par nos pères,
140 Un homme est seul vivant dans ces hideux repaires,
Qui montrent nos lambeaux aux peuples à genoux;
Car les autres témoins de ces fêtes fétides,
Ses eunuques impurs, ses muets homicides,
          Ami, sont aussi morts que nous.

25 « Quels sont ces cris... ? — C'est l'heure où ses plaisirs
Ont réclamé nos sœurs, nos filles et nos femmes.   [infâmes
Ces fleurs vont se flétrir à son souffle inhumain.
Le tigre impérial, rugissant dans sa joie,
          Tour à tour compte chaque proie,
150 Nos vierges cette nuit, et nos têtes demain! »

V

LA TROISIÈME VOIX

« O mes frères ! Joseph [3], évêque, vous salue.
Missolonghi n'est plus ! A sa mort résolue,
Elle a fui la famine et son venin rongeur.
Enveloppant les Turcs dans son malheur suprême,
155 Formidable victime, elle a mis elle-même
      La flamme à son bûcher vengeur.

« Voyant depuis vingt jours notre ville affamée,
J'ai crié : « Venez tous ; il est temps, peuple, armée !
« Dans le saint sacrifice il faut nous dire adieu.
160 « Recevez de mes mains, à la table céleste,
      « Le seul aliment qui nous reste,
      « Le pain qui nourrit l'âme et la transforme en dieu ! »

« Quelle communion ! Des mourants immobiles,
Cherchant l'hostie offerte à leurs lèvres débiles,
165 Des soldats défaillants, mais encor redoutés,
Des femmes, des vieillards, des vierges désolées,
Et sur le sein flétri des mères mutilées
      Des enfants de sang allaités !

« La nuit vint, on partit ; mais les Turcs dans les ombres
170 Assiégèrent bientôt nos morts et nos décombres.
Mon église s'ouvrit à leurs pas inquiets.
Sur un débris d'autel, leur dernière conquête,
      Un sabre fit rouler ma tête...
J'ignore quelle main me frappa : je priais.

175 « Frères, plaignez Mahmoud ! Né dans sa loi barbare,
Des hommes et de Dieu son pouvoir le sépare.
Son aveugle regard ne s'ouvre pas au ciel.
Sa couronne fatale, et toujours chancelante,
Porte à chaque fleuron une tête sanglante ;
180   Et peut-être il n'est pas cruel !

« Le malheureux, en proie aux terreurs implacables,
Perd pour l'éternité ses jours irrévocables.
Rien ne marque pour lui les matins et les soirs.
Toujours l'ennui ! Semblable aux idoles qu'ils dorent,
185   Ses esclaves de loin l'adorent,
Et le fouet d'un spahi règle leurs encensoirs.

32

« Mais pour vous tout est joie, honneur, fête, victoire.
Sur la terre vaincus, vous vaincrez dans l'histoire.
Frères, Dieu vous bénit sur le sérail fumant.
190 Vos gloires par la mort ne sont pas étouffées :
Vos têtes sans tombeaux deviennent vos trophées ;
Vos débris sont un monument !

33

« Que l'apostat surtout vous envie ! Anathème
Au chrétien qui souilla l'eau sainte du baptême !
195 Sur le livre de vie en vain il fut compté :
Nul ange ne l'attend dans les cieux où nous sommes ;
Et son nom, exécré des hommes,
Sera, comme un poison, des bouches rejeté !

34

« Et toi, chrétienne Europe, entends nos voix plaintives.
Jadis, pour nous sauver, saint Louis vers nos rives
200 Eût de ses chevaliers guidé l'arrière-ban.
Choisis enfin, avant que ton Dieu ne se lève,
De Jésus et d'Omar, de la croix et du glaive,
De l'auréole et du turban. »

VI

35

205 Oui, Botzaris, Joseph, Canaris, ombres saintes,
Elle entendra vos voix, par le trépas éteintes ;
Elle verra le signe empreint sur votre front ;
Et soupirant ensemble un chant expiatoire,
A vos débris sanglants portant leur double gloire,
210 Sur la harpe et le luth les deux Grèces diront :

36

« Hélas ! vous êtes saints et vous êtes sublimes,
Confesseurs, demi-dieux, fraternelles victimes !
Votre bras aux combats s'est longtemps signalé ;
Morts, vous êtes tous trois souillés par des mains viles.
215 Voici votre Calvaire après vos Thermopyles ;
Pour tous les dévouements votre sang a coulé !

37

« Ah ! si l'Europe en deuil, qu'un sang si pur menace,
Ne suit jusqu'au sérail le chemin qu'il lui trace,
Le Seigneur la réserve à d'amers repentirs.
220 Marin, prêtre, soldat, nos autels vous demandent ;
Car l'Olympe et le Ciel à la fois vous attendent,
Pléiade de héros ! Trinité de martyrs ! »

Juin 1826.

IV

ENTHOUSIASME

> « Allons! jeune homme! allons, marche...! »
> ANDRÉ CHÉNIER.

En Grèce! en Grèce! adieu, vous tous! il faut partir!
Qu'enfin, après le sang de ce peuple martyr,
    Le sang vil des bourreaux ruisselle!
En Grèce, ô mes amis! vengeance! liberté!
5 Ce turban sur mon front! ce sabre à mon côté!
    Allons! ce cheval, qu'on le selle!

Quand partons-nous ? ce soir! demain serait trop long.
Des armes! des chevaux! un navire à Toulon!
    Un navire, ou plutôt des ailes!
Menons quelques débris de nos vieux régiments,
10 Et nous verrons soudain ces tigres ottomans
    Fuir avec des pieds de gazelles!

Commande-nous, Fabvier, comme un prince invoqué!
Toi qui seul fus au poste où les rois ont manqué,
15   Chef des hordes disciplinées,
Parmi les Grecs nouveaux ombre d'un vieux Romain,
Simple et brave soldat, qui dans ta rude main
    D'un peuple as pris les destinées!

De votre long sommeil éveillez-vous là-bas,
20 Fusils français! et vous, musique des combats,
    Bombes, canons, grêles cymbales!
Eveillez-vous, chevaux au pied retentissant,
Sabres, auxquels il manque une trempe de sang,
    Longs pistolets gorgés de balles!

25 Je veux voir des combats, toujours au premier rang!
Voir comment les spahis s'épanchent en torrent
    Sur l'infanterie inquiète;
Voir comment leur damas, qu'emporte leur coursier,
Coupe une tête au fil de son croissant d'acier!
30   Allons...! mais quoi, pauvre poète,

Où m'emporte moi-même un accès belliqueux ?
Les vieillards, les enfants m'admettent avec eux !
     Que suis-je ? — Esprit qu'un souffle enlève.
Comme une feuille morte échappée aux bouleaux, *erreh*
35 Qui sur une onde en pente erre de flots en flots,
     Mes jours s'en vont de rêve en rêve.

Tout me fait songer : l'air, les prés, les monts, les bois.
J'en ai pour tout un jour des soupirs d'un hautbois,
     D'un bruit de feuilles remuées ;
40 Quand vient le crépuscule, au fond d'un vallon noir,
J'aime un grand lac d'argent, profond et clair miroir
     Où se regardent les nuées.

J'aime une lune ardente et rouge comme l'or,
Se levant dans la brume épaisse, ou bien encor
45   Blanche au bord d'un nuage sombre ;
J'aime ces chariots lourds et noirs, qui la nuit,
Passant devant le seuil des fermes avec bruit,
     Font aboyer les chiens dans l'ombre.

1827.

V

NAVARIN

Lament of Xerxes for loss of his men in disastrous expedition v Athens.

    Ἢ ἤ ἤ ἤ τρισχαλμοισιν
    Ἢ ἤ ἤ ἤ βαρισιν ολομενοι.
    ESCHYLE. *Les Perses.*
    Hélas ! hélas ! nos vaisseaux
    Hélas ! hélas ! sont détruits !

12 + 8 syl. verse of 6 lines

I

Canaris ! Canaris ! pleure ! cent vingt vaisseaux !   A
Pleure ! une flotte entière ! — Où donc, démon des eaux, A
     Où donc était ta main hardie ?   B
Se peut-il que sans toi l'Ottoman succombât ?   C
5 Pleure comme Crillon exilé d'un combat :   c
     Tu manquais à cet incendie !   B

Pends-toi, brave Crillon ; ns avons vaincu à Arques, et tu n'y étais pas

Jusqu'ici, quand parfois la vague de tes mers
Soudain s'ensanglantait, comme un lac des enfers,
      D'une lueur large et profonde,
10 Si quelque lourd navire éclatait à nos yeux,
Couronné tout à coup d'une aigrette de feux,
      Comme un volcan s'ouvrant dans l'onde ;

Si la lame roulait turbans, sabres courbés,
Voiles, tentes, croissants des mâts rompus tombés,
      Vestiges de flotte et d'armée,
Pelisses de visirs, sayons de matelots,
Rebuts stigmatisés de la flamme et des flots,
      Blancs d'écume et noirs de fumée ;

Si partait de ces mers d'Egine ou d'Iolchos
20 Un bruit d'explosion, tonnant dans mille échos,
      Et roulant au loin dans l'espace,
L'Europe se tournait vers le rouge orient ;
Et, sur la poupe assis, le nocher souriant
      Disait : — C'est Canaris qui passe !

25 Jusqu'ici, quand brûlaient au sein des flots fumants
Les capitans-pachas avec leurs armements,
      Leur flotte dans l'ombre engourdie,
On te reconnaissait à ce terrible jeu ;
Ton brûlot expliquait tous ces vaisseaux en feu ;
30   Ta torche éclairait l'incendie.

Mais pleure aujourd'hui, pleure, on s'est battu sans toi !
Pourquoi, sans Canaris, sur ces flottes pourquoi
      Porter la guerre et ses tempêtes ?
Du Dieu qui garde Hellé n'est-il plus le bras droit ?
35 On aurait dû l'attendre ! Et n'est-il pas de droit
      Convive de toutes ces fêtes ?

II

      Console-toi : la Grèce est libre.
      Entre les bourreaux, les mourants,
      L'Europe a remis l'équilibre ;
40   Console-toi : plus de tyrans !
      La France combat : le sort change.
      Souffre que sa main qui vous venge
      Du moins te dérobe en échange

Une feuille de ton laurier.
45 Grèces de Byron et d'Homère,
Toi, notre sœur, toi, notre mère,
Chantez! si votre voix amère
Ne s'est pas éteinte à crier.

Pauvre Grèce! qu'elle était belle
50 Pour être couchée au tombeau!
Chaque visir, de la rebelle
S'arrachait un sacré lambeau.
Où la fable mit ses Ménades,
Où l'amour eut ses sérénades,
55 Grondaient les sombres canonnades
Sapant les temples du vrai Dieu;
Le ciel de cette terre aimée
N'avait, sous sa voûte embaumée,
De nuages que la fumée
60 De toutes ses villes en feu.

Voilà six ans qu'ils l'ont choisie!
Six ans qu'on voyait accourir
L'Afrique au secours de l'Asie
Contre un peuple instruit à mourir!
65 Ibrahim, que rien ne modère,
Vole de l'Isthme au Belvédère,
Comme un faucon qui n'a plus d'aire,
Comme un loup qui règne au bercail;
Il court où le butin le tente,
70 Et lorsqu'il retourne à sa tente,
Chaque fois sa main dégouttante
Jette des têtes au sérail!

Enfin! C'est Navarin, la ville aux maisons peintes,
La ville aux dômes d'or, le blanche Navarin,
75 Sur la colline assise entre les térébinthes,
Qui prête son beau golfe aux ardentes étreintes
De deux flottes heurtant leurs carènes d'airain.

Les voilà toutes deux : — la mer en est chargée,
Prête à noyer leurs feux, prête à boire leur sang.
80 Chacune par son dieu semble au combat rangée :

L'une s'étend en croix sur les flots allongée ;
L'autre ouvre ses bras lourds et se courbe en croissant.

Ici l'Europe : enfin l'Europe qu'on déchaîne !
Avec ses grands vaisseaux voguant comme des tours.
85 Là, l'Egypte des Turcs, cette Asie africaine,
Ces vivaces forbans, mal tués par Duquesne,
Qui mit en vain le pied sur ces nids de vautours !

            Ecoutez ! — Le canon gronde.
            Il est temps qu'on lui réponde.
90   Le patient est le fort.
            Eclatent donc les bordées !
            Sur ces nefs intimidées,
            Frégates, jetez la mort !
            Et qu'au souffle de vos bouches
95   Fondent ces vaisseaux farouches,
            Broyés aux rochers du port !

            La bataille enfin s'allume :
            Tout à la fois tonne et fume.
            La mort vole où nous frappons.
100   Là, tout brûle pêle-mêle.
            Ici, court le brûlot frêle,
            Qui jette aux mâts ses crampons,
            Et, comme un chacal dévore
            L'éléphant qui lutte encore,
105   Ronge un navire à trois ponts.

            — L'abordage ! l'abordage ! —
            On se suspend au cordage ;
            On s'élance des haubans.
            La poupe heurte la proue.
110   La mêlée a dans sa roue
            Rameurs courbés sur leurs bancs,
            Fantassins pleurant la terre,
            L'épée et le cimeterre,
            Les casques et les turbans !

115   La vergue aux vergues s'attache ;
            La torche insulte à la hache ;

Tout s'attaque en même temps.
Sur l'abîme la mort nage.
Epouvantable carnage!
120 Champs de bataille flottants,
Qui, battus de cent volées,   *volleys*
S'écroulent sous les mêlées,
Avec tous leurs combattants!

Alex + 6, 6 ème verse   V   *cramped for room*

Lutte horrible! Ah! quand l'homme, à l'étroit sur la terre,   A
125 Jusque sur l'Océan précipite la guerre,   A
Le sol tremble sous lui, tandis qu'il se débat.   B
La mer, la grande mer, joue avec ses batailles.   C
Vainqueurs, vaincus, à tous elle ouvre ses entrailles :   C
            Le naufrage éteint le combat.   B

130 O spectacle! Tandis que l'Afrique grondante
Bat nos puissants vaisseaux de sa flotte imprudente,
Qu'elle épuise à leurs flancs sa rage et ses efforts,
Chacun d'eux, géant fier, sur ces hordes bruyantes,
Ouvrant à temps égaux ses gueules foudroyantes,
135 Vomit tranquillement la mort de tous ses bords!

Tout s'embrase : voyez! l'eau de cendre est semée,
Le vent aux mâts en flamme arrache la fumée,
Le feu sur les tillacs s'abat en ponts mouvants.   *deck*
Déjà brûlent les nefs : déjà, sourde et profonde,
140 La flamme en leurs flancs noirs ouvre un passage à l'onde;
            Déjà, sur les ailes des vents,

L'incendie, attaquant la frégate amirale,
Déroule autour des mâts son ardente spirale,
Prend les marins hurlants dans ses brûlants réseaux,
145 Couronne de ses jets la poupe inabordable,
Triomphe, et jette au loin un reflet formidable
Qui tremble, élargissant ses cercles sur les eaux!

6 syl, 8 line verse   VI

Où sont, enfants du Caire,   A
Ces flottes qui naguère   A
150 Emportaient à la guerre   A
Leurs mille matelots ?   B

352 LES ORIENTALES

Ces voiles, où sont-elles,
Qu'armaient les infidèles,
Et qui prêtaient leurs ailes
A l'ongle des brûlots ?

Où sont tes mille antennes,
Et tes hunes hautaines,
Et tes fiers capitaines,
Armada du sultan ?
Ta ruine commence,
Toi qui, dans ta démence,
Battais les mers, immense
Comme Léviathan !

Le capitan qui tremble
Voit éclater ensemble
Ces chébecs que rassemble
Alger ou Tetuan.
Le feu vengeur embrasse
Son vaisseau dont la masse
Soulève, quand il passe,
Le fond de l'Océan.

Sur les mers irritées,
Dérivent, démâtées,
Nefs par les nefs heurtées,
Yachts aux mille couleurs,
Galères capitanes,
Caïques et tartanes
Qui portaient aux sultanes
Des têtes et des fleurs !

Adieu, sloops intrépides,
Adieu, jonques rapides,
Qui sur les eaux limpides
Berçaient les icoglans !
Adieu la goélette
Dont la vague reflète
Le flamboyant squelette,
Noir dans les feux sanglants !

Adieu, la barcarolle
Dont l'humble banderolle
Autour des vaisseaux vole,
Et qui, peureuse, fuit,

Quand du souffle des brises
Les frégates surprises,
Gonflant leurs voiles grises,
Déferlent à grand bruit!

Adieu, la caravelle
Qu'une voile nouvelle
Aux yeux de loin révèle;
Adieu, le dogre ailé,
Le brick dont les amures
Rendent de sourds murmures,
Comme un amas d'armures
Par le vent ébranlé.

Adieu, la brigantine
Dont la voile latine
Du flot qui se mutine
Fend les vallons amers!
Adieu, la balancelle
Qui sur l'onde chancelle,
Et, comme une étincelle,
Luit sur l'azur des mers!

Adieu, lougres difformes,
Galéaces énormes,
Vaisseaux de toutes formes,
Vaisseaux de tous climats,
L'yole aux triples flammes,
Les mahonnes, les prames,
La felouque à six rames,
La polacre à deux mâts!

Chaloupes canonnières!
Et lanches marinières—
Où flottaient les bannières
Du pacha souverain!
Bombardes que la houle,
Sur son front qui s'écroule,
Soulève, emporte et roule
Avec un bruit d'airain!

Adieu, ces nefs bizarres,
Caraques et gabarres,
Qui de leurs cris barbares
Troublaient Chypre et Délos!

Que sont donc devenues
Ces galères chenues ?
La mer les jette aux nues,
235　Le ciel les rend aux flots !

VII

Silence ! Tout est fait : tout retombe à l'abîme.
L'écume des hauts mâts a recouvert la cime.
Des vaisseaux du sultan les flots se sont joués.
Quelques-uns, bricks rompus, prames désemparées,
240　Comme l'algue des eaux qu'apportent les marées,
Sur la grève noircie expirent échoués.

Ah ! c'est une victoire ! — Oui, l'Afrique défaite,
Le vrai Dieu sous ses pieds foulant le faux prophète,
Les tyrans, les bourreaux criant grâce ! à leur tour,
245　Ceux qui meurent enfin sauvés par ceux qui règnent,
Hellé lavant ses flancs qui saignent,
Et six ans vengés dans un jour !

Depuis assez longtemps les peuples disaient : « Grèce,
Grèce ! Grèce ! tu meurs. Pauvre peuple en détresse,
250　A l'horizon en feu chaque jour tu décroîs.
En vain, pour te sauver, patrie illustre et chère,
Nous réveillons le prêtre endormi dans sa chaire,
En vain nous mendions une armée à nos rois.

« Mais les rois restent sourds, les chaires sont muettes.
255　Ton nom n'échauffe ici que des cœurs de poètes.
A la gloire, à la vie on demande tes droits ?
A la croix grecque, Hellé, ta valeur se confie...
C'est un peuple qu'on crucifie !
Qu'importe, hélas ! sur quelle croix ?

260　« Tes dieux s'en vont aussi. Parthénon, Propylées,
Murs de Grèce, ossements des villes mutilées,
Vous devenez une arme aux mains des mécréants.
Pour battre ses vaisseaux du haut des Dardanelles,
Chacun de vos débris, ruines solennelles,
265　Donne un boulet de marbre à leurs canons géants ! »

Qu'on change cette plainte en joyeuse fanfare !
Une rumeur surgit de l'Isthme jusqu'au Phare.

Regardez ce ciel noir plus beau qu'un ciel serein.
Le vieux colosse turc sur l'Orient retombe,
270   La Grèce est libre, et dans la tombe
             Byron applaudit Navarin.

Salut donc, Albion, vieille reine des ondes!
Salut, aigle des czars, qui planes sur deux mondes!
Gloire à nos fleurs de lis, dont l'éclat est si beau!
275 L'Angleterre aujourd'hui reconnaît sa rivale.
Navarin la lui rend. Notre gloire navale
A cet embrasement rallume son flambeau.

Je te retrouve, Autriche! — Oui la voilà, c'est elle!
Non, pas ici mais là, — dans la flotte infidèle.
280 Parmi les rangs chrétiens en vain on te chercha.
Nous surprenons, honteuse et la tête penchée,
             Ton aigle au double front cachée
             Sous les crinières d'un pacha!

C'est bien ta place, Autriche! — On te voyait naguère
285 Briller près d'Ibrahim, ce Tamerlan vulgaire;
Tu dépouillais les morts qu'il foulait en passant;
Tu l'admirais, mêlée aux eunuques serviles,
Promenant au hasard sa torche dans les villes,
Horrible, et n'éteignant le feu qu'avec du sang.

290 Tu préférais ces feux aux clartés de l'aurore.
Aujourd'hui qu'à leur tour la flamme enfin dévore
Ses noirs vaisseaux, vomis des ports égyptiens,
Rouvre les yeux, regarde, Autriche abâtardie!
             Que dis-tu de cet incendie?
295   Est-il aussi beau que les siens?

Novembre 1827.

VI

CRI DE GUERRE DU MUFTI

Hierro, despierta te!

CRI DE GUERRE DES ALMOGAVARES.

Fer, réveille-toi!

6 lines, 12 & 8 syl.

xtians treated as dogs, considered unclean

En guerre les guerriers! Mahomet! Mahomet!   *A*
Les chiens mordent les pieds du lion qui dormait;   *A*
    Ils relèvent leur tête infâme;   *B*
Ecrasez, ô croyants du prophète divin,
5   Ces chancelants soldats qui s'enivrent de vin,   *Forbidden to Mahomedans*
    Ces hommes qui n'ont qu'une femme!   *B*

rabble army

Meure la race franque et ses rois détestés!
Spahis, timariots, allez, courez, jetez
    A travers les sombres mêlées
10   Vos sabres, vos turbans, le bruit de votre cor,   *army*
Vos tranchants étriers, larges triangles d'or,
    Vos cavales échevelées!   *mare*

             x
Qu'Othman, fils d'Ortogrul, vive en chacun de vous.
Que l'un ait son regard et l'autre son courroux.
15   Allez, allez, ô capitaines!
Et nous te reprendrons, ville aux dômes d'azur,
Molle Setiniah, qu'en leur langage impur
    Les barbares nomment Athènes!   *actually Turks still held Acropolis*

Octobre 1828.

x phrase forms hemistich, ∴ used. Ottoman Turks, stem from them.

only intention = to paint Eastern civilization. Propaganda very indirect, cruel indifference to humanity. Short poem, but contains many additional beliefs on East, rather than own invention.

VII

LA DOULEUR DU PACHA

6 lines, 12 & 8 syl, alternating with 12 only

> Séparé de tout ce qui m'était cher, je me
> consume solitaire et désolé.

Questions + negative answers, + finally correct explanation

BYRON.

— Qu'a donc l'ombre d'Allah ? disait l'humble derviche. *A*
Son aumône est bien pauvre et son trésor bien riche ! *A*
Sombre, immobile, avare, il rit d'un rire amer. *B*
A-t-il donc ébréché le sabre de son père ? *B* *false passed him on to son as*
5 Ou bien de ses soldats autour de son repaire *B* *symbol of leadership*
     Vu rugir l'orageuse mer ? *B*

— Qu'a-t-il donc le pacha, le vizir des armées ? *A*
Disaient les bombardiers, leurs mèches allumées. *A*
Les imams troublent-ils cette tête de fer ? *B*
10 A-t-il du ramadan rompu le jeûne austère ? *B*
Lui font-ils voir en rêve, aux bornes de la terre, *B*
L'ange Azraël [4], debout sur le pont de l'enfer ? *B*

sultans pages, brought up in harem
— Qu'a-t-il donc ? murmuraient les icoglans stupides. *A*
Dit-on qu'il ait perdu, dans les courants rapides, *A*
15 Le vaisseau des parfums qui le font rajeunir ? *appears often in arab tales*
Trouve-t-on à Stamboul sa gloire assez ancienne ? *C*
Dans les prédictions de quelque Égyptienne *C*
     A-t-il vu le muet venir ? *B*

— Qu'a donc le doux sultan ? demandaient les sultanes. *A*
20 A-t-il avec son fils surpris sous les platanes *A*
Sa brune favorite aux lèvres de corail ? *B*
A-t-on souillé son bain d'une essence grossière ? *C*
Dans le sac du fellah, vidé sur la poussière, *C*
Manque-t-il quelque tête attendue au sérail ? *B*

25 — Qu'a donc le maître ? ainsi s'agitent les esclaves.
Tous se trompent. — Hélas ! si, perdu pour ses braves,
Assis comme un guerrier qui dévore un affront,
Courbé comme un vieillard sous le poids des années,
Depuis trois longues nuits et trois longues journées, *repetition of*
     Il croise ses mains sur son front, *3 frequent in greek myth*

Ce n'est pas qu'il ait vu la révolte infidèle
Assiégeant son harem comme une citadelle,
Jeter jusqu'à sa couche un sinistre brandon ;
Ni d'un père en sa main s'émousser le vieux glaive ;
35 Ni paraître Azraël ; ni passer dans un rêve
Les muets bigarrés armés du noir cordon.

Hélas ! l'ombre d'Allah n'a pas rompu le jeûne ;
La sultane est gardée, et son fils est trop jeune ;
Nul vaisseau n'a subi d'orages importuns ;
40 Le Tartare avait bien sa charge accoutumée ;
Il ne manque au sérail, solitude embaumée,
        Ni les têtes ni les parfums.

Ce ne sont pas non plus les villes écroulées,
Les ossements humains noircissant les vallées,
45 La Grèce incendiée, en proie aux fils d'Omar,
L'orphelin, ni la veuve, et ses plaintes amères,
Ni l'enfance égorgée aux yeux des pauvres mères,
Ni la virginité marchandée au bazar,

Non, non, ce ne sont pas ces figures funèbres,
50 Qui, d'un rayon sanglant luisant dans les ténèbres,
En passant dans son âme ont laissé le remord.
Qu'a-t-il donc ce pacha que la guerre réclame,
Et qui, triste et rêveur, pleure comme une femme... ?
        Son tigre de Nubie est mort.

                                        Décembre 1827.

VIII

CHANSON DE PIRATES

                    Alerte ! alerte ! voici les pirates d'Ochali qui
                    traversent le détroit.

                                        Le captif d'Ochali.

Nous emmenions en esclavage
Cent chrétiens, pêcheurs de corail ;
Nous recrutions pour le sérail
Dans tous les moutiers du rivage.

En mer, les hardis écumeurs!
Nous allions de Fez à Catane...
Dans la galère capitane
Nous étions quatre-vingts rameurs.

On signale un couvent à terre :
Nous jetons l'ancre près du bord;
A nos yeux s'offre tout d'abord
Une fille du monastère.
Près des flots, sourde à leurs rumeurs,
Elle dormait sous un platane...
Dans la galère capitane
Nous étions quatre-vingts rameurs.

— La belle fille, il faut vous taire,
Il faut nous suivre! il fait bon vent.
Ce n'est que changer de couvent :
Le harem vaut le monastère.
Sa Hautesse aime les primeurs,
Nous vous ferons mahométane...
Dans la galère capitane
Nous étions quatre-vingts rameurs.

Elle veut fuir vers sa chapelle.
— Osez-vous bien, fils de Satan... ?
— Nous osons, dit le capitan!
Elle pleure, supplie, appelle.
Malgré sa plainte et ses clameurs,
On l'emporta dans la tartane.
Dans la galère capitane
Nous étions quatre-vingts rameurs.

Plus belle encor dans sa tristesse,
Ses yeux étaient deux talismans.
Elle valait mille tomans;
On la vendit à Sa Hautesse.
Elle eut beau dire : Je me meurs!
De nonne elle devint sultane...
Dans la galère capitane
Nous étions quatre-vingts rameurs.

Mars 1828.

Stresses beauty of country, rather than captivity

IX

LA CAPTIVE

> On entendait le chant des oiseaux aussi har-
> monieux que la poésie.
>
> SADI. *Gulistan.*

Si je n'étais captive,
J'aimerais ce pays,
Et cette mer plaintive,
Et ces champs de maïs,
5 Et ces astres sans nombre,
Si le long du mur sombre
N'étincelait dans l'ombre
Le sabre des spahis.

Je ne suis point Tartare
10 Pour qu'un eunuque noir
M'accorde ma guitare,
Me tienne mon miroir.
Bien loin de ces Sodomes,
Au pays dont nous sommes,
15 Avec les jeunes hommes
On peut parler le soir [5].

Pourtant j'aime une rive
Où jamais des hivers
Le souffle froid n'arrive
20 Par les vitraux ouverts.
L'été, la pluie est chaude;
L'insecte vert qui rôde,
Luit, vivante émeraude,
Sous les brins d'herbe verts.

25 Smyrne est une princesse
Avec son beau chapel;
L'heureux printemps sans cesse
Répond à son appel,
Et, comme un riant groupe
30 De fleurs dans une coupe,
Dans ses mers se découpe
Plus d'un frais archipel.

8 lines
6 syl

A
B
A
B
c
c
c
B

) of paintings of
odalisques, have Alex 3

One harem full of youth

<pre>
        J'aime ces tours vermeilles,
        Ces drapeaux triomphants,
35   Ces maisons d'or, pareilles
        A des jouets d'enfants;
        J'aime, pour mes pensées
        Plus mollement bercées,
        Ces tentes balancées
40   Au dos des éléphants.

        Dans ce palais de fées,
        Mon cœur, plein de concerts,
        Croit, aux voix étouffées
        Qui viennent des déserts,
45   Entendre les génies
        Mêler les harmonies
        Des chansons infinies
        Qu'ils chantent dans les airs!

        J'aime de ces contrées
50   Les doux parfums brûlants;
        Sur les vitres dorées
        Les feuillages tremblants;
        L'eau que la source épanche
        Sous le palmier qui penche,
55   Et la cigogne blanche
        Sur les minarets blancs.

        J'aime en un lit de mousses
        Dire un air espagnol,
        Quand mes compagnes douces,
60   Du pied rasant le sol,
        Légion vagabonde
        Où le sourire abonde,
        Font tournoyer leur ronde
        Sous un rond parasol.

65   Mais surtout, quand la brise
        Me touche en voltigeant,
        La nuit, j'aime être assise,
        Etre assise en songeant,
        L'œil sur la mer profonde,
70   Tandis que, pâle et blonde,
        La lune ouvre dans l'onde
        Son éventail d'argent.
</pre>

Juillet 1828.

Accepted method of getting rid of adulteresses. Also rivals for Sultan's love. Byron used this theme.

Story involved not important. c/f between serenity of scene + violence + horror of action.

X

CLAIR DE LUNE

4 lines; 12 syls

> Per amica silentia lunæ.
> VIRGILE.

La lune était sereine et jouait sur les flots.   *A*
La fenêtre enfin libre est ouverte à la brise;   *B*
La sultane regarde, et la mer qui se brise,   *B*
Là-bas, d'un flot d'argent brode les noirs îlots.   *A*

5 De ses doigts en vibrant s'échappe la guitare.
Elle écoute : ... un bruit sourd frappe les sourds échos.
Est-ce un lourd vaisseau turc qui vient des eaux de Cos,   *N.W of Rhodes*
Battant l'Archipel grec de sa rame tartare ?

Sont-ce des cormorans qui plongent tour à tour,
10 Et coupent l'eau, qui roule en perles sur leur aile ?
Est-ce un djinn ⁶ qui là-haut siffle d'une voix grêle,
Et jette dans la mer les créneaux de la tour ?

Qui trouble ainsi les flots près du sérail des femmes ? —
Ni le noir cormoran, sur la vague bercé ;
15 Ni les pierres du mur ; ni le bruit cadencé
D'un lourd vaisseau rampant sur l'onde avec des rames.

Ce sont des sacs pesants, d'où partent des sanglots.
On verrait, en sondant la mer qui les promène,
Se mouvoir dans leurs flancs comme une forme humaine...
20 La lune était sereine et jouait sur les flots.

Septembre 1828.

ie if you looked

c/f Bajazet

[handwritten top margin: women forbidden to show face in public. Right of men to kill them on mere suspicion of dishonour.]

[handwritten: Dramatic form; repetitions + inversions copy popular song forms.]

XI

LE VOILE

> Avez-vous prié Dieu ce soir, Desdémona ?
> SHAKESPEARE.

LA SŒUR

[handwritten: anxiety]

— Qu'avez-vous, qu'avez-vous, mes frères ? *A*
Vous baissez des fronts soucieux. *B*
Comme des lampes funéraires, *A*
Vos regards brillent dans vos yeux. *B*
5   Vos ceintures sont déchirées ; *C*
Déjà trois fois, hors de l'étui, *D*
Sous vos doigts, à demi tirées, *C*
[handwritten: renovation] Les lames des poignards ont lui. *D*

LE FRÈRE AÎNÉ

[handwritten: ux]
N'avez-vous pas levé votre voile aujourd'hui ? *D (echo)*

LA SŒUR

10   Je revenais du bain, mes frères,
[handwritten: local colour] Seigneurs, du bain je revenais,
Cachée aux regards téméraires   *[handwritten: Scornful Turkish name for Xtians]*
Des Giaours et des Albanais.
En passant près de la mosquée
15   Dans mon palanquin recouvert,
L'air de midi m'a suffoquée :
[handwritten: excuse] Mon voile un instant s'est ouvert.

LE SECOND FRÈRE

Un homme alors passait ? un homme en caftan vert ?

LA SŒUR

Oui..., peut-être..., mais son audace
20   N'a point vu mes traits dévoilés...
Mais vous vous parlez à voix basse,
A voix basse vous vous parlez.
Vous faut-il du sang ? sur votre âme,
Mes frères, il n'a pu me voir.
25   Grâce ! tuerez-vous une femme,
Faible et nue en votre pouvoir ?

[handwritten left margin: 8 lines + 1 / 8 syls + 12 syls]

LE TROISIÈME FRÈRE

Ominous

Le soleil était rouge à son coucher ce soir !

LA SŒUR

Grâce ! qu'ai-je fait ? grâce ! grâce !
Dieu ! quatre poignards dans mon flanc !
30   Ah ! par vos genoux que j'embrasse...
Betrayed her   O mon voile ! ô mon voile blanc !
Ne fuyez pas mes mains qui saignent,
Mes frères, soutenez mes pas !
Car sur mes regards qui s'éteignent
35 *Revenge*   S'étend un voile de trépas.

LE QUATRIÈME FRÈRE

Heartless   C'en est un que du moins tu ne lèveras pas !

Septembre 1828.

XII

5 lines 8 syls   LA SULTANE FAVORITE *Local colour*

Othello V, 2   Perfide comme l'onde.
re Desdemona   SHAKESPEARE.

N'ai-je pas pour toi, belle juive,   *A*
Assez dépeuplé mon sérail ?   *B*
Souffre qu'enfin le reste vive :   *A*
Faut-il qu'un coup de hache suive   *A*
5   Chaque coup de ton éventail ?   *B*

Repose-toi, jeune maîtresse ;
Fais grâce au troupeau qui me suit.
Je te fais sultane et princesse :
Laisse en paix tes compagnes, cesse
10   D'implorer leur mort chaque nuit.

Quand à ce penser tu t'arrêtes
Tu viens plus tendre à mes genoux ;
Toujours je comprends dans les fêtes
Que tu vas demander des têtes
15   Quand ton regard devient plus doux.

Ah! jalouse entre les jalouses!
Si belle avec ce cœur d'acier!
Pardonne à mes autres épouses.
Voit-on que les fleurs des pelouses
20 Meurent à l'ombre du rosier ?

Ne suis-je pas à toi ? qu'importe,
Quand sur toi mes bras sont fermés,
Que cent femmes qu'un feu transporte
Consument en vain à ma porte
25 Leur souffle en soupirs enflammés!

Dans leur solitude profonde,
Laisse-les t'envier toujours;
Vois-les passer comme fuit l'onde;
Laisse-les vivre : à toi le monde,
30 A toi mon trône, à toi mes jours!

A toi tout mon peuple qui tremble!
A toi Stamboul qui, sur ce bord
Dressant mille flèches ensemble,
Se berce dans la mer et semble
35 Une flotte à l'ancre qui dort!

A toi, jamais à tes rivales,
Mes spahis aux rouges turbans,
Qui, se suivant sans intervalles,
Volent courbés sur leurs cavales
40 Comme des rameurs sur leurs bancs!

A toi Bassora, Trébizonde,
Chypre où de vieux noms sont gravés,
Fez où la poudre d'or abonde,
Mosul où trafique le monde,
45 Erzeroum aux chemins pavés!

A toi Smyrne et ses maisons neuves,
Où vient blanchir le flot amer!
Le Gange redouté des veuves!
Le Danube qui par cinq fleuves
50 Tombe échevelé dans la mer!

Dis ? crains-tu les filles de Grèce ?
Les lis pâles de Damanhour ?
Ou l'œil ardent de la négresse
Qui, comme une jeune tigresse,
55 Bondit rugissante d'amour ?

Que m'importe, juive adorée,
Un sein d'ébène, un front vermeil ?
Tu n'es point blanche ni cuivrée :
Mais il semble qu'on t'a dorée
60   Avec un rayon du soleil.

N'appelle donc plus la tempête,
Princesse, sur ces humbles fleurs ;
Jouis en paix de ta conquête,
Et n'exige pas qu'une tête
65   Tombe avec chacun de tes pleurs !

Ne songe plus qu'aux frais platanes,
Au bain mêlé d'ambre et de nard,
Au golfe où glissent les tartanes...
Il faut au sultan des sultanes ;
70   Il faut des perles au poignard !

                                    Octobre 1828.

XIII

LE DERVICHE

Ὅ ταν ἦναι πεπρωμένος,
Εἰς τόν οὐρανόν γραμμένος,
                    Τοῦ ἀνθρώωου ὁ χαμός,
Ὅ, τι χάμη,ἀποθνήσχει,
Τόν χρημνὸν παντοῦ εὑρίσχει,
                    Καί ὁ θάνατος αὑτσς.
Στὸ χρεββάτι του τόν φθάνει,
Ὡσάν βδέλλα τόν βυζάνει,
                    Καί τόν θάπτει μοναχός.

                    PANAGO SOUTZO.

Quand la perte d'un mortel est écrite dans
le livre fatal de la destinée, quoi qu'il fasse, il
n'échappera jamais à son funeste avenir ; la
mort le poursuit partout ; elle le surprend
même dans son lit, suce de ses lèvres avides
son sang et l'emporte sur ses épaules.

Un jour Ali passait : les têtes les plus hautes
Se courbaient au niveau des pieds de ses arnautes.

Tout le peuple disait : Allah!
Un derviche soudain, cassé par l'âge aride,
5 Fendit la foule, prit son cheval par la bride,
Et voici comme il lui parla :

« Ali-Tépéléni, lumière des lumières,
Qui sièges au divan sur les marches premières,
Dont le grand nom toujours grandit,
10 Ecoute-moi, vizir de ces guerriers sans nombre,
Ombre du padischah qui de Dieu même est l'ombre,
Tu n'es qu'un chien et qu'un maudit!

« Un flambeau du sépulcre à ton insu t'éclaire.
Comme un vase trop plein tu répands ta colère
15   Sur tout un peuple frémissant;
Tu brilles sur leurs fronts comme une faux dans l'herbe,
Et tu fais un ciment à ton palais superbe
De leurs os broyés dans leur sang.

« Mais ton jour vient. Il faut, dans Janina qui tombe,
20 Que sous tes pas enfin croule et s'ouvre ta tombe!
Dieu te garde un carcan de fer
Sous l'arbre du segjin [7] chargé d'âmes impies
Qui sur ses rameaux noirs frissonnent accroupies,
Dans la nuit du septième enfer!

25 Ton âme fuira nue! au livre de tes crimes
Un démon te lira les noms de tes victimes;
Tu les verras autour de toi,
Ces spectres, teints du sang qui n'est plus dans leurs veines,
Se presser, plus nombreux que les paroles vaines
30   Que balbutiera ton effroi!

« Ceci t'arrivera, sans que ta forteresse
Ou ta flotte te puisse aider, dans ta détresse,
De sa rame ou de son canon;
Quand même Ali-Pacha, comme le juif immonde,
35 Pour tromper l'ange noir qui l'attend hors du monde,
En mourant changerait de nom! »

Ali sous sa pelisse avait un cimeterre,
Un tromblon tout chargé, s'ouvrant comme un cratère,
Trois longs pistolets, un poignard :
40 Il écouta le prêtre et lui laissa tout dire,
Pencha son front rêveur, puis avec un sourire
Donna sa pelisse au vieillard.

Novembre 1828.

XIV

LE CHATEAU FORT

Ἔῤῥωσο! *achei*

A quoi pensent ces flots qui baisent sans murmure
Les flancs de ce rocher luisant comme une armure ?
Quoi donc! n'ont-ils pas vu, dans leur propre miroir,
Que ce roc, dont le pied déchire leurs entrailles,
5 A sur sa tête un fort, ceint de blanches murailles,
Roulé comme un turban autour de son front noir ?

Que font-ils ? à qui donc gardent-ils leur colère ?
Allons! acharne-toi sur ce cap séculaire,
O mer! trêve un moment aux pauvres matelots!
10 Ronge, ronge ce roc! qu'il chancelle, qu'il penche,
Et tombe enfin, avec sa forteresse blanche,
La tête la première, enfoncé dans les flots!

Dis, combien te faut-il de temps, ô mer fidèle,
Pour jeter bas ce roc avec sa citadelle!
15 Un jour ? un an ? un siècle... ? au nid du criminel
Précipite toujours ton eau jaune de sable!
Que t'importe le temps, ô mer intarissable ?
Un siècle est comme un flot dans ton gouffre éternel.

Engloutis cet écueil! que ta vague l'efface
20 Et sur son front perdu toujours passe et repasse!
Que l'algue aux verts cheveux dégrade ses contours!
Que, sur son flanc couché, dans ton lit sombre il dorme!
Qu'on n'y distingue plus sa forteresse informe!
Que chaque flot emporte une pierre à ses tours!

25 Afin que rien n'en reste au monde, et qu'on respire
De ne plus voir la tour d'Ali, pacha d'Epire;   *He had a man*
Et qu'un jour, côtoyant les bords qu'Ali souilla,   *for building ?*
Si le marin de Cos dans la mer ténébreuse
Voit un grand tourbillon dont le centre se creuse,
30 Aux passagers, muets il dise : c'était là!

Novembre 1828.

XV

MARCHE TURQUE

> Là — Allah! — Ellàllah!
> KORAN.

Il n'y a d'autre dieu que Dieu.

Ma dague d'un sang noir à mon côté ruisselle,
Et ma hache est pendue à l'arçon de ma selle.

J'aime le vrai soldat, effroi de Bélial : *demon chief*
Son turban évasé rend son front plus sévère; *flared, opening out*
5 Il baise avec respect la barbe de son père,
Il voue à son vieux sabre un amour filial, *values past time past to son*
Et porte un doliman percé dans les mêlées
De plus de coups que n'a de taches étoilées
     La peau du tigre impérial.

10 Ma dague d'un sang noir à mon côté ruisselle,
Et ma hache est pendue à l'arçon de ma selle.

Un bouclier de cuivre à son bras sonne et luit,
Rouge comme la lune au milieu d'une brume;
Son cheval hennissant mâche un frein blanc d'écume; *Champs*
15 Un long sillon de poudre en sa course le suit.
Quand il passe au galop sur le pavé sonore,
On fait silence, on dit : C'est un cavalier maure!
     Et chacun se retourne au bruit.

Ma dague d'un sang noir à mon côté ruisselle,
20 Et ma hache est pendue à l'arçon de ma selle.

Quand dix mille Giaours viennent au son du cor,
Il leur répond; il vole, et d'un souffle farouche
Fait jaillir la terreur du clairon qu'il embouche,
Tue, et parmi les morts sent croître son essor,
25 Rafraîchit dans leur sang son caftan écarlate,
Et pousse son coursier qui se lasse, et le flatte
     Pour en égorger plus encor!

Ma dague d'un sang noir à mon côté ruisselle,
Et ma hache est pendue à l'arçon de ma selle.

30 J'aime s'il est vainqueur, quand s'est tu le tambour,
Qu'il ait sa belle esclave aux paupières arquées,
Et, laissant les imams qui prêchent aux mosquées
Boire du vin la nuit, qu'il en boive au grand jour!
J'aime, après le combat, que sa voix enjouée
35 Rie, et des cris de guerre encor tout enrouée,
       Chante les houris et l'amour!

Ma dague d'un sang noir à mon côté ruisselle,
Et ma hache est pendue à l'arçon de ma selle.

Qu'il soit grave, et rapide à venger un affront;
40 Qu'il aime mieux savoir le jeu du cimeterre
Que tout ce qu'à vieillir on apprend sur la terre;
Qu'il ignore quel jour les soleils s'éteindront,
Quand rouleront les mers sur les sables arides;
Mais qu'il soit brave et jeune, et préfère à des rides
45   Des cicatrices sur son front.

Ma dague d'un sang noir à mon côté ruisselle,
Et ma hache est pendue à l'arçon de ma selle.

Tel est, comparadgis, spahis, timariots [8],
Le vrai guerrier croyant! mais celui qui se vante,
50 Et qui tremble au moment de semer l'épouvante,
Qui le dernier arrive aux camps impériaux,
Qui, lorsque d'une ville on a forcé la porte,
Ne fait pas, sous le poids du butin qu'il rapporte,
       Plier l'essieu des chariots;

55 Ma dague d'un sang noir à mon côté ruisselle,
Et ma hache est pendue à l'arçon de ma selle.

Celui qui d'une femme aime les entretiens;
Celui qui ne sait pas dire dans une orgie
Quelle est d'un beau cheval la généalogie;
60 Qui cherche ailleurs qu'en soi force, amis et soutiens,
Sur de soyeux divans se couche avec mollesse,
Craint le soleil, sait lire, et par scrupule laisse
       Tout le vin de Chypre aux chrétiens;

Ma dague d'un sang noir à mon côté ruisselle,
65 Et ma hache est pendue à l'arçon de ma selle.

Celui-là, c'est un lâche, et non pas un guerrier.
Ce n'est pas lui qu'on voit dans la bataille ardente
Pousser un fier cheval, à la housse pendante,   *horse cloth*
Le sabre en main, debout sur le large étrier;
70 Il n'est bon qu'à presser des talons une mule,
En murmurant tout bas quelque vaine formule,
      Comme un prêtre qui va prier !

Ma dague d'un sang noir à mon côté ruisselle,
Et ma hache est pendue à l'arçon de ma selle.

Mai 1828.

XVI

LA BATAILLE PERDUE [9]

              Sur la plus haute colline
              Il monte, et sa javeline
              Soutenant ses membres lourds,
              Il voit son armée en fuite
              Et de sa tente détruite
              Pendre en lambeaux le velours.

EM. DESCHAMPS. *Rodrigue pendant la bataille.*

« Allah ! qui me rendra ma formidable armée,
Emirs, cavalerie au carnage animée,
Et ma tente, et mon camp, éblouissant à voir,
Qui la nuit allumait tant de feux qu'à leur nombre,
5 On eût dit que le ciel sur la colline sombre
      Laissait ses étoiles pleuvoir ?

« Qui me rendra mes beys aux flottantes pelisses ?
Mes fiers timariots, turbulentes milices ?
Mes khans bariolés ? mes rapides spahis ?
10 Et mes bédouins hâlés, venus des Pyramides,
Qui riaient d'effrayer les laboureurs timides,
Et poussaient leurs chevaux par les champs de maïs ?

« Tous ces chevaux, à l'œil de flamme, aux jambes grêles,
Qui volaient dans les blés comme des sauterelles,
15 Quoi, je ne verrai plus, franchissant les sillons,
Leurs troupes, par la mort en vain diminuées,
Sur les carrés pesants s'abattant par nuées,
        Couvrir d'éclairs les bataillons!

« Ils sont morts : dans le sang traînent leurs belles housses;
20 Le sang souille et noircit leur croupe aux taches rousses;
L'éperon s'userait sur leur flanc arrondi
Avant de réveiller leurs pas jadis rapides,
Et près d'eux sont couchés leurs maîtres intrépides
Qui dormaient à leur ombre aux haltes de midi!

25 « Allah! qui me rendra ma redoutable armée?
La voilà par les champs tout entière semée,
Comme l'or d'un prodigue épars sur le pavé.
Quoi! chevaux, cavaliers, Arabes et Tartares,
Leurs turbans, leur galop, leurs drapeaux, leurs fanfares,
30   C'est comme si j'avais rêvé!

« O mes vaillants soldats et leurs coursiers fidèles!
Leur voix n'a plus de bruit et leurs pieds n'ont plus d'ailes.
Ils ont oublié tout, et le sabre et le mors.
De leurs corps entassés cette vallée est pleine :
35 Voilà pour bien longtemps une sinistre plaine!
Ce soir, l'odeur du sang : demain, l'odeur des morts.

« Quoi! c'était une armée, et ce n'est plus qu'une ombre!
Ils se sont bien battus! de l'aube à la nuit sombre,
Dans le cercle fatal ardents à se presser.
40 Les noirs linceuls des nuits sur l'horizon se posent.
Les braves ont fini : maintenant ils reposent,
        Et les corbeaux vont commencer.

« Déjà, passant leur bec entre leurs plumes noires,
Du fond des bois, du haut des chauves promontoires,
45 Ils accourent : des morts ils rongent les lambeaux;
Et cette armée, hier formidable et suprême,
Cette puissante armée, hélas! ne peut plus même
Effaroucher un aigle et chasser des corbeaux!

« Oh! si j'avais encor cette armée immortelle,
50 Je voudrais conquérir des mondes avec elle;
Je la ferais régner sur les rois ennemis;

Elle serait ma sœur, ma dame et mon épouse.
Mais que fera la mort, inféconde et jalouse,
        De tant de braves endormis ?

55 « Que n'ai-je été frappé ! que n'a sur la poussière
Roulé mon vert turban avec ma tête altière !
Hier j'étais puissant ; hier trois officiers,
Immobiles et fiers sur leur selle tigrée,
Portaient, devant le seuil de ma tente dorée,
60 Trois panaches ravis aux croupes des coursiers.

« Hier j'avais cent tambours tonnant à mon passage ;
J'avais quarante agas contemplant mon visage,
Et d'un sourcil froncé tremblant dans leurs palais.
Au lieu des lourds pierriers qui dorment sur les proues,
65 J'avais de beaux canons, roulant sur quatre roues,
        Avec leurs canonniers anglais.

« Hier j'avais des châteaux ; j'avais de belles villes ;
Des Grecques par milliers à vendre aux juifs serviles ;
J'avais de grands harems et de grands arsenaux.
70 Aujourd'hui, dépouillé, vaincu, proscrit, funeste,
Je fuis... De mon empire, hélas ! rien ne me reste ;
Allah ! je n'ai plus même une tour à créneaux !

« Il faut fuir, moi, pacha, moi, vizir à trois queues !
Franchir l'horizon vaste et les collines bleues,
75 Furtif, baissant les yeux, presque tendant la main,
Comme un voleur qui fuit troublé dans les ténèbres,
Et croit voir des gibets dressant leurs bras funèbres
        Dans tous les arbres du chemin ! »

Ainsi parlait Reschid, le soir de sa défaite.
80 Nous eûmes mille Grecs tués à cette fête.
Mais le vizir fuyait, seul, ce champ meurtrier.
Rêveur, il essuyait son rouge cimeterre ;
Deux chevaux près de lui du pied battaient la terre,
Et vides, sur leurs flancs sonnaient les étriers.

                                        Mai 1828.

XVII

LE RAVIN

....alte fosse
che vallan quella terra sconsolata.
DANTE.

Un ravin de ces monts coupe la noire crête;
Comme si, voyageant du Caucase au Cédar,
Quelqu'un de ces Titans que nul rempart n'arrête
   Avait fait passer sur leur tête
5   La roue immense de son char.

Hélas! combien de fois dans nos temps de discorde,
Des flots de sang chrétien et de sang mécréant,
Baignant le cimeterre et la miséricorde,
Ont changé tout à coup en torrent qui déborde
10   Cette ornière d'un char géant!

          Avril 1828.

cf between beauty of scene & horror of massacre
" child's age & his wishes.

XVIII   NB *children fought in war*

L'ENFANT

O horror! horror! horror!
SHAKESPEARE, *Macbeth.*

12 + 8

Les Turcs ont passé là : tout est ruine et deuil.
Chio, l'île des vins, n'est plus qu'un sombre écueil,
   Chio, qu'ombrageaient les charmilles, *arbour*
Chio, qui dans les flots reflétait ses grands bois,
5 Ses coteaux, ses palais, et le soir quelquefois
   Un chœur dansant de jeunes filles.

Tout est désert : mais non, seul près des murs noircis,
Un enfant aux yeux bleus, un enfant grec, assis,
   Courbait sa tête humiliée.
10 Il avait pour asile, il avait pour appui

Une blanche aubépine, une fleur, comme lui
          Dans le grand ravage oubliée.

— Ah! pauvre enfant, pieds nus sur les rocs anguleux!
Hélas! pour essuyer les pleurs de tes yeux bleus
15   Comme le ciel et comme l'onde,
Pour que dans leur azur, de larmes orageux,
Passe le vif éclair de la joie et des jeux,
          Pour relever ta tête blonde,

Que veux-tu? bel enfant, que te faut-il donner
20 Pour rattacher gaîment et gaîment ramener
          En boucles sur ta blanche épaule
Ces cheveux qui du fer n'ont pas subi l'affront,
Et qui pleurent épars autour de ton beau front,
          Comme les feuilles sur le saule?

25 Qui pourrait dissiper tes chagrins nébuleux?
Est-ce d'avoir ce lis, bleu comme tes yeux bleus,
          Qui d'Iran borde le puits sombre?   *tree in Mahom. Paradise —*
Ou le fruit du tuba, de cet arbre si grand   *tree of happiness*
Qu'un cheval au galop met toujours en courant
30   Cent ans à sortir de son ombre [10]?

Veux-tu, pour me sourire, un bel oiseau des bois,
Qui chante avec un chant plus doux que le hautbois,
          Plus éclatant que les cymbales?
Que veux-tu? fleur, beau fruit ou l'oiseau merveilleux?
35 — Ami, dit l'enfant grec, dit l'enfant aux yeux bleus,
          Je veux de la poudre et des balles.

                                                  Juin 1828.

                              XIX

sunging rhythm   SARA LA BAIGNEUSE

                    Le soleil et les vents, dans ces bocages sombres,
                    Des feuilles sur son front faisaient flotter les
                                                              [ombres.
                                        ALFRED DE VIGNY.

          Sara, belle d'indolence,
                    Se balance

Dans un hamac, au-dessus
Du bassin d'une fontaine
    Toute pleine
5   D'eau puisée à l'Ilyssus;

Et la frêle escarpolette
    Se reflète
Dans le transparent miroir,
10   Avec la baigneuse blanche
      Qui se penche,
Qui se penche pour se voir.

Chaque fois que la nacelle
      Qui chancelle,
15   Passe à fleur d'eau dans son vol,
On voit sur l'eau qui s'agite
    Sortir vite
Son beau pied et son beau col.

Elle bat d'un pied timide
20   L'onde humide
Qui ride son clair tableau;
Du beau pied rougit l'albâtre;
    La folâtre
Rit de la fraîcheur de l'eau.

25   Reste ici caché : demeure!
    Dans une heure,
D'un œil ardent tu verras
Sortir du bain l'ingénue,
    Toute nue,
30   Croisant ses mains sur ses bras!

Car c'est un astre qui brille
    Qu'une fille
Qui sort d'un bain au flot clair,
Cherche s'il ne vient personne,
35   Et frissonne,
Toute mouillée au grand air!

Elle est là, sous la feuillée,
    Eveillée
Au moindre bruit de malheur;
40   Et rouge, pour une mouche
    Qui la touche,
Comme une grenade en fleur.

On voit tout ce que dérobe
            Voile ou robe ;
45 Dans ses yeux d'azur en feu,
Son regard que rien ne voile
            Est l'étoile
Qui brille au fond d'un ciel bleu.

L'eau sur son corps qu'elle essuie
50   Roule en pluie,
Comme sur un peuplier ;
Comme si, gouttes à gouttes,
            Tombaient toutes
Les perles de son collier.

55 Mais Sara la nonchalante
            Est bien lente
A finir ses doux ébats ;
Toujours elle se balance
            En silence,
60 Et va murmurant tout bas :

« Oh ! si j'étais capitane,
            Ou sultane,
Je prendrais des bains ambrés,
Dans un bain de marbre jaune,
65   Près d'un trône,
Entre deux griffons dorés !

« J'aurais le hamac de soie
            Qui se ploie
Sous le corps prêt à pâmer ;
70 J'aurais la molle ottomane
            Dont émane
Un parfum qui fait aimer.

« Je pourrais folâtrer nue,
            Sous la nue,
75 Dans le ruisseau du jardin,
Sans craindre de voir dans l'ombre
            Du bois sombre
Deux yeux s'allumer soudain.

« Il faudrait risquer sa tête
80   Inquiète,
Et tout braver pour me voir,
Le sabre nu de l'heyduque,

Et l'eunuque
Aux dents blanches, au front noir!

85   « Puis, je pourrais sans qu'on presse
                Ma paresse,
        Laisser avec mes habits
        Traîner sur les larges dalles
                Mes sandales
90   De drap brodé de rubis. »

        Ainsi se parle en princesse,
                Et sans cesse
        Se balance avec amour
        La jeune fille rieuse,
95   Oublieuse
        Des promptes ailes du jour.

        L'eau, du pied de la baigneuse
                Peu soigneuse,
        Rejaillit sur le gazon,
100   Sur sa chemise plissée,
                Balancée
        Aux branches d'un vert buisson.

        Et cependant des campagnes
                Ses compagnes
105   Prennent toutes le chemin.
        Voici leur troupe frivole
                Qui s'envole
        En se tenant par la main.

        Chacune, en chantant comme elle,
110   Passe et mêle
        Ce reproche à sa chanson :
        — Oh! la paresseuse fille
                Qui s'habille
        Si tard un jour de moisson!

                                        Juillet 1828.

XX

ATTENTE

Esperaba, desperada.

Monte, écureuil, monte au grand chêne,
Sur la branche des cieux prochaine,
Qui plie et tremble comme un jonc.
Cigogne, aux vieilles tours fidèle,
5   Oh! vole! et monte à tire-d'aile
De l'église à la citadelle,
Du haut clocher au grand donjon.

Vieux aigle, monte de ton aire
A la montagne centenaire
10   Que blanchit l'hiver éternel;
Et toi qu'en ta couche inquiète
Jamais l'aube ne vit muette,
Monte, monte, vive alouette,
Vive alouette, monte au ciel!

15   Et maintenant, du haut de l'arbre,
Des flèches de la tour de marbre,
Du grand mont, du ciel enflammé,
A l'horizon, parmi la brume,
Voyez-vous flotter une plume,
20   Et courir un cheval qui fume,
Et revenir mon bien-aimé ?

Juin 1828.

XXI

LAZZARA

> *Bathsheba*
>
> Et cette femme était fort belle.
> ROIS. chap. XI, v. 2.

Comme elle court! voyez! — par les poudreux sentiers,
Par les gazons tout pleins de touffes d'églantiers, *wild rose*
    Par les blés où le pavot brille, *poppy*
Par les chemins perdus, par les chemins frayés,
5 Par les monts, par les bois, par les plaines, voyez
    Comme elle court, la jeune fille!

Elle est grande, elle est svelte, et quand, d'un pas joyeux,
Sa corbeille de fleurs sur la tête, à nos yeux
    Elle apparaît vive et folâtre,
10 A voir sur son beau front s'arrondir ses bras blancs,
On croirait voir de loin, dans nos temples croulants,
    Une amphore aux anses d'albâtre. *Exact, visual metaphor*

Elle est jeune et rieuse, et chante sa chanson.
Et, pieds nus, près du lac, de buisson en buisson,
15   Poursuit les vertes demoiselles. *dragon fly*
Elle lève sa robe et passe les ruisseaux.
Elle va, court, s'arrête, et vole, et les oiseaux
    Pour ses pieds donneraient leurs ailes.

Quand, le soir, pour la danse on va se réunir,
20 A l'heure où l'on entend lentement revenir
    Les grelots du troupeau qui bêle,
Sans chercher quels atours à ses traits conviendront, *finery*
Elle arrive, et la fleur qu'elle attache à son front
    Nous semble toujours la plus belle.

chief of Négrepont in war of makers
25 Certes, le vieux Omer, pacha de Négrepont,
Pour elle eût tout donné, vaisseaux à triple pont,
    Foudroyantes artilleries,
Harnois de ses chevaux, toisons de ses brebis,
Et son rouge turban de soie, et ses habits
30 | Tout ruisselants de pierreries;

Common metaphor now, but he invented it, & lucid when it passed into language. Wanted to remove it from poem.

Et ses lourds pistolets, ses tromblons évasés,
Et leurs pommeaux d'argent par sa main rude usés,
      Et ses sonores espingoles,
Et son courbe damas, et, don plus riche encor,
35 La grande peau de tigre où pend son carquois d'or,
      Hérissé de flèches mogoles.

Il eût donné sa housse et son large étrier;
Donné tous ses trésors avec le trésorier;
      Donné ses trois cents concubines;
40 Donné ses chiens de chasse aux colliers de vermeil;
Donné ses Albanais, brûlés par le soleil,
      Avec leurs longues carabines.

Il eût donné les Francs, les Juifs et leur rabbin;
Son kiosque rouge et vert, et ses salles de bain
45   Aux grands pavés de mosaïque;
Sa haute citadelle aux créneaux anguleux;
Et sa maison d'été qui se mire aux flots bleus
      D'un golfe de Cyrénaïque.

Tout! jusqu'au cheval blanc, qu'il élève au sérail,
50 Dont la sueur à flots argente le poitrail;
      Jusqu'au frein que l'or damasquine;
Jusqu'à cette Espagnole, envoi du dey d'Alger,
Qui soulève, en dansant son fandango léger,
      Les plis brodés de sa basquine!

55 Ce n'est point un pacha, c'est un klephte à l'œil noir
Qui l'a prise, et qui n'a rien donné pour l'avoir;
      Car la pauvreté l'accompagne;
Un klephte a pour tous biens l'air du ciel, l'eau des puits,
Un bon fusil bronzé par la fumée, et puis
60   La liberté sur la montagne.

Mai 1828.

[handwritten note: Idea based on Greek popular song. Evocation of Greek countryside, sometimes imaginative, but otherwise reasonably accurate, based on his reading]

XXII

VŒU

> Ainsi qu'on choisit une rose
> Dans les guirlandes de Sârons,
> Choisissez une vierge éclose
> Parmi les lis de vos vallons.
>
> LAMARTINE.

Si j'étais la feuille que roule
L'aile tournoyante du vent,
Qui flotte sur l'eau qui s'écoule,
Et qu'on suit de l'œil en rêvant;

5   Je me livrerais, fraîche encore,
De la branche me détachant,
Au zéphir qui souffle à l'aurore,
Au ruisseau qui vient du couchant.

Plus loin que le fleuve qui gronde,
10   Plus loin que les vastes forêts,
Plus loin que la gorge profonde,
Je fuirais, je courrais, j'irais!

Plus loin que l'antre de la louve, *[handwritten: wood pigeon]*
Plus loin que le bois des ramiers,
15   Plus loin que la plaine où l'on trouve
Une fontaine et trois palmiers;

Par-delà ces rocs qui répandent
L'orage en torrent dans les blés;
Par-delà ce lac morne où pendent
20   Tant de buissons échevelés; *[handwritten: common metaphor V.H. trees like hair]*

Plus loin que les terres arides
Du chef maure au large ataghan,
Dont le front pâle a plus de rides
Que la mer un jour d'ouragan.

25   Je franchirais comme la flèche
L'étang d'Arta, mouvant miroir,
Et le mont dont la cime empêche
Corynthe et Mykos de se voir.

Comme par un charme attirée,
30   Je m'arrêterais au matin
Sur Mykos, la ville carrée,
La ville aux coupoles d'étain. *pewter, tin*

J'irais chez la fille du prêtre,
Chez la blanche fille à l'œil noir,
35   Qui le jour chante à sa fenêtre,
Et joue à sa porte le soir.

Enfin, pauvre feuille envolée,
Je viendrais, au gré de mes vœux,
Me poser sur son front, mêlée
40   Aux boucles de ses blonds cheveux;

parakeet
Comme une perruche au pied leste
Dans le blé jaune, ou bien encor
Comme dans un jardin céleste
Un fruit vert sur un arbre d'or.

45   Et là, sur sa tête qui penche,
Je serais, fût-ce peu d'instants,
Plus fière que l'aigrette blanche
Au front étoilé des sultans.

Septembre 1828.

*Probably inspired by Delacroix, Massac of Scio; but ed refers to
any sacked town. V.H₂ stresses destruction & killing. Del. chumb
despair of survivors*

XXIII

LA VILLE PRISE

Feu, feu, sang, sang et ruine!
CORTE REAL. *Le Siège de Diu.*

La flamme par ton ordre, ô Roi, luit et dévore.
De ton peuple en grondant elle étouffe les cris;
Et, rougissant les toits comme une sombre aurore,
Semble en son vol joyeux danser sur leurs débris.

5 Le meurtre aux mille bras comme un géant se lève;
Les palais embrasés se changent en tombeaux;

Pères, femmes, époux, tout tombe sous le glaive;
Autour de la cité s'appellent les corbeaux.

Les mères ont frémi! les vierges palpitantes,
10 O calife! ont pleuré leurs jeunes ans flétris;
changer Et les coursiers fougueux ont traîné hors des tentes
Leurs corps vivants, de coups et de baisers meurtris!

Vois d'un vaste linceul la ville enveloppée;
Vois! quand ton bras puissant passe, il fait tout plier.
15 Les prêtres qui priaient ont péri par l'épée,
Jetant leur livre saint comme un vain bouclier!

Les tout petits enfants, écrasés sous les dalles,
Ont vécu: de leur sang le fer s'abreuve encor... —
Ton peuple baise, ô Roi, la poudre des sandales
20 Qu'à ton pied glorieux attache un cercle d'or!

Avril 1825.

XXIV

ADIEUX DE L'HOTESSE ARABE

attempt to imitate Arab poetry, while avoiding excess of
their metaphors. Stresses   10. Habitez avec nous: la terre est en votre
traditional Arab hospitality puissance; cultivez-la, trafiquez-y, et la possé-
rather than despair of   dez.
abandoned woman   GENÈSE, chap. XXIV.

Puisque rien ne t'arrête en cet heureux pays,
Ni l'ombre du palmier, ni le jaune maïs,
    Ni le repos, ni l'abondance;
Ni de voir à ta voix battre le jeune sein
5 De nos sœurs, dont, les soirs, le tournoyant essaim
    Couronne un coteau de sa danse;

Adieu, voyageur blanc! J'ai sellé de ma main,
De peur qu'il ne te jette aux pierres du chemin,
    Ton cheval à l'œil intrépide;
10 Ses pieds fouillent le sol, sa croupe est belle à voir,
Ferme, ronde et luisante, ainsi qu'un rocher noir
    Que polit une onde rapide.

Tu marches donc sans cesse! oh! que n'es-tu de ceux
Qui donnent pour limite à leurs pieds paresseux
15   Leur toit de branches ou de toiles!
Qui, rêveurs, sans en faire, écoutent les récits, *Arabs great story tellers*
Et souhaitent, le soir, devant leur porte assis,
           De s'en aller dans les étoiles!

Si tu l'avais voulu, peut-être une de nous,
20 O jeune homme, eût aimé te servir à genoux
           Dans nos huttes toujours ouvertes;
Elle eût fait, en berçant ton sommeil de ses chants,
Pour chasser de ton front les moucherons méchants,
           Un éventail de feuilles vertes.

25 Mais tu pars! — Nuit et jour tu vas seul et jaloux.
Le fer de ton cheval arrache aux durs cailloux
           Une poussière d'étincelles;
A ta lance qui passe et dans l'ombre reluit,
Les aveugles démons qui volent dans la nuit
30   Souvent ont déchiré leurs ailes.

Si tu reviens, gravis, pour trouver ce hameau,
Ce mont noir qui de loin semble un dos de chameau;
           Pour trouver ma hutte fidèle,   *of visual comparisons of Arab poems*
Songe à son toit aigu comme une ruche à miel,
35 Qu'elle n'a qu'une porte et qu'elle s'ouvre au ciel
           Du côté d'où vient l'hirondelle.

Si tu ne reviens pas, songe un peu quelquefois
Aux filles du désert, sœurs à la douce voix,
           Qui dansent pieds nus sur la dune;
40 O beau jeune homme blanc, bel oiseau passager,
Souviens-toi; car, peut-être, ô rapide étranger,
           Ton souvenir reste à plus d'une!

Adieu donc! — Va tout droit. Garde-toi du soleil,
Qui dore nos fronts bruns, mais brûle un teint vermeil;
45   De l'Arabie infranchissable;
De la vieille qui va seule et d'un pas tremblant;
Et de ceux qui le soir, avec un bâton blanc,
           Tracent des cercles sur le sable!

                                   Novembre 1828.

XXV

MALÉDICTION

Ed altro disse : ma non l'ho a mente.
                                    DANTE.

Et d'autres choses encore; mais je ne les ai
plus dans l'esprit.

Qu'il erre sans repos, courbé dès sa jeunesse,
En des sables sans borne où le soleil renaisse
          Sitôt qu'il aura lui!
Comme un noir meurtrier qui fuit, dans la nuit sombre
5   S'il marche, que sans cesse il entende dans l'ombre
          Un pas derrière lui!

En des glaciers polis comme un tranchant de hache,
Qu'il glisse, et roule, et tombe, et tombe, et se rattache
          De l'ongle à leurs parois!
10 Qu'il soit pris pour un autre, et, râlant sur la roue,
Dise : je n'ai rien fait! et qu'alors on le cloue
          Sur un gibet en croix.

Qu'il pende échevelé, la bouche violette!
Que, visible à lui seul, la mort, chauve squelette,
15   Rie en le regardant!
Que son cadavre souffre, et vive assez encore
Pour sentir, quand la mort le ronge et le dévore,
          Chaque coup de sa dent!

Qu'il ne soit plus vivant, et ne soit pas une âme!
20 Que sur ses membres nus tombe un soleil de flamme
          Ou la pluie à ruisseaux!
Qu'il s'éveille en sursaut chaque nuit dans la brume,
La lutte, et se secoue, et vainement écume
          Sous des griffes d'oiseaux!

Août 1828.

Of broken life, to broken snake. Popularly thought to try to in up again.

XXVI

LES TRONÇONS DU SERPENT

lines, 12 & 6

> D'ailleurs les sages ont dit : il ne faut point
> attacher son cœur aux choses passagères.
>
> SADI, *Gulistan*.

Je veille, et nuit et jour mon front rêve enflammé, A
    Ma joue en pleurs ruisselle B
Depuis qu'Albaydé dans la tombe a fermé A
    Ses beaux yeux de gazelle. B

5 Car elle avait quinze ans, un sourire ingénu, A
    Et m'aimait sans mélange, B
Et quand elle croisait ses bras sur son sein nu, A
    On croyait voir un ange! B

Un jour, pensif, j'errais au bord d'un golfe ouvert
10   Entre deux promontoires,
Et je vis sur le sable un serpent jaune et vert,
    Jaspé de taches noires. *mottled, marbled*

La hache en vingt tronçons avait coupé vivant *"grotesque"*
    Son corps que l'onde arrose,
15 Et l'écume des mers que lui jetait le vent
    Sur son sang flottait rose.

Tous ses anneaux vermeils rampaient en se tordant
    Sur la grève isolée,
Et le sang empourprait d'un rouge plus ardent
20   Sa crête dentelée.

Ces tronçons déchirés, épars, près d'épuiser
    Leurs forces languissantes,
Se cherchaient, se cherchaient, comme pour un baiser
    Deux bouches frémissantes!

25 Et comme je rêvais, triste et suppliant Dieu
    Dans ma pitié muette,
La tête aux mille dents rouvrit son œil de feu,
    Et me dit : « O poëte!

« Ne plains que toi! ton mal est plus envenimé, (snake)
30   Ta plaie est plus cruelle;
Car ton Albaydé dans la tombe a fermé
            Ses beaux yeux de gazelle.

Similar blow to each

« Ce coup de hache aussi brise ton jeune essor.
            Ta vie et tes pensées
35 Autour d'un souvenir, chaste et dernier trésor,
            Se traînent dispersées. – *like tronçons*

« Ton génie, au vol large, éclatant, gracieux,
            Qui, mieux que l'hirondelle,
Tantôt rasait la terre et tantôt dans les cieux
40   Donnait de grands coups d'aile,

« Comme moi maintenant, meurt près des flots troublés;
            Et ses forces s'éteignent,
Sans pouvoir réunir ses tronçons mutilés
            Qui rampent et qui saignent. »

                                          Novembre 1828.

XXVII

Compares danger from a beauty's eyes to dangers of wild forest.

NOURMAHAL-LA-ROUSSE [11]

No es bestia que non fus hy trobada.
JOAN LORENZO SEGURA DE ASTORGA.

Pas de bête fauve qui ne s'y trouvât.

        Entre deux rocs d'un noir d'ébène
        Voyez-vous ce sombre hallier *thicket*
bristle   Qui se hérisse dans la plaine,
        Ainsi qu'une touffe de laine
5   Entre les cornes du bélier ? *c/f between hair + vegetation*

        Là, dans une ombre non frayée,
        Grondent le tigre ensanglanté,
        La lionne, mère effrayée,
        Le chacal, l'hyène rayée
10   Et le léopard tacheté.

Là, des monstres de toute forme,
Rampent : — le basilic rêvant,
L'hippopotame au ventre énorme,
Et le boa, vaste et difforme,
Qui semble un tronc d'arbre vivant.

L'orfraie aux paupières vermeilles,
Le serpent, le singe méchant,
Sifflent comme un essaim d'abeilles;
L'éléphant aux larges oreilles,
Casse les bambous en marchant.

Là, vit la sauvage famille
Qui glapit, bourdonne et mugit.
Le bois entier hurle et fourmille.
Sous chaque buisson un œil brille,
Dans chaque antre une voix rugit.

Eh bien! seul et nu sur la mousse,
Dans ce bois-là je serais mieux
Que devant Nourmahal-la-Rousse,
Qui parle avec une voix douce
Et regarde avec de doux yeux!

Novembre 1828.

XXVIII

LES DJINNS

E come i gru van cantando lor lai,
Facendo in aer di se lunga riga;
Cosi vid' io venir traendo guai
Ombre portate d'alla detta briga.

DANTE.

Et comme les grues qui font dans l'air de
longues files vont chantant leur plainte, ainsi
je vis venir traînant des gémissements les
ombres emportées par cette tempête.

Murs, ville,
Et port,

Asile
De mort,
Mer grise
Où brise
La brise;
Tout dort.

Dans la plaine
Naît un bruit.
C'est l'haleine
De la nuit.
Elle brame
Comme une âme
Qu'une flamme
Toujours suit.

La voix plus haute
Semble un grelot. —
D'un nain qui saute
C'est le galop;
Il fuit, s'élance,
Puis en cadence
Sur un pied danse
Au bout d'un flot.

La rumeur approche;
L'écho la redit.
C'est comme la cloche
D'un couvent maudit;
Comme un bruit de foule,
Qui tonne et qui roule,
Et tantôt s'écroule
Et tantôt grandit.

Dieu! la voix sépulcrale
Des Djinns...! — Quel bruit ils font!
Fuyons sous la spirale
De l'escalier profond!
Déjà s'éteint ma lampe;
Et l'ombre de la rampe,
Qui le long du mur rampe,
Monte jusqu'au plafond.

C'est l'essaim des Djinns qui passe,
Et tourbillonne en sifflant.

Les ifs, que leur vol fracasse,
Craquent comme un pin brûlant.
45   Leur troupeau lourd et rapide,
Volant dans l'espace vide,
Semble un nuage livide;
Qui porte un éclair au flanc.

Ils sont tout près! — Tenons fermée
50   Cette salle où nous les narguons.
Quel bruit dehors! hideuse armée
De vampires et de dragons!
La poutre du toit descellée
Ploie ainsi qu'une herbe mouillée,
55   Et la vieille porte rouillée
Tremble, à déraciner ses gonds!

Cris de l'enfer! voix qui hurle et qui pleure!
L'horrible essaim, poussé par l'aquilon,
Sans doute, ô ciel! s'abat sur ma demeure.
60   Le mur fléchit sous le noir bataillon.
La maison crie et chancelle penchée,
Et l'on dirait que, du sol arrachée,
Ainsi qu'il chasse une feuille séchée,
Le vent la roule avec leur tourbillon!

65   Prophète! si ta main me sauve
De ces impurs démons des soirs,
J'irai prosterner mon front chauve
Devant les sacrés encensoirs!
Fais que sur ces portes fidèles
70   Meure leur souffle d'étincelles,
Et qu'en vain l'ongle de leurs ailes
Grince et crie à ces vitraux noirs!

Ils sont passés! — Leur cohorte
S'envole et fuit, et leurs pieds
75   Cessent de battre ma porte
De leurs coups multipliés.
L'air est plein d'un bruit de chaînes,
Et dans les forêts prochaines,
Frissonnent tous les grands chênes,
80   Sous leur vol de feu pliés!

De leurs ailes lointaines
Le battement décroît,

Si confus dans les plaines,
Si faible que l'on croit
85   Ouïr la sauterelle
Crier d'une voix grêle,
Ou pétiller la grêle
Sur le plomb d'un vieux toit.

D'étranges syllabes
90   Nous viennent encor ; —
Ainsi, des Arabes
Quand sonne le cor,
Un chant sur la grève,
Par instants s'élève,
95   Et l'enfant qui rêve
Fait des rêves d'or !

Les Djinns funèbres,
Fils du trépas,
Dans les ténèbres
100 Pressent leurs pas ;
Leur essaim gronde :
Ainsi, profonde,
Murmure une onde
Qu'on ne voit pas.

105   Ce bruit vague
Qui s'endort,
C'est la vague
Sur le bord ;
C'est la plainte
110 Presque éteinte
D'une sainte
Pour un mort.

On doute
La nuit...
115 J'écoute : —
Tout fuit,
Tout passe ;
L'espace
Efface
120 Le bruit.

                                      Août 1828.

(handwritten: ernation + facunte lit. Heme of lovers separated by religion. This such highter + more foreclass)

XXIX

SULTAN ACHMET

> Oh! permets, charmante fille, que j'enve-
> loppe mon cou avec tes bras.
>
> HAFIZ.

A Juana la Grenadine,
Qui toujours chante et badine,
Sultan Achmet dit un jour :
— Je donnerais sans retour
5 Mon royaume pour Médine, *(handwritten: holy city)*
Médine pour ton amour.

— Fais-toi chrétien, roi sublime!
Car il est illégitime,
Le plaisir qu'on a cherché
10 Aux bras d'un Turc débauché.
J'aurais peur de faire un crime :
C'est bien assez du péché.

— Par ces perles dont la chaîne
Rehausse, ô ma souveraine,
15 Ton cou blanc comme le lait,
Je ferai ce qui te plaît,
Si tu veux bien que je prenne
Ton collier pour chapelet.

Octobre 1828.

(handwritten: Close to original in theme + style)

XXX

ROMANCE MAURESQUE [12]

> *Dixó le :* — *dime, buen hombre,*
> *Lo que preguntarte queria.*
>
> ROMANCERO GENERAL.

Don Rodrigue est à la chasse.
Sans épée et sans cuirasse,

Un jour d'été, vers midi,
Sous la feuillée et sur l'herbe
5   Il s'assied, l'homme superbe,
Don Rodrigue le hardi.

La haine en feu le dévore.
Sombre, il pense au bâtard maure, *Was not really his uncle*
A son neveu Mudarra,
10 Dont ses complots sanguinaires
Jadis ont tué les frères,
Les sept infants de Lara. *but was uncle to these*

Pour le trouver en campagne,
Il traverserait l'Espagne
15 De Figuère à Setuval. *Pyrenees, near Portugal*
L'un des deux mourrait sans doute.
En ce moment sur la route
Il passe un homme à cheval.

— Chevalier, chrétien ou maure,
20 Qui dors sous le sycomore,
Dieu te guide par la main!
— Que Dieu répande ses grâces
Sur toi, l'écuyer qui passes,
Qui passes par le chemin!

25 — Chevalier, chrétien ou maure,
Qui dors sous le sycomore,
Parmi l'herbe du vallon,
Dis ton nom, afin qu'on sache
Si tu portes le panache
30 D'un vaillant ou d'un félon.

— Si c'est là ce qui t'intrigue,
On m'appelle don Rodrigue,
Don Rodrigue de Lara;
Doña Sanche est ma sœur même.
35 Du moins, c'est à mon baptême
Ce qu'un prêtre déclara.

J'attends sous ce sycomore :
J'ai cherché d'Albe à Zamore *chosen for rhyme ab*
Ce Mudarra le bâtard,
40 Le fils de la renégate,
Qui commande une frégate
Du roi maure Aliatar.

Certe, à moins qu'il ne m'évite,
Je le reconnaîtrais vite :
45   Toujours il porte avec lui
Notre dague de famille ;
Une agate au pommeau brille,
Et la lame est sans étui.

Oui, par mon âme chrétienne,
50   D'une autre main que la mienne
Ce mécréant ne mourra.
C'est le bonheur que je brigue...
— On t'appelle don Rodrigue,
Don Rodrigue de Lara ?

55   Eh bien ! seigneur, le jeune homme
Qui te parle et qui te nomme,
C'est Mudarra le bâtard.
C'est le vengeur et le juge.
Cherche à présent un refuge ! —
60   L'autre dit : — Tu viens bien tard !

— Moi, fils de la renégate,
Qui commande une frégate
Du roi maure Aliatar,
Moi, ma dague et ma vengeance,
65   Tous les trois d'intelligence,
Nous voici ! — Tu viens bien tard !

— Trop tôt pour toi, don Rodrigue,
A moins qu'il ne te fatigue
De vivre... Ah ! la peur t'émeut,
70   Ton front pâlit ; rends, infâme,
A moi ta vie, et ton âme
A ton ange, s'il en veut !

Si mon poignard de Tolède
Et mon Dieu me sont en aide,
75   Regarde mes yeux ardents,
Je suis ton seigneur, ton maître,
Et je t'arracherai, traître,
Le souffle d'entre les dents !

Le neveu de doña Sanche
80   Dans ton sang enfin étanche
La soif qui le dévora.
Mon oncle, il faut que tu meures.

Pour toi plus de jours ni d'heures…!
— Mon bon neveu Mudarra,

85   Un moment! attends que j'aille
        Chercher mon fer de bataille.
        — Tu n'auras d'autres délais
        Que celui qu'ont eu mes frères :
        Dans les caveaux funéraires
90   Où tu les as mis, suis-les!

        Si, jusqu'à l'heure venue,
        J'ai gardé ma lame nue,
        C'est que je voulais, bourreau,
        Que, vengeant la renégate,
95   Ma dague au pommeau d'agate
        Eût ta gorge pour fourreau.

                                        Mai 1828.

                        XXXI

                      GRENADE

                                        Quien no ha visto á Sevilla
                                        No ha visto á maravilla.

        Soit lointaine, soit voisine,
        Espagnole ou sarrasine,
        Il n'est pas une cité
        Qui dispute, sans folie,
5   A Grenade la jolie
        La pomme de la beauté,
        Et qui, gracieuse, étale
        Plus de pompe orientale
        Sous un ciel plus enchanté.

10   Cadix a les palmiers; Murcie a les oranges;
        Jaén son palais goth aux tourelles étranges;
        Agreda son couvent bâti par saint Edmond;
        Ségovie a l'autel dont on baise les marches,
              Et l'aqueduc aux trois rangs d'arches
15   Qui lui porte un torrent pris au sommet d'un mont.

Llers a des tours; Barcelone
Au faîte d'une colonne
Lève un phare sur la mer;
Aux rois d'Aragon fidèle,
20 Dans leurs vieux tombeaux, Tudèle
Garde leur sceptre de fer;
Tolose a des forges sombres
Qui semblent, au sein des ombres,
Des soupiraux de l'enfer.

25 Le poisson qui rouvrit l'œil mort du vieux Tobie
Se joue au fond du golfe où dort Fontarabie;
Alicante aux clochers mêle les minarets;
Compostelle a son saint; Cordoue aux maisons vieilles
A sa mosquée où l'œil se perd dans les merveilles;
30 Madrid a le Manzanarès.

Bilbao, des flots couverte,
Jette une pelouse verte,
Sur ses murs noirs et caducs;
Medina la chevalière,
35 Cachant sa pauvreté fière
Sous le manteau de ses ducs,
N'a rien que ses sycomores,
Car ses beaux ponts sont aux Maures,
Aux Romains, ses aqueducs.

40 Valence a les clochers de ses trois cents églises;
L'austère Alcantara livre au souffle des brises
Les drapeaux turcs, pendus en foule à ses piliers;
Salamanque en riant s'assied sur trois collines,
S'endort au son des mandolines,
45 Et s'éveille en sursaut aux cris des écoliers.

Tortose est chère à saint Pierre;
Le marbre est comme la pierre
Dans la riche Puycerda;
De sa bastille octogone
50 Tuy se vante, et Tarragone
De ses murs qu'un roi fonda;
Le Douro coule à Zamore;
Tolède a l'alcazar maure,
Séville a la giralda.

55 Burgos de son chapitre étale la richesse;
Peñaflor est marquise, et Girone est duchesse;

Bivar est une nonne aux sévères atours; *finery*
Toujours prête au combat, la sombre Pampelune,
Avant de s'endormir aux rayons de la lune,
60   Ferme sa ceinture de tours.

          Toutes ces villes d'Espagne
          S'épandent dans la campagne
          Ou hérissent la Sierra;
          Toutes ont des citadelles
65   Dont sous des mains infidèles   *r Mahomedan law to ring chur ee*
          Aucun beffroi ne vibra;
          Toutes sur leurs cathédrales
          Ont des clochers en spirales;
        | Mais Grenade a l'Alhambra.

70 L'Alhambra! l'Alhambra! palais que les Génies
Ont doré comme un rêve et rempli d'harmonies;
Forteresse aux créneaux festonnés et croulants,
Où l'on entend la nuit de magiques syllabes,
Quand la lune, à travers les mille arceaux arabes,
75   Sème les murs de trèfles blancs!

          Grenade a plus de merveilles
          Que n'a de graines vermeilles
          Le beau fruit de ses vallons;
          Grenade, la bien nommée,   *expression usual in Rom*
80   Lorsque la guerre enflammée
          Déroule ses pavillons,
          Cent fois plus terrible éclate
          Que la grenade écarlate
          Sur le front des bataillons.

85 Il n'est rien de plus beau ni de plus grand au monde;
Soit qu'à Vivataubin Vivaconlud réponde,
Avec son clair tambour de clochettes orné;
Soit que, se couronnant de feux comme un calife,
          L'éblouissant Généralife
90 Elève dans la nuit son faîte illuminé.

     bugle   Les clairons des Tours-Vermeilles
          Sonnent comme des abeilles
          Dont le vent chasse l'essaim;
          Alcacava pour les fêtes
95   A des cloches toujours prêtes
          A bourdonner dans son sein,
          Qui dans leurs tours africaines

Vont éveiller les dulcaynes
Du sonore Albaycin.

100 Grenade efface en tout ses rivales : Grenade
Chante plus mollement la molle sérénade ;
Elle peint ses maisons de plus riches couleurs ;
Et l'on dit que les vents suspendent leurs haleines
Quand par un soir d'été Grenade dans ses plaines
105   Répand ses femmes et ses fleurs.

L'Arabie est son aïeule.
Les Maures, pour elle seule,
Aventuriers hasardeux,
Joueraient l'Asie et l'Afrique ;
110 Mais Grenade est catholique,
Grenade se raille d'eux ;
Grenade, la belle ville,
Serait une autre Séville
S'il en pouvait être deux.

Avril 1828.

XXXII

LES BLEUETS *confluens*

8 lines 8 syls

Si es verdad ó non, yo no lo he hy de ver,
Pero non lo quiero en olvido poner[13].
JOAN LORENZO SEGURA DE ASTORGA.

Si cela est vrai ou non, je n'ai pas à le voir
ici, mais je ne le veux pas mettre en oubli.

Tandis que l'étoile inodore *scentless*   A
Que l'été mêle aux blonds épis,   B
Emaille de son bleu lapis   B
Les sillons que la moisson dore,   A
Avant que, de fleurs dépeuplés,   C
Les champs n'aient subi les faucilles,   D
Allez, allez, ô jeunes filles,   D
Cueillir des bleuets dans les blés !   C

Entre les villes andalouses,
10 Il n'en est pas qui sous le ciel
S'étende mieux que Peñafiel   *N. in provincie Valladolid*
Sur les gerbes et les pelouses;
Pas qui dans ses murs crénelés
Lève de plus fières bastilles...
15 Allez, allez, ô jeunes filles,
Cueillir des bleuets dans les blés!

Il n'est pas de cité chrétienne,
Pas de monastère à beffroi,
Chez le Saint-Père et chez le Roi,   *Feast of St Am. 7th D*
20 Où, vers la Saint-Ambroise, il vienne
Plus de bons pèlerins hâlés,
pilgrims > staff   Portant bourdon, gourde et coquilles...
Allez, allez, ô jeunes filles,
Cueillir des bleuets dans les blés!

25 Dans nul pays, les jeunes femmes,
Les soirs, lorsque l'on danse en rond,
N'ont plus de roses sur le front,
Et n'ont dans le cœur plus de flammes;
Jamais plus vifs et plus voilés
30 Regards n'ont lui sous les mantilles...
Allez, allez, ô jeunes filles,
Cueillir des bleuets dans les blés!

La perle de l'Andalousie,
Alice, était de Peñafiel,
35 Alice qu'en faisant son miel,
Pour fleur une abeille eût choisie.
Ces jours, hélas! sont envolés!
On la citait dans les familles...
Allez, allez, ô jeunes filles,
40 Cueillir des bleuets dans les blés!

Un étranger vint dans la ville,
Jeune, et parlant avec dédain.
Etait-ce un Maure grenadin?
Un de Murcie ou de Séville?
45 Venait-il des bords désolés
Où Tunis a ses escadrilles...?
Allez, allez, ô jeunes filles,
Cueillir des bleuets dans les blés!

On ne savait. — La pauvre Alice
En fut aimée, et puis l'aima.
Le doux vallon du Xarama
De leur doux péché fut complice.
Le soir, sous les cieux étoilés,
Tous deux erraient par les charmilles...
Allez, allez, ô jeunes filles,
Cueillir des bleuets dans les blés!

La ville était lointaine et sombre;
Et la lune, douce aux amours,
Se levant derrière les tours
Et les clochers perdus dans l'ombre,
Des édifices dentelés
Découpait en noir les aiguilles...
Allez, allez, ô jeunes filles,
Cueillir des bleuets dans les blés!

Cependant, d'Alice jalouses,
En rêvant au bel étranger,
Sous l'arbre à soie et l'oranger
Dansaient les brunes Andalouses;
Les cors, aux guitares mêlés,
Animaient les joyeux quadrilles...
Allez, allez, ô jeunes filles,
Cueillir des bleuets dans les blés!

L'oiseau dort dans le lit de mousse
Que déjà menace l'autour;
Ainsi dormait dans son amour
Alice confiante et douce.
Le jeune homme aux cheveux bouclés,
C'était don Juan, roi des Castilles...
Allez, allez, ô jeunes filles,
Cueillir des bleuets dans les blés!

Or c'est péril qu'aimer un prince.
Un jour, sur un noir palefroi
On la jeta de par le Roi;
On l'arracha de la province;
Un cloître sur ses jours troublés
De par le Roi ferma ses grilles...
Allez, allez, ô jeunes filles,
Cueillir des bleuets dans les blés!

                                    Avril 1828.

This elegy seems rather out of place in this book - apparently, m[?] young girls died in Paris, coming out of a warm dance hall into cold w[?]

XXXIII

FANTOMES

> *Luenga es su noche, y cerrados*
> *Estan sus ojos pesados.*
> *¡ Idos, idos en paz, vientos alados!*

> Longue est sa nuit, et fermés sont ses yeux
> lourds. Allez, allez en paix, vents ailés!

I

Hélas! que j'en ai vu mourir de jeunes filles!
C'est le destin. Il faut une proie au trépas.
Il faut que l'herbe tombe au tranchant des faucilles;
Il faut que dans le bal les folâtres quadrilles
5   Foulent des roses sous leurs pas.

Il faut que l'eau s'épuise à courir les vallées;
Il faut que l'éclair brille, et brille peu d'instants;
Il faut qu'Avril jaloux brûle de ses gelées
Le beau pommier, trop fier de ses fleurs étoilées,
10   Neige odorante du printemps.

Oui, c'est la vie. Après le jour, la nuit livide.
Après tout, le réveil, infernal ou divin.
Autour du grand banquet siège une foule avide;
Mais bien des conviés laissent leur place vide,
15   Et se lèvent avant la fin.

II

Que j'en ai vu mourir! — l'une était rose et blanche;
L'autre semblait ouïr de célestes accords;
L'autre, faible, appuyait d'un bras son front qui penche,
Et, comme en s'envolant l'oiseau courbe la branche,
20   Son âme avait brisé son corps.

Une, pâle, égarée, en proie au noir délire,
Disait tout bas un nom dont nul ne se souvient;
Une s'évanouit, comme un chant sur la lyre;
Une autre en expirant avait le doux sourire
25   D'un jeune ange qui s'en revient.

Toutes fragiles fleurs, sitôt mortes que nées!
Alcyons engloutis avec leurs nids flottants!
Colombes, que le ciel au monde avait données!
Qui, de grâce, et d'enfance, et d'amour couronnées,
30   Comptaient leurs ans par les printemps!

Quoi, mortes! quoi, déjà, sous la pierre couchées!
Quoi! tant d'êtres charmants sans regard et sans voix!
Tant de flambeaux éteints! tant de fleurs arrachées...! —
Oh! laissez-moi fouler les feuilles desséchées,
35   Et m'égarer au fond des bois!

Doux fantômes! c'est là, quand je rêve dans l'ombre,
Qu'ils viennent tour à tour m'entendre et me parler.
Un jour douteux me montre et me cache leur nombre;
A travers les rameaux et le feuillage sombre,
40   Je vois leurs yeux étinceler.

Mon âme est une sœur pour ces ombres si belles.
La vie et le tombeau pour nous n'ont plus de loi.
Tantôt j'aide leurs pas, tantôt je prends leurs ailes.
Vision ineffable où je suis mort comme elles,
45   Elles, vivantes comme moi!

Elles prêtent leur forme à toutes mes pensées.
Je les vois! je les vois! Elles me disent : viens!
Puis autour d'un tombeau dansent entrelacées;
Puis s'en vont lentement, par degrés éclipsées;
50   Alors je songe et me souviens...

                    III

Une surtout. — Un ange, une jeune Espagnole! —
Blanches mains, sein gonflé de soupirs innocents,
Un œil noir, où luisaient des regards de créole,
Et ce charme inconnu, cette fraîche auréole
55   Qui couronne un front de quinze ans!

Non, ce n'est point d'amour qu'elle est morte : pour elle,
L'amour n'avait encor ni plaisirs ni combats;
Rien ne faisait encor battre son cœur rebelle;
Quand tous en la voyant s'écriaient : qu'elle est belle!
60   Nul ne le lui disait tout bas.

Elle aimait trop le bal, c'est ce qui l'a tuée.
Le bal éblouissant! le bal délicieux!
Sa cendre encor frémit, doucement remuée,
Quand dans la nuit sereine, une blanche nuée
65   Danse autour du croissant des cieux.

Elle aimait trop le bal. — Quand venait une fête,
Elle y pensait trois jours, trois nuits elle en rêvait;
Et femmes, musiciens, danseurs que rien n'arrête,
Venaient, dans son sommeil, troublant sa jeune tête,
70   Rire et bruire à son chevet.

Puis c'était des bijoux, des colliers, des merveilles!
Des ceintures de moire aux ondoyants reflets;
Des tissus plus légers que des ailes d'abeilles;
Des festons; des rubans, à remplir des corbeilles;
75   Des fleurs, à payer un palais!

La fête commencée, avec ses sœurs rieuses   *crumple*
Elle accourait, froissant l'éventail sous ses doigts;
Puis s'asseyait parmi les écharpes soyeuses,
Et son cœur éclatant en fanfares joyeuses,
80   Avec l'orchestre aux mille voix.

skirt? C'était plaisir de voir danser la jeune fille!
    — Sa basquine agitait ses paillettes d'azur; *spangle*
Ses grands yeux noirs brillaient sous la noire mantille :
Telle une double étoile au front des nuits scintille
85   Sous les plis d'un nuage obscur.

Tout en elle était danse, et rire, et folle joie.
Enfant! — Nous l'admirions dans nos tristes loisirs;
Car ce n'est point au bal que le cœur se déploie :
La cendre y vole autour des tuniques de soie,
90   L'ennui sombre autour des plaisirs.

Mais elle, par la valse ou la ronde emportée,
Volait, et revenait, et ne respirait pas,
Et s'enivrait des sons de la flûte vantée,
Des fleurs, des lustres d'or, de la fête enchantée,
95   Du bruit des voix, du bruit des pas.

Quel bonheur de bondir, éperdue, en la foule,
De sentir par le bal ses sens multipliés,
Et de ne pas savoir si dans la nue on roule,

Si l'on chasse en fuyant la terre, ou si l'on foule
   Un flot tournoyant sous ses pieds!

Mais hélas! il fallait, quand l'aube était venue,
Partir, attendre au seuil le manteau de satin.
C'est alors que souvent la danseuse ingénue
Sentit en frissonnant sur son épaule nue
   Glisser le souffle du matin.

Quels tristes lendemains laisse le bal folâtre!
Adieu, parure, et danse, et rires enfantins!
Aux chansons succédait la toux opiniâtre,
Au plaisir rose et frais la fièvre au teint bleuâtre,
   Aux yeux brillants les yeux éteints.

IV

Elle est morte. — A quinze ans, belle, heureuse, adorée!
Morte au sortir d'un bal qui nous mit tous en deuil,
Morte, hélas! et des bras d'une mère égarée
La mort aux froides mains la prit toute parée,
   Pour l'endormir dans le cercueil.

Pour danser d'autres bals elle était encor prête,
Tant la mort fut pressée à prendre un corps si beau!
Et ces roses d'un jour qui couronnaient sa tête,
Qui s'épanouissaient la veille en une fête,
   Se fanèrent dans un tombeau.

V

Sa pauvre mère! — hélas! de son sort ignorante,
Avoir mis tant d'amour sur ce frêle roseau,
Et si longtemps veillé son enfance souffrante,
Et passé tant de nuits à l'endormir pleurante
   Toute petite en son berceau!

A quoi bon? — Maintenant la jeune trépassée,
Sous le plomb du cercueil, livide, en proie au ver,
Dort; et si, dans la tombe où nous l'avons laissée,
Quelque fête des morts la réveille glacée,
   Par une belle nuit d'hiver,

Un spectre, au rire affreux, à sa morne toilette
Préside au lieu de mère, et lui dit : il est temps !
Et, glaçant d'un baiser sa lèvre violette,
Passe les doigts noueux de sa main de squelette
135   Sous ses cheveux longs et flottants.

Puis, tremblante, il la mène à la danse fatale,
Au chœur aérien dans l'ombre voltigeant ;
Et sur l'horizon gris la lune est large et pâle,
Et l'arc-en-ciel des nuits teint d'un reflet d'opale
140   Le nuage aux franges d'argent. *ell dance macab.*

VI

Vous toutes qu'à ses jeux le bal riant convie,
Pensez à l'Espagnole éteinte sans retour,
Jeunes filles ! joyeuse et d'une main ravie,
Elle allait moissonnant les roses de la vie,
145   Beauté, plaisir, jeunesse, amour !

La pauvre enfant, de fête en fête promenée,
De ce bouquet charmant arrangeait les couleurs ;
Mais qu'elle a passé vite, hélas ! l'infortunée !
Ainsi qu'Ophelia par le fleuve entraînée,
150   Elle est morte en cueillant des fleurs !

Avril 1828.

Based closely on Byron, but V. H. more lyrical more descriptn
+ less narrative

XXXIV

MAZEPPA

Painted picture of Mazepp

A M. Louis Boulanger

6 lines

Away ! — Away ! —
Byron, *Mazeppa.*

En avant ! En avant !

I

12+6

rage + anguish

Ainsi, quand Mazeppa, qui rugit et qui pleure,   *A*
A vu ses bras, ses pieds, ses flancs qu'un sabre effleure,   *A*

Tous ses membres liés
Sur un fougueux cheval, nourri d'herbes marines,
5 Qui fume, et fait jaillir le feu de ses narines
Et le feu de ses pieds;

Quand il s'est dans ses nœuds roulé comme un reptile,
Qu'il a bien réjoui de sa rage inutile
Ses bourreaux tout joyeux,
10 Et qu'il retombe enfin sur la croupe farouche,
La sueur sur le front, l'écume dans la bouche,
Et du sang dans les yeux,

Un cri part, et soudain voilà que par la plaine
Et l'homme et le cheval, emportés, hors d'haleine,
15 Sur les sables mouvants,
Seuls, emplissant de bruit un tourbillon de poudre
Pareil au noir nuage où serpente la foudre,
Volent avec les vents!

Ils vont. Dans les vallons comme un orage ils passent,
20 Comme ces ouragans qui dans les monts s'entassent,
Comme un globe de feu;
Puis déjà ne sont plus qu'un point noir dans la brume,
Puis s'effacent dans l'air comme un flocon d'écume
Au vaste océan bleu.

25 Ils vont. L'espace est grand. Dans le désert immense,
Dans l'horizon sans fin qui toujours recommence,
Ils se plongent tous deux.
Leur course comme un vol les emporte, et grands chênes,
Villes et tours, monts noirs liés en longues chaînes,
30 Tout chancelle autour d'eux.

Et si l'infortuné, dont la tête se brise,
Se débat, le cheval, qui devance la brise,
D'un bond plus effrayé,
S'enfonce au désert vaste, aride, infranchissable,
35 Qui devant eux s'étend, avec ses plis de sable,
Comme un manteau rayé.

Tout vacille et se peint de couleurs inconnues :
Il voit courir les bois, courir les larges nues,
Le vieux donjon détruit,
40 Les monts dont un rayon baigne les intervalles;
Il voit; et des troupeaux de fumantes cavales
Le suivent à grand bruit!

8
Et le ciel, où déjà les pas du soir s'allongent,
Avec ses océans de nuages où plongent
      Des nuages encor,
45
Et son soleil qui fend leurs vagues de sa proue,
Sur son front ébloui tourne comme une roue
      De marbre aux veines d'or !

9
Son œil s'égare et luit, sa chevelure traîne,
50 Sa tête pend ; son sang rougit la jaune arène,
      Les buissons épineux ;
Sur ses membres gonflés la corde se replie,
Et comme un long serpent resserre et multiplie
      Sa morsure et ses nœuds.

10
55 Le cheval, qui ne sent ni le mors ni la selle,
Toujours fuit, et toujours son sang coule et ruisselle,
      Sa chair tombe en lambeaux ;
Hélas ! voici déjà qu'aux cavales ardentes
Qui le suivaient, dressant leurs crinières pendantes,
60   Succèdent les corbeaux !

11
Les corbeaux, le grand-duc à l'œil rond, qui s'effraie,
L'aigle effaré des champs de bataille, et l'orfraie,
      Monstre au jour inconnu,
Les obliques hiboux, et le grand vautour fauve
65 Qui fouille au flanc des morts où son col rouge et chauve
      Plonge comme un bras nu !

12
Tous viennent élargir la funèbre volée ;
Tous quittent pour le suivre et l'yeuse isolée,
      Et les nids du manoir.
70 Lui, sanglant, éperdu, sourd à leurs cris de joie,
Demande en les voyant qui donc là-haut déploie
      Ce grand éventail noir.

13
La nuit descend lugubre, et sans robe étoilée.
L'essaim s'acharne, et suit, tel qu'une meute ailée,
75   Le voyageur fumant.
Entre le ciel et lui, comme un tourbillon sombre
Il les voit, puis les perd, et les entend dans l'ombre
      Voler confusément.

14
Enfin, après trois jours d'une course insensée,
80 Après avoir franchi fleuves à l'eau glacée,
      Steppes, forêts, déserts,
Le cheval tombe aux cris des mille oiseaux de proie,

Et son ongle de fer sur la pierre qu'il broie
        Eteint ses quatre éclairs.

85 Voilà l'infortuné, gisant, nu, misérable,
Tout tacheté de sang, plus rouge que l'érable
        Dans la saison des fleurs.
Le nuage d'oiseaux sur lui tourne et s'arrête;
Maint bec ardent aspire à ronger dans sa tête
90   Ses yeux brûlés de pleurs.

Eh bien! ce condamné qui hurle et qui se traîne,
Ce cadavre vivant, les tribus de l'Ukraine
        Le feront prince un jour.
Un jour, semant les champs de morts sans sépultures,
95 Il dédommagera par de larges pâtures
        L'orfraie et le vautour.

Sa sauvage grandeur naîtra de son supplice.
Un jour, des vieux hetmans il ceindra la pelisse,
        Grand à l'œil ébloui;
100 Et quand il passera, ces peuples de la tente,
Prosternés, enverront la fanfare éclatante
        Bondir autour de lui!

II

Ainsi, lorsqu'un mortel, sur qui son dieu s'étale,
S'est vu lier vivant sur ta croupe fatale,
105   Génie, ardent coursier,
En vain il lutte, hélas! tu bondis, tu l'emportes
Hors du monde réel dont tu brises les portes
        Avec tes pieds d'acier!

Tu franchis avec lui déserts, cimes chenues
110 Des vieux monts, et les mers, et, par-delà les nues,
        De sombres régions;
Et mille impurs esprits que ta course réveille
Autour du voyageur, insolente merveille,
        Pressent leurs légions!

115 Il traverse d'un vol, sur tes ailes de flamme,
Tous les champs du possible, et les mondes de l'âme;
        Boit au fleuve éternel;
Dans la nuit orageuse ou la nuit étoilée,

Sa chevelure, aux crins des comètes mêlée,
120   Flamboie au front du ciel.

satellites of Saturn

21   Les six lunes d'Herschel, l'anneau du vieux Saturne,
Le pôle, arrondissant une aurore nocturne
            Sur son front boréal,
Il voit tout ; et pour lui ton vol, que rien ne lasse,
125 De ce monde sans borne à chaque instant déplace
            L'horizon idéal.

22   Qui peut savoir, hormis les démons et les anges,
Ce qu'il souffre à te suivre, et quels éclairs étranges
            A ses yeux reluiront,
130 Comme il sera brûlé d'ardentes étincelles,
Hélas ! et dans la nuit combien de froides ailes
            Viendront battre son front ?

23   Il crie épouvanté, tu poursuis implacable.
Pâle, épuisé, béant, sous ton vol qui l'accable
135   Il ploie avec effroi ;
Chaque pas que tu fais semble creuser sa tombe.
Enfin le terme arrive... il court, il vole, il tombe,
            Et se relève roi !

                                           Mai 1828.

                          XXXV

            LE DANUBE EN COLÈRE

                    Admonet, et magna testatur voce per umbras.
                                           VIRGILE.

Belgrade et Semlin sont en guerre.
Dans son lit, paisible naguère,
Le vieillard Danube leur père
S'éveille au bruit de leur canon.
5 Il doute s'il rêve, il tressaille,
Puis entend gronder la bataille,
Et frappe dans ses mains d'écaille, *scale*
Et les appelle par leur nom.

« Allons! la turque et la chrétienne!
Semlin! Belgrade! qu'avez-vous ?
On ne peut, le ciel me soutienne!
Dormir un siècle, sans que vienne
Vous éveiller d'un bruit jaloux
Belgrade ou Semlin en courroux!

« Hiver, été, printemps, automne,
Toujours votre canon qui tonne!
Bercé du courant monotone,
Je sommeillais dans mes roseaux;
Et, comme des louves marines
Jettent l'onde de leurs narines,
Voilà vos longues couleuvrines
Qui soufflent du feu sur mes eaux!

« Ce sont des sorcières oisives
Qui vous mirent, pour rire un jour,
Face à face sur mes deux rives,
Comme au même plat deux convives,
Comme au front de la même tour
Une aire d'aigle, un nid d'autour.

« Quoi! ne pouvez-vous vivre ensemble,
Mes filles ? faut-il que je tremble
Du destin qui ne vous rassemble
Que pour vous haïr de plus près,
Quand vous pourriez, sœurs pacifiques,
Mirer dans mes eaux magnifiques,
Semlin, tes noirs clochers gothiques,
Belgrade, tes blancs minarets!

« Mon flot, qui dans l'Océan tombe,
Vous sépare en vain, large et clair;
Du haut du château qui surplombe
Vous vous unissez, et la bombe,
Entre vous courbant son éclair,
Vous trace un pont de feu dans l'air.

« Trêve! taisez-vous, les deux villes!
Je m'ennuie aux guerres civiles.
Nous sommes vieux, soyons tranquilles.
Dormons à l'ombre des bouleaux.
Trêve à ces débats de familles!
Hé! sans le bruit de vos bastilles,

N'ai-je donc point assez, mes filles,
50 De l'assourdissement des flots ?

« Une croix, un croissant fragile
Changent en enfer ce beau lieu.
Vous échangez la bombe agile
Pour le koran et l'évangile ?
55 C'est perdre le bruit et le feu :
Je le sais, moi qui fus un dieu!

« Vos dieux m'ont chassé de leur sphère
Et dégradé, c'est leur affaire!
L'ombre est le bien que je préfère,
60 Pourvu qu'ils gardent leurs palais,
Et ne viennent pas sur mes plages
Déraciner mes verts feuillages,
Et m'écraser mes coquillages
Sous leurs bombes et leurs boulets!

65 « De leurs abominables cultes
Ces inventions sont le fruit.
De mon temps point de ces tumultes.
Si la pierre des catapultes
Battait les cités jour et nuit,
70 C'était sans fumée et sans bruit.

« Voyez Ulm, votre sœur jumelle :
Tenez-vous en repos comme elle.
Que le fil des rois se démêle,
Tournez vos fuseaux, et riez.   *spindle*
75 Voyez Bude, votre voisine;
Voyez Dristra la sarrasine!
Que dirait l'Etna si Messine
Faisait tout ce bruit à ses pieds ?

*Hungarian town
opposite Belgrade
Danube between
them.*
80 « Semlin est la plus querelleuse :
Elle a toujours les premiers torts.
Croyez-vous que mon eau houleuse,   *swelling*
Suivant sa pente rocailleuse,
N'ait rien à faire entre ses bords
Qu'à porter à l'Euxin vos morts ?

85 « Vos mortiers ont tant de fumée
Qu'il fait nuit dans ma grotte aimée,
D'éclats d'obus toujours semée!
Du jour j'ai perdu le tableau;

Le soir, la vapeur de leur bouche
90   Me couvre d'une ombre farouche,
Quand je cherche à voir de ma couche
Les étoiles à travers l'eau.

« Sœurs, à vous cribler de blessures
Espérez-vous un grand renom ?
95   Vos palais deviendront masures.
Ah! qu'en vos noires embrasures
La guerre se taise, ou sinon
J'éteindrai, moi, votre canon.

« Car je suis le Danube immense.
100 Malheur à vous, si je commence!
Je vous souffre ici par clémence.
Si je voulais, de leur prison,
Mes flots lâchés dans les campagnes,
Emportant vous et vos compagnes,
105 Comme une chaîne de montagnes
Se lèveraient à l'horizon! »

Certe, on peut parler de la sorte
Quand c'est au canon qu'on répond;
Quand des rois on baigne la porte,
110 Lorsqu'on est Danube, et qu'on porte,
Comme l'Euxin et l'Hellespont,
De grands vaisseaux au triple pont;

Lorsqu'on ronge cent ponts de pierres,
Qu'on traverse les huit Bavières, *8 provinces of Bavaria*
115 Qu'on reçoit soixante rivières
Et qu'on les dévore en fuyant;
Qu'on a, comme une mer, sa houle;
Quand sur le globe on se déroule
Comme un serpent, et quand on coule
120 De l'occident à l'orient!

Juin 1828.

XXXVI

RÊVERIE

> *Lo giorno se n'andava, e l'aer bruno*
> *Toglieva gli animai che sono'n terra*
> *Dalle fatiche loro.*
>
> DANTE.

Oh! laissez-moi! c'est l'heure où l'horizon qui fume
Cache un front inégal sous un cercle de brume;
L'heure où l'astre géant rougit et disparaît.
Le grand bois jaunissant dore seul la colline :
5 On dirait qu'en ces jours où l'automne décline,
Le soleil et la pluie ont rouillé la forêt.

Oh! qui fera surgir soudain, qui fera naître,
Là-bas, — tandis que seul je rêve à la fenêtre
Et que l'ombre s'amasse au fond du corridor, —
10 Quelque ville mauresque, éclatante, inouïe,
Qui, comme la fusée en gerbe épanouie,
Déchire ce brouillard avec ses flèches d'or!

Qu'elle vienne inspirer, ranimer, ô génies! *Arabian ones*
Mes chansons, comme un ciel d'automne rembrunies,
15 Et jeter dans mes yeux son magique reflet,
Et longtemps, s'éteignant en rumeurs étouffées,
Avec les mille tours de ses palais de fées,
Brumeuse, denteler l'horizon violet!

Septembre 1828.

x not only idea of colours, but of slow destruction of rust. Idea determines colour, rather than colour determining metaphor

almost Biblical character of theme only link with East.
Interesting: one of first stages in V.H. apocalyptic visions,
LES ORIENTALES 415
then he feels a sort of mystic union between himself + universe

XXXVII

EXTASE

> Et j'entendis une grande voix.
> *Apocalypse.*

J'étais seul près des flots, par une nuit d'étoiles.
Pas un nuage aux cieux, sur les mers pas de voiles.
Mes yeux plongeaient plus loin que le monde réel.
Et les bois, et les monts, et toute la nature,
5 Semblaient interroger dans un confus murmure
    Les flots des mers, les feux du ciel.

Et les étoiles d'or, légions infinies,
A voix haute, à voix basse, avec mille harmonies,
Disaient, en inclinant leurs couronnes de feu ;
10 Et les flots bleus, que rien ne gouverne et n'arrête,
Disaient en recourbant l'écume de leur crête :
    — C'est le seigneur, le seigneur Dieu !

Novembre 1828.

Exaggeration of traditional idea of eastern rulers placing foot
head of vanquished

XXXVIII

LE POÈTE AU CALIFE

actually refers to God; V.H. has omitted lines that make it obvious

> Tous les habitants de la terre sont devant
> lui comme un néant ; il fait tout ce qui lui plaît ;
> et nul ne peut résister à sa main puissante, ni
> lui dire : Pourquoi avez-vous fait ainsi ?
>
> DANIEL.

Light of the Earth ——>   regarded by Mah- as hero
good king + saint; of his
O sultan Nouréddin, calife aimé de Dieu! piety, justice + zeal
Tu gouvernes, seigneur, l'empire du milieu, for propagating of
De la mer Rouge au fleuve jaune. his faith; Before
Les rois des nations, vers ta face tournés, Saladin
5 Pavent, silencieux, de leurs fronts prosternés,
    Le chemin qui mène à ton trône.

Ton sérail est très grand, tes jardins sont très beaux.
Tes femmes ont des yeux vifs comme des flambeaux,
    Qui pour toi seul percent leurs voiles.
10 Lorsque, astre impérial, aux peuples pleins d'effroi
Tu luis, tes trois cents fils brillent autour de toi
    Comme ton cortège d'étoiles.

Ton front porte une aigrette et ceint le turban vert.
Tu veux voir folâtrer dans leur bain, entrouvert
15   Sous la fenêtre où tu te penches,   *(beyond his domain)*
Les femmes de Madras plus douces qu'un parfum,
Et les filles d'Alep qui sur leur beau sein brun
    Ont des colliers de perles blanches. *colour*

This capital

Ton sabre large et nu semble en ta main grandir.
20 Toujours dans la bataille on le voit resplendir,
    Sans trouver turban qui le rompe,
Au point où la mêlée a de plus noirs détours,
Où les grands éléphants, entrechoquant leurs tours,
    Prennent des chevaux dans leur trompe.

25 Une fée est cachée en tout ce que tu vois.
Quand tu parles, calife, on dirait que ta voix
    Descend d'un autre monde au nôtre;
Dieu lui-même t'admire, et de félicités
Emplit la coupe d'or que tes jours enchantés,
30   Joyeux, se passent l'un à l'autre.

Mais souvent dans ton cœur, radieux Noureddin,
Une triste pensée apparaît, et soudain
    Glace ta grandeur taciturne :
Telle en plein jour, parfois, sous un soleil de feu,
35 La lune, astre des morts, blanche au fond d'un ciel bleu, /
    Montre à demi son front nocturne.

c/f Vignys Moise. Show sadness of superior beings

                    Octobre 1828.

Hyperbole of Eastern poetry

XXXIX   *Arab conception of Buonaparte*

BOUNABERDI [14]

said to Nap. by General Kleber after battle of Aboukir

Grand comme le monde.

Souvent Bounaberdi, sultan des Francs d'Europe,
Que, comme un noir manteau, le semoun enveloppe, /
Monte, géant lui-même, au front d'un mont géant,
D'où son regard, errant sur le sable et sur l'onde,
5 Embrasse d'un coup d'œil les deux moitiés du monde,
Gisantes à ses pieds dans l'abîme béant.

Il est seul et debout sur ce sublime faîte.
A sa droite couché, le désert qui le fête
D'un nuage de poudre importune ses yeux;
10 A sa gauche, la mer, dont jadis il fut l'hôte,
Elève jusqu'à lui sa voix profonde et haute,
Comme aux pieds de son maître aboie un chien joyeux.

Et le vieil Empereur, que tour à tour réveille
Ce nuage à ses yeux, ce bruit à son oreille,
15 Rêve, et, comme à l'amante on voit songer l'amant,
Croit que c'est une armée, invisible et sans nombre,
Qui fait cette poussière et ce bruit pour son ombre,
Et sous l'horizon gris passe éternellement!

PRIÈRE

Oh! quand tu reviendras rêver sur la montagne,
20 Bounaberdi! regarde un peu dans la campagne
Ma tente qui blanchit dans les sables grondants,
Car je suis libre et pauvre, un Arabe du Caire,
Et quand j'ai dit : Allah! mon bon cheval de guerre
Vole, et sous sa paupière a deux charbons ardents!

Novembre 1828.

XL

LUI

> J'étais géant alors, et haut de cent coudées.
>
> BUONAPARTE.

I

Toujours lui! lui partout! — ou brûlante ou glacée,
Son image sans cesse ébranle ma pensée.
Il verse à mon esprit le souffle créateur.
Je tremble, et dans ma bouche abondent les paroles
5 Quand son nom gigantesque, entouré d'auréoles,
Se dresse dans mon vers de toute sa hauteur.

Là, je le vois, guidant l'obus aux bonds rapides;
Là, massacrant le peuple au nom des régicides;
Là, soldat, aux tribuns arrachant leurs pouvoirs;
10 Là, consul jeune et fier, amaigri par des veilles
Que des rêves d'empire emplissaient de merveilles,
Pâle sous ses longs cheveux noirs.

Puis, empereur puissant, dont la tête s'incline,
Gouvernant un combat du haut de la colline,
15 Promettant une étoile à ses soldats joyeux,
Faisant signe aux canons qui vomissent les flammes,
De son âme à la guerre armant six cent mille âmes,
Grave et serein, avec un éclair dans les yeux.

Puis, pauvre prisonnier, qu'on raille et qu'on tourmente,
20 Croisant ses bras oisifs sur son sein qui fermente,
En proie aux geôliers vils comme un vil criminel,
Vaincu, chauve, courbant son front noir de nuages,
Promenant sur un roc où passent les orages
Sa pensée, orage éternel.

25 Qu'il est grand, là surtout! quand, puissance brisée,
Des porte-clefs anglais misérable risée,

Au sacre du malheur il retrempe ses droits;
Tient au bruit de ses pas deux mondes en haleine,
Et mourant de l'exil, gêné dans Sainte-Hélène,
30 Manque d'air dans la cage où l'exposent les rois!

Qu'il est grand à cette heure où, prêt à voir Dieu même,
Son œil qui s'éteint roule une larme suprême!
Il évoque à sa mort sa vieille armée en deuil,
Se plaint à ses guerriers d'expirer solitaire,
35 Et, prenant pour linceul son manteau militaire,
        Du lit de camp passe au cercueil!

II

A Rome, où du sénat hérite le conclave,
A l'Elbe, aux monts blanchis de neige ou noirs de lave,
Au menaçant Kremlin, à l'Alhambra riant,
40 Il est partout! — Au Nil je le retrouve encore.
L'Egypte resplendit des feux de son aurore;
Son astre impérial se lève à l'orient.

Vainqueur, enthousiaste, éclatant de prestiges,
Prodige, il étonna la terre des prodiges.
45 Les vieux scheiks vénéraient l'émir jeune et prudent;
Le peuple redoutait ses armes inouïes;
Sublime, il apparut aux tribus éblouies
        Comme un Mahomet d'occident.

Leur féerie a déjà réclamé son histoire.
50 La tente de l'Arabe est pleine de sa gloire.
Tout Bédouin libre était son hardi compagnon;
Les petits enfants, l'œil tourné vers nos rivages,
Sur un tambour français règlent leurs pas sauvages,
Et les ardents chevaux hennissent à son nom.

55 Parfois il vient, porté sur l'ouragan numide,
Prenant pour piédestal la grande pyramide,
Contempler les déserts, sablonneux océans;
Là, son ombre, éveillant le sépulcre sonore,
Comme pour la bataille y ressuscite encore
60   Les quarante siècles géants.

Il dit: debout! soudain chaque siècle se lève,
Ceux-ci portant le sceptre et ceux-là ceints du glaive,

Satrapes, pharaons, mages, peuple glacé.
Immobiles, poudreux, muets, sa voix les compte;
65 Tous semblent, adorant son front qui les surmonte,
Faire à ce roi des temps une cour du passé.

Ainsi tout, sous les pas de l'homme ineffaçable,
Tout devient monument; il passe sur le sable,
Mais qu'importe qu'Assur de ses flots soit couvert,
70 Que l'Aquilon sans cesse y fatigue son aile,
Son pied colossal laisse une trace éternelle
       Sur le front mouvant du désert.

                          III

Histoire, poésie, il joint du pied vos cimes.
Eperdu, je ne puis dans ces mondes sublimes
75 Remuer rien de grand sans toucher à son nom;
Oui, quand tu m'apparais, pour le culte ou le blâme,
Les chants volent pressés sur mes lèvres de flamme,
Napoléon! soleil dont je suis le Memnon!

Tu domines notre âge; ange ou démon, qu'importe!
80 Ton aigle dans son vol, haletants, nous emporte.
L'œil même qui te fuit te retrouve partout.
Toujours dans nos tableaux tu jettes ta grande ombre;
Toujours Napoléon, éblouissant et sombre,
       Sur le seuil du siècle est debout.

85 Ainsi, quand du Vésuve explorant le domaine,
De Naple à Portici l'étranger se promène,
Lorsqu'il trouble, rêveur, de ses pas importuns,
Ischia, de ses fleurs embaumant l'onde heureuse
Dont le bruit, comme un chant de sultane amoureuse,
90 Semble une voix qui vole au milieu des parfums;

Qu'il hante de Paestum [15] l'auguste colonnade,
Qu'il écoute à Pouzzol la vive sérénade
Chantant la tarentelle au pied d'un mur toscan;
Qu'il éveille en passant cette cité momie,
95 Pompéi, corps gisant d'une ville endormie,
       Saisie un jour par le volcan;

Qu'il erre au Pausilippe avec la barque agile
D'où le brun marinier chante Tasse à Virgile;

Toujours, sous l'arbre vert, sur les lits de gazon,
100 Toujours il voit, du sein des mers ou des prairies,
Du haut des caps, du bord des presqu'îles fleuries,
Toujours le noir géant qui fume à l'horizon!

                                        Décembre 1827.

                    XLI

                NOVEMBRE

                    Je lui dis : la rose du jardin, comme tu sais,
                    dure peu; et la saison des roses est bien vite
                    écoulée.

                                        SADI.

Quand l'Automne, abrégeant les jours qu'elle dévore,
Eteint leurs soirs de flamme et glace leur aurore,
Quand Novembre de brume inonde le ciel bleu,
Que le bois tourbillonne et qu'il neige des feuilles,
5 O ma muse! en mon âme alors tu te recueilles,
Comme un enfant transi qui s'approche du feu.

Devant le sombre hiver de Paris qui bourdonne,
Ton soleil d'orient s'éclipse et t'abandonne,
Ton beau rêve d'Asie avorte, et tu ne vois,
10 Sous tes yeux, que la rue au bruit accoutumée,
Brouillard à ta fenêtre, et longs flots de fumée
Qui baignent en fuyant l'angle noirci des toits.

Alors s'en vont en foule et sultans et sultanes,
Pyramides, palmiers, galères capitanes,
15 Et le tigre vorace et le chameau frugal,
Djinns au vol furieux, danses des bayadères,
L'Arabe qui se penche au cou des dromadaires,
Et la fauve girafe au galop inégal!

Alors, éléphants blancs chargés de femmes brunes,
20 Cités aux dômes d'or où les mois sont des lunes,
Imams de Mahomet, mages, prêtres de Bel,
Tout fuit, tout disparaît : — plus de minaret maure,

Plus de sérail fleuri, plus d'ardente Gomorrhe
Qui jette un reflet rouge au front noir de Babel!

25 C'est Paris, c'est l'hiver. — A ta chanson confuse
Odalisques, émirs, pachas, tout se refuse.
Dans ce vaste Paris le klephte est à l'étroit;
Le Nil déborderait; les roses du Bengale
Frissonnent dans ces champs où se tait la cigale;
30 A ce soleil brumeux les Péris auraient froid.

Pleurant ton Orient, alors, muse ingénue,
Tu viens à moi, honteuse, et seule, et presque nue.
— N'as-tu pas, me dis-tu, dans ton cœur jeune encor
Quelque chose à chanter, ami ? car je m'ennuie
35 A voir ta blanche vitre où ruisselle la pluie,
Moi qui dans mes vitraux avais un soleil d'or!

Puis, tu prends mes deux mains dans tes mains diaphanes,
Et nous nous asseyons, et loin des yeux profanes,
Entre mes souvenirs je t'offre les plus doux,
40 Mon jeune âge, et ses jeux, et l'école mutine,
Et les serments sans fin de la vierge enfantine,
Aujourd'hui mère heureuse aux bras d'un autre époux.

Je te raconte aussi comment, aux Feuillantines [16]
Jadis tintaient pour moi les cloches argentines;
45 Comment, jeune et sauvage, errait ma liberté,
Et qu'à dix ans, parfois, resté seul à la brune,
Rêveur, mes yeux cherchaient les deux yeux de la lune,
Comme la fleur qui s'ouvre aux tièdes nuits d'été.

Puis tu me vois du pied pressant l'escarpolette
50 Qui d'un vieux marronnier fait crier le squelette,
Et vole, de ma mère éternelle terreur!
Puis je te dis les noms de mes amis d'Espagne,
Madrid, et son collège où l'ennui t'accompagne,
Et nos combats d'enfants pour le grand Empereur!

55 Puis encor mon bon père, ou quelque jeune fille
Morte à quinze ans, à l'âge où l'œil s'allume et brille.
Mais surtout tu te plais aux premières amours,
Frais papillons dont l'aile, en fuyant rajeunie,
Sous le doigt qui la fixe est si vite ternie,
60 Essaim doré qui n'a qu'un jour dans tous nos jours!

15 novembre 1828.

NOTES

LES TÊTES DU SÉRAIL. — III

1. Le tombeau de Marcos Botzaris, le Léonidas de la Grèce moderne, était à Missolonghi. On dit que les Turcs l'ouvrirent, afin d'envoyer le crâne du héros au sultan.

Au reste, ce tombeau sera réédifié par une main française. Nous avons vu dans l'atelier de notre grand statuaire David une statue de marbre blanc destinée au mausolée de Marc Botzaris. C'est une jeune fille à demi couchée sur la pierre du sépulcre, et qui épelle avec son doigt cette grande épitaphe : BOTZARIS. Il est difficile de rien voir de plus beau que cette statue. C'est tout à la fois du grandiose comme Phidias et de la chair comme Puget.

Ainsi que plusieurs autres hommes remarquables du temps, peintres, musiciens, poètes, M. David est, aussi lui, à la tête d'une révolution dans son art. De toutes parts, l'œuvre s'accomplit.

2. Volontaire suisse, rédacteur de la *Chronique Hellénique*, mort à Missolonghi.

3. Joseph, évêque de Rogous, mort à Missolonghi comme un prêtre et comme un soldat.

LA DOULEUR DU PACHA. — VII

4. Azraël, ange turc des tombeaux.

LA CAPTIVE. — IX

5. Voyez les mémoires d'Ibrahim-Manzour Effendi, sur le double sérail d'Ali-Pacha. C'est une mode turque.

CLAIR DE LUNE. — X

6. *Djinn*, génie, esprit de la nuit. Voyez dans ce recueil *les Djinns*.

LE DERVICHE. — XIII

7. Le *segjin*, septième cercle de l'enfer turc. Toute lumière y est obstruée par l'ombre d'un arbre immense.

MARCHE TURQUE. — XV

8. *Comparadgis*, bombardiers; *spahis*, cavaliers qui ont des espèces de fiefs et doivent au sultan un certain nombre d'années de service militaire; *timariots*, cavalerie composée de recrues, qui n'a ni uniforme ni discipline, et ne sert qu'en temps de guerre.

LA BATAILLE PERDUE. — XVI

9. Cette pièce est une inspiration de l'admirable romance espagnole, *Rodrigo en el campo de batalla*, que nous reproduisons ici, traduite littéralement comme elle a paru en 1821 dans un extrait du *Romancero general* publié pour la première fois en français par Abel Hugo, frère de l'auteur de ce livre.

RODRIGUE SUR LE CHAMP DE BATAILLE

C'était le huitième jour de la bataille; l'armée de Rodrigue découragée fuyait devant les ennemis vainqueurs.

Rodrigue quitte son camp, sort de sa tente royale, seul, sans personne qui l'accompagne.

Son cheval fatigué pouvait à peine marcher. Il s'avance au hasard, sans suivre aucune route.

Presque évanoui de fatigue, dévoré par la faim et par la soif, le malheureux roi allait, si couvert de sang, qu'il en paraissait rouge comme un charbon ardent.

Ses armes sont faussées par les pierres qui les ont frappées; le tranchant de son épée est dentelé comme une scie; son casque déformé s'enfonce sur sa tête enflée par la douleur.

Il monte sur la plus haute colline; et de là il voit son armée détruite et débandée, ses étendards jetés sur la poussière; aucun chef ne se montre au loin; la terre est couverte du sang qui coule par ruisseaux. Il pleure et dit:

« Hier j'étais roi de toute l'Espagne, aujourd'hui je ne le suis pas d'une seule ville. Hier j'avais des villes et des châteaux, je n'en ai aucun aujourd'hui. Hier j'avais des courtisans et des serviteurs, aujourd'hui je suis seul, je ne possède même pas une tour à créneaux! Malheureuse l'heure, malheureux le jour où je suis né, et où j'héritai de ce grand empire que je devais perdre un jour! »

On voit du reste que les emprunts de l'auteur de ce recueil, et c'est un tort sans doute, se bornent à quelques détails reproduits dans cette strophe:

> Hier j'avais des châteaux; j'avais de belles villes;
> Des Grecques par milliers à vendre aux juifs serviles;
> J'avais de grands harems et de grands arsenaux.
> Aujourd'hui, dépouillé, vaincu, proscrit, funeste,
> Je fuis... de mon empire, hélas! rien ne me reste;
> Allah! je n'ai plus même une tour à créneaux!

M. Emile Deschamps, qui nous a fourni l'épigraphe de cette pièce, a dit dans sa belle traduction de cette belle romance:

> Hier, j'avais douze armées,
> Vingt forteresses fermées,

> Trente ports, trente arsenaux...
> Aujourd'hui, pas une obole,
> Pas une lance espagnole,
> Pas une tour à créneaux!

La rencontre était inévitable. Au reste, M. Emile Deschamps est seul en droit de dire qu'il s'est *inspiré* de l'original espagnol, parce qu'en effet, indépendamment de la fidélité à tous les détails importants, il y a dans son œuvre inspiration et création. Il s'est emparé de la romance gothe, l'a reformée, l'a refondue et l'a jetée dans notre vers français, plus riche, plus variée dans ses formes, plus large et en quelque sorte reciselée. Son *Rodrigue pendant la bataille* n'est pas la moindre parure de son beau recueil.

L'ENFANT. — XVIII

10. Voyez le Koran pour l'arbre-Tuba, comme pour l'arbre du Segjin. Le paradis des Turcs, comme leur enfer, a son arbre.

NOURMAHAL-LA-ROUSSE. — XXVII

11. Nourmahal est un mot arabe qui veut dire *lumière de la maison*. Il ne faut pas oublier que les chevaux roux sont une beauté pour certains peuples de l'Orient.

Quoique cette pièce ne soit empruntée à aucun texte oriental, nous croyons que c'est ici le lieu de citer quelques extraits absolument inédits de poèmes orientaux qui nous paraissent à un haut degré remarquables et curieux. La lecture de ces citations accoutumera peut-être le lecteur à ce qu'il peut y avoir d'étrange dans quelques-unes des pièces qui composent ce volume. Nous devons la communication de ces fragments, publiés ici pour la première fois, à un jeune écrivain de savoir et d'imagination, M. Ernest Fouinet, qui peut mettre une érudition d'orientaliste au service de son talent de poète. Nous conservons scrupuleusement sa traduction; elle est littérale, et par conséquent, selon nous, excellente.

LA CHAMELLE

La chamelle s'avance dans les sables de Thamed.

Elle est solide comme les planches d'un cercueil, quand je la pousse sur un sentier frayé, comme un manteau couvert de raies.

Elle dépasse les plus rapides, et rapidement son pied de derrière chasse son pied de devant.

Elle obéit à la voix de son conducteur, et de sa queue épaisse elle repousse les caresses violentes du chameau au poil roux,

D'une queue qui semble une paire d'ailes d'aigle que l'on aurait attachées à l'os avec une alène;

D'une queue qui tantôt frappe le voyageur, tantôt une mamelle aride, tombante, ridée comme une outre.

Ses cuisses sont d'une chair compacte, pleine, et ressemblent aux portes élevées d'un château fort.

Les vertèbres de son dos sont souples; ses côtes ressemblent à des arcs solides.

Ses jambes courbées se séparent quand elle court, comme les deux seaux que porte un homme du puits à sa tente.

Les traces des cordes sur ses flancs semblent les étangs desséchés et remplis de cailloux épars sur la terre aride.

Son crâne est dur comme l'enclume : celui qui le touche croit toucher une lime.

Sa joue est blanche comme du papier de Damas, ses lèvres noirâtres comme du cuir d'Yémen, dont les courroies ne se rident point.

Enfin elle ressemble à un aqueduc, dont le constructeur grec a couvert de tuiles le sommet.

Ce morceau fait partie de la *Moallakat* de Tarafa.

Tous les sept ans, avant l'islamisme, les poètes de l'Arabie concouraient en poésie, à une foire célèbre, dans un lieu nommé Occadh. La cassideh (chant) qui avait été jugée la meilleure obtenait l'honneur d'être *suspendue* aux murailles du temple de La Mecque : on a conservé sept de ces poèmes ainsi couronnés. *Moallakat* veut dire suspendue.

LA CAVALE

La cavale qui m'emporte dans le tumulte a les pieds longs, les crins épars, blanchâtres, se déployant sur son front.

Son ongle est comme l'écuelle dans laquelle on donne à manger à un enfant. Il contient une chair compacte et ferme.

Ses talons sont parfaits, tant les tendons sont délicats.

Sa croupe est comme la pierre du torrent qu'a polie le cours d'une eau rapide. [a]

Sa queue est comme le vêtement traînant de l'épouse [b]...

A voir ses deux flancs maigres, on croirait un léopard couché.

Son cou est comme le palmier élevé entre les palmiers auquel a mis le feu un ennemi destructeur. [c]

Les crins qui flottent sur les côtés de sa tête sont comme les boucles des femmes qui traversent le désert, montées sur des cavales, par un jour de vent.

Son front ressemble au dos d'un bouclier fabriqué par une main habile ;

Ses narines rappellent l'idée d'un antre de bêtes féroces et d'hyènes, tant elles soufflent violemment.

Les poils qui couvrent le bas de ses jambes sont comme des plumes d'aigle noir, qui changent de couleur quand elles se hérissent.

Quand tu la vois arriver à toi tu dis : C'est une sauterelle verte qui sort de l'étang.

Quand elle s'éloigne de toi, tu dirais : C'est un trépied solide qui n'a aucune fente [d].

Si tu la vois en travers, tu diras : Ceci est une sauterelle qui a une queue et la tend en arrière.

Le fouet en tombant sur elle produit le bruit de la grêle.

Elle court comme une biche que poursuit un chasseur.

(a) L'auteur a traduit ce passage dans les *Adieux de l'hôtesse arabe*.
        Ses pieds fouillent le sol, sa croupe est belle à voir,
        Ferme, ronde et luisante, ainsi qu'un rocher noir
        Que polit une onde rapide.

(b) Il y a ici quelque chose de tout à fait primitif et qui pourrait tout au plus se traduire en latin.

(c) Son cou est fumant.

(d) Ceci est dans les mœurs : on dresse un trépied dans le désert pour faire la cuisine.

Elle fait des sauts pareils au cours des nuages qui passent sur la vallée sans l'arroser, et qui vont se verser sur une autre.

« Que les lecteurs d'un esprit prompt exercent sur ce tableau les forces de leur imagination », s'écrie, à propos de ce beau et bizarre passage, ce bon Allemand Reiske, qui préférait si énergiquement *le chameau frugal de Tarafa au cheval Pégase.*

TRAVERSÉE DU DÉSERT PENDANT LA NUIT

Je me plonge dans les anfractuosités des précipices, dans des solitudes où sifflent les djinns et les gouls.

Par une nuit sombre, dans une effusion de ténèbres, je marchais, et mes compagnons flottaient comme des branches, par l'effet du sommeil.

C'était une obscurité vaste comme la mer, horrible, au sein de laquelle le guide s'égarait; qui retentit des cris du hibou, où périt le voyageur effrayé.

PENDANT LE JOUR

On entendait le vent gémir dans les profondeurs des précipices.

Et nous marchions à l'heure de midi, traversant les souffles brûlants et empestés qui mettent en fusion les fibres du cerveau.

Ma chamelle était rapide comme le *katha* ([a]) qui traverse le désert,

Qui y vient chercher de l'eau, et se jette sur une source dont on n'a jamais approché, tant elle est entourée de solitudes impénétrables.

De même, je m'enfonce dans une pleine poussiéreuse, dont le sable agité ressemble à un vêtement rayé ([b]).

Je me plonge dans l'abîme de vapeurs dans lesquelles les bornes ([c]) ressemblent à des pêcheurs assis sur des écueils au bord de la mer.

Ma chamelle passait où il n'y avait pas de route, où il n'y avait pas d'habitants.

Et elle faisait voler la poussière, car elle passait comme la flèche lorsqu'elle fuit l'arc qui lance au loin.

Ces deux tableaux sont d'*Omaïah ben Aïedz*, poète de la tribu poétique des Hudeïlites qui habitait au couchant de La Mecque.

Voici un fragment, plus ancien encore, admirable de profondeur et de mélancolie : c'est beau autrement que Job et Homère, mais c'est aussi beau.

La fortune m'a fait descendre d'une montagne élevée, dans une vallée profonde;

La fortune m'avait élevé par la profusion de ses richesses; à présent je n'ai d'autre bien que l'honneur.

Le sort me fait pleurer aujourd'hui : combien il m'a fait sourire autrefois!

(a) Oiseau du désert qui vole d'instinct à toutes les sources d'eau.

(b) Cette belle et pittoresque expression a été traduite par l'auteur dans cette strophe de *Mazeppa* :

> Et si l'infortuné, dont la tête se brise,
> Se débat, le cheval qui devance la brise,
> D'un bond plus effrayé
> S'enfonce au désert vaste, aride, infranchissable,
> Qui devant eux s'étend avec ses plis de sable,
> Comme un manteau rayé.

(c) Qui indiquent les chemins.

Si ce n'était des filles à moi, faibles et tendres comme le duvet des petits kathas (a),

Certes, j'aimerais à être agité de long en large sur la terre;

Mais nos enfants sont comme nos entrailles, nous en avons besoin.

Mes enfants! si le vent soufflait sur un d'eux, mes yeux resteraient fixes.

RENCONTRE DE TRIBUS

Ils se précipitèrent avec violence sur la tribu; et dispersèrent l'avant-garde comme un troupeau d'ânes sauvages : mais ils rencontrèrent un nuage plein de grêle (b).

Les lances en se plongeant dans le sang rendaient un son humide comme celui de la pluie qui tombe dans la pluie (c); les épées en frappant produisaient un son sec comme quand on fend du bois.

Les arcs rendaient des sifflements confus comme ceux d'un vent du sud qui pousse une eau glacée.

On eût dit que les combattants étaient sous un nuage d'été qui s'épure en versant sa pluie, tandis que de petites nuées amoncelées lancent leurs éclairs.

Le morceau suivant, qui est de Rabiah ben al Kouden, nous semble remarquable par le désordre lyrique des idées. Il est curieux de voir de quelle façon les images s'engendrent une à une dans le cerveau du poète, et de retrouver Pindare sous la tente de l'Arabe.

Tous les soirs suis-je donc condamné à être poursuivi de l'ombre de Chemmâ ? Quoiqu'elle ait éloigné de moi sa demeure, causera-t-elle mon insomnie ?

A l'heure de la nuit je vois de son côté s'élever vers la contrée de Riân un éclair vacillant qui vibre.

Je veille pour le regarder : il ressemble à la lampe de l'ennemi, brillant dans une citadelle bien fermée, inaccessible.

O mère d'Omar! c'est une tour que redoute le vil poltron; sa tête se lève comme une pointe aiguë.

Les petits nuages blancs s'arrêtent sur son sommet; on dirait les fragments de toile que tend un tisserand.

J'y ai monté : les étoiles enlacées comme un filet la touchaient; j'y ai atteint avant que l'aurore fût complète.

Les étoiles tendant vers le couchant semblaient ces blanches vaches sauvages qui s'enfuient du bord de l'étang où elles s'abreuvaient.

J'avais un arc jaune que la main aimait toucher; mais moi seul l'avais touché; comme une femme chaste, nul ne l'avait tenu que moi.

J'étendis sur mon arme mon vêtement qui l'a protégée toute la nuit contre la pluie qui s'entrelaçait dans l'air.

Le chemin qui conduit au château est uni comme le front d'une épouse, et je ne m'aperçus pas de sa longueur.

Les rangs de pierres qui le bordent sont comme les deux os qui s'élèvent de chaque côté de la tête (d).

(a) Oiseaux du désert.

(b) Le poète ne se serait point borné à dire *un nuage* dans ce cas : un nuage est bienfaisant pour des Arabes. Mais il dit un nuage *plein de grêle*, malfaisant.

(c) La langue française n'a pas de mot pour rendre ce bruit de l'eau qui tombe dans l'eau : les Anglais ont une expression parfaite, *splash*. Le mot arabe est bien imitatif aussi, *ghachghachâ*.

(d) Les tempes.

Les extraits qu'on va lire sont du *Hamasa*, et sont inédits, en France du moins, car une édition de ce grand recueil s'imprime en Allemagne avec une version latine.

Kotri ben al Fedjat el Mazeni dit :

Au jour de la mêlée, aucun de vous n'a été détourné par les nombreux dangers de mort.

Il semblait que j'étais le but des lances (a), tant il m'en venait de la droite et de devant moi!

Tant que ce qui coulait de mon sang et du sang que je faisais couler colora ma selle et le mors de mon cheval.

Et je revins : j'avais frappé; car je suis comme le cheval de deux ans, qui a toute sa croissance; je suis comme le cheval de cinq ans, qui a toutes ses dents.

Chemidher el Islami, du temps de l'Islam, dit :
(Après avoir tué celui qui avait tué son frère par surprise.)

Enfants de mon oncle! ne me parlez plus de poésie, après l'avoir enterrée dans le désert de Ghomeïr (b).

Nous ne sommes pas comme vous, qui attaquez sans bruit; nous faisons face à la violence, et nous jugeons en *cadis*.

Mais nos arrêts contre vous, ce sont les épées, et nous sommes contents quand les épées le sont (c).

J'ai souffert de voir la guerre s'étendre entre nous et vous, enfants de mon oncle! c'est cependant une chose naturelle.

Du temps de l'Islam. Oueddak ben Tsomeïl el Mazeni dit :
(La tribu de Mazen, dont faisait partie le poète, possédait près de *Barrah* un puits nommé *Safouan*. Les *Benou Scheïban* le lui disputèrent. Tel est le sujet.)

Doucement, *Benou Scheïban*, ceux qui nous menacent parmi vous rencontreront demain une bonne cavalerie près de Safouan,

Des chevaux choisis, que n'intimide point le bruit du combat quand l'étroit champ de bataille se rapproche,

Et des hommes intrépides dans la mêlée : ils s'y jettent, et chacun de leurs pas porte une épée d'Yémen, aux deux tranchants affilés.

Ils sont superbes, vêtus de cuirasses; ils ont des coups à porter pour toutes les blessures.

Vous les rencontrerez, et vous reconnaîtrez des gens patients dans le malheur.

Quand on les appelle au secours, ils sont toujours prêts, et ne demandent point pour quelle guerre ou en quel lieu.

Salma ben Iezid al Djofi sur la mort d'un frère :

Je dis à mon âme, dans la solitude, et je la blâme : — Est-ce là de la constance et de la fermeté ?

(a) L'anneau dans lequel on s'exerce à viser.
(b) Vous avez fui, vous vous êtes déshonorés, ou : vous avez enterré la poésie, source de toute gloire.
(c) Quand elles sont ébréchées à force de frapper, dit le commentateur : qu'importe le commentateur!

Est-ce que tu ne sais pas que depuis que je vis je n'ai rencontré ce frère qu'au moment où le tombeau s'est ouvert entre lui et moi ?

Je semblais comme la mort, à cette séparation d'une nuit, et quelle séparation que celle qui ne doit cesser qu'au jour du jugement!

Ce qui calmait ma douleur, c'était de penser qu'un jour je le suivrais, quelque douce que soit la vie!

C'était un jeune homme vaillant, qui donnait à l'épée son dû dans le combat.

Quand il était riche, il se rapprochait de son ami; il s'en éloignait quand il était pauvre.

FRAGMENTS

Que Dieu ait pitié de Modrek, au jour du compte et de la réunion des martyrs (a)!

Bon Modrek, il regardait son compagnon de route comme un voisin, même quand ses provisions de voyage ballottaient dans le sac.

(Auteur inconnu.)

Rita, fille d'Asem, dit :

Je me suis arrêtée devant les tentes de ma tribu, et la douleur et les soupirs des pleureuses m'ont fait verser des larmes.

Comme des épées du *Hind*, ils couraient s'abreuver de mort dans le champ de bataille.

Ces cavaliers étaient les gardiens des tentes de la mort, et leurs lances étaient croisées comme les branches dans une forêt.

Abd-ebn-al-Tebib dit :

La paix de Dieu soit sur Keïs-ben-Asem, et sa miséricorde!

La mort de Keïs ne fut point la mort d'un seul, mais l'écroulement de l'édifice d'un peuple.

Ces quatre derniers morceaux sont tirés de la seconde partie du *Hamasa* : cette seconde partie a pour titre *Section des chants de mort*. Les morceaux qui suivent sont extraits du divan de la tribu de Hodeil.

Taabatà Cherrân (un des héros du désert) et deux de ses compagnons rencontrèrent *Barik* : celui-ci s'éloigna d'eux, monta sur un rocher, ensuite il répandit ses flèches à terre. — Oh! l'un de vous, dit-il, sera mort le premier; un autre le suivra, et, quant au troisième, je le secouerai comme le vent fait de la poussière. Et Barik fit là-dessus ces vers :

C'était dans le pays de Thabit (b), et ses deux compagnons le suivaient :

Il excitait ses compagnons et je dis : — Doucement! la mort vient à celui qui vient à elle.

Et je montrais mon carquois dans lequel il y avait des flèches longues et qui, comme le feu, avaient des pointes brillantes.

— Il y en aura de vous un de mort avant moi; je fais grâce au plus vil des trois, pour annoncer votre mort...!

L'un suivra l'autre; quant au troisième et à moi, nous ferons comme un tourbillon de poussière...

(a) De l'Islam.
(b) Nom de Taabatà Cherrân.

Thabit regarda le monticule qui le dominait, et s'y dirigea pour l'atteindre.

Il dit : à lui et à vous deux ! — J'ai passé **contre** la mort, enfin je l'ai laissée le tendon coupé (impuissante).

La fin de ce poème est un peu obscure, c'est le défaut de toute haute poésie, et surtout de toute poésie spéciale et primitive.

FRAGMENTS

Tu as loué Leïla en rimes qui, par leur enchaînement, donnent l'idée d'une étoffe rayée d'Yémen.

. . . .

Est-ce que les grasses et pesantes queues de brebis, mangées avec le lait aigre, sont comme le lait doux et crémeux des chamelles paissant des herbes douces, mangées avec la bosse délicate du chameau ?

Est-ce que l'odeur du génévrier et de l'âcre *cheth* (a) ressemble à l'odeur de la violette sauvage *(khozama)*, ou au frais parfum de la giroflée ?

. . . .

On dirait que tu ne connais d'autre femme qu'*Omm Nafi*.

On dirait que tu ne vois pas d'autre ombre, dont les hommes puissent désirer le frais, que son ombre, et aucune beauté sans elle.

. . . .

Est-ce que Omm Naufel nous a réveillés pour partir dans la nuit ? Aise et bonheur au voyageur nocturne quand il hâte le pas !

Elle nous a réveillés, comme dans le désert sablonneux d'Alidj Omaya a tiré du sommeil ceux de la tribu de Madjdel;

Elles s'avancent toutes deux la nuit, de peur que les chameaux fatigués ne les laissent dans l'embarras.

J'ai vu, et mes compagnons l'ont vu aussi, le feu de Oueddan, sur une éminence. C'était un bon feu, un feu bien flambant.

Quand ce feu languit, étouffé par la brume, tout à coup on le voit se ranimer en couronne de flammes.

J'ai dit à mes compagnons : suivez-moi, et ils descendirent de leurs chevaux bons coureurs, sveltes.

Nous nous reposâmes un court instant comme le katha, et les chamelles rapides aux jambes écartées nous emportèrent.

Il y a encore de l'obscurité dans ces fragments, mais il nous semble que la grâce et le sublime percent au travers.

Voici le début d'un poème composé par Schanfari, poète de la tribu d'Azed et coureur de profession.

Enfants de ma mère! montez sur vos chameaux; moi! je me dirige vers d'autres gens que vous.

Les choses du voyage sont prêtes, la lune brille, les chameaux sont sanglés et sellés.

Il est sur la terre un lieu où l'on ne craint point la haine, un refuge contre le mal.

Par ma vie! la terre n'est jamais étroite pour l'homme sage qui sait marcher la nuit vers l'objet de ses désirs, ou loin de l'objet de ses craintes.

J'aurai d'autres compagnons que vous; un loup endurci à la course, un léopard leste; avec eux on ne craint point de voir son secret trahi.

(a) Herbe qui sert à tanner.

Tous sont braves, repoussent l'insulte, et moi, comme eux je m'élance sur l'ennemi à la première attaque!

Quel ton de grandeur, de tristesse et de fierté dans ce début! Tel est le caractère général de ces poèmes de cent vers au plus, que les Arabes nomment *Cassideh*.

Un autre poète du divan de *Bochteri*, recueil de poésies d'hommes inconnus, fleurs du désert dont il ne reste que le parfum, dit :

Quand je vis les premiers ennemis paraître à travers les tamarins et les arbres épineux de la vallée,
Je pris mon manteau sans me tourner vers personne; je haïssais l'homme comme le hait le chameau à qui on vient de percer les narines (a).

Des Arabes aux Persans la transition est brusque; c'est comme une nation de femmes après un peuple d'hommes. Il est curieux de trouver à côté de ce que le génie a de plus simple, de plus mâle, de plus rude, l'esprit, rien que l'esprit, avec tous ses raffinements, toutes ses manières efféminées. La barbarie primitive, la dernière corruption; l'enfance de l'art et sa décrépitude. C'est le commencement et la fin de la poésie qui se touchent. Au reste, il y a beaucoup d'analogie entre la poésie persane et la poésie italienne. Des deux parts, madrigaux, concettis, fleurs et parfums. Peuples esclaves, poésies courtisanesques. Les Persans sont les Italiens de l'Asie.

GHAZEL

Si je voyais cette enchanteresse dans mon sommeil, je lui ferais le sacrifice de mon esprit et de ma foi.
Si un instant je pouvais placer mon front sous la plante de son pied,
Je ne tournerais plus mon visage vers la terre.
Si elle me disait ce pied est un esclave dans ma cour,
Je placerais ce pied sur la neuvième sphère céleste.
Oh! ne dénoue pas ces tresses à l'odeur de jasmin;
Ne fais pas honte aux parfums de la Chine.
Oh! Rafi-Eddin, avec candeur et sincérité, fais de la poussière qu'elle foule le chemin de ton front.

(Rafi-Eddin.)

AUTRE

Quel est le plus épars de tes cheveux ou de mes sens ? Quel est l'objet le plus petit, ta bouche ou le fragment de mon cœur brisé ?
Est-ce la nuit qui est la plus noire, ou ma pensée, ou le point qui orne ta joue ? quel est le plus droit, de ta taille, d'un cyprès, ou de mes paroles d'amour ?
Qui va chercher les cœurs ? ton approche ou mes vers qui épanouissent l'âme ? quel est le plus pénible de tes refus ou de mes plaintes qui brûlent ?

(Chahpour Abhari.)

Mais assez d'antithèses, voici un *Ghazel* d'une vraie beauté, d'une beauté arabe :

(a) Pour placer l'anneau qui sert à le conduire.

Ceux qui volent à la recherche de la Caaba (a), quand ils ont enfin atteint le but de leurs fatigues,

Voient une maison de pierre, haute, révérée, au milieu d'une vallée sans culture;

Ils y entrent, afin d'y voir Dieu; ils le cherchent longtemps et ne le voient point.

Quand avec tristesse ils ont parcouru la maison, ils entendent une voix au-dessus de leurs têtes :

O adorateurs d'une maison! pourquoi adorer de la pierre et de la boue ? Adorez l'autre maison, celle que cherchent les élus!

(Djelal Eddin Roumi.)

Ce poète est célèbre dans l'Orient. Il était très avancé dans le mysticisme des soufis, dont les hauts degrés sont un état de quiétude complète, d'*anéantissement :* c'est le mot dont ils se servent.

Ferideddin Attar, dans son poème mystique *le langage des oiseaux*, définit d'une façon remarquable cet état d'anéantissement ou de *pauvreté* comme ils disent encore :

L'essence de cette région est l'oubli; c'est la surdité, le mutisme, l'évanouissement.

Un seul soleil efface à tes yeux cent mille ombres.

L'océan universel, s'il s'agite, comment les figures tracées sur les eaux resteront-elles en place ?

Les deux mondes, le présent et l'avenir, sont les images que présente cette mer; celui qui dit : ce n'est rien, est dans une bonne voie.

Quiconque est plongé dans l'océan du cœur a trouvé le repos dans cet anéantissement.

Le cœur, plein de repos dans cet océan, le cœur n'y trouve autre chose que le *ne-pas-être.*

(Notes du *Pend-Namèh* de *Ferideddin Attar*, publié par M. S. de Sacy.)

Voici six beaux vers de *Ferdoussi*, le célèbre auteur de Chahnamèh *(Livre des Rois).*

Quand la poussière se leva à l'approche de l'armée,
Les joues de nos illustres soldats devinrent pâles;
Alors je levai cette hache de Iekchm(b),
Et d'un coup je fis un passage à mon armée.
Mon coursier poussait des cris comme un éléphant furieux;
La plaine était agitée comme les flots du Nil.

Jones a publié ce fragment en anglais. *Togrul ben Arslan*, le dernier des *Seljoukides*, répéta ces vers à haute voix dans la bataille où il périt.

Le commencement du poème de *Sohrab*, dans Ferdoussi, ne nous semble pas moins remarquable :

J'ai appris d'un mobed (c) que Rustem se leva dès le matin.

(a) Maison apportée du ciel par les anges et où Abraham professa la doctrine d'un Dieu unique. Une autre tradition raconte que c'est le lieu où se rencontrèrent Adam et Eve après une longue séparation sur la terre. Ce temple fut dès la plus haute antiquité le point du pèlerinage des Arabes que les musulmans continuent d'observer.
(b) *Surnom de Sam, fils de Neriman ;* Sam était le père de Rustem, et c'est ce héros qui se bat armé de la hache de son père.
(c) Prêtre des mages.

Son esprit était chagrin; il se prépara à la chasse; il ceignit sa masse, et remplit son carquois de flèches.

Il sortit; il sauta sur Rakch (a) et fit partit ce cheval à forme d'éléphant.

Il tournait la tête vers la frontière du Touràn, comme un lion furieux qui a vu le chasseur.

Quand il fut arrivé aux bornes du Touràn, il vit le désert plein d'ânes sauvages.

Le donneur de couronnes (Rustem) rougit comme la rose; il fit un mouvement et lança Rakch.

Avec les flèches, et la masse et le filet, il jeta à terre des troupes de gibier.

Nous terminons ces extraits par un *pantoum* ou chant malais, d'une délicieuse originalité :

PANTOUM MALAIS

Les papillons jouent à l'entour sur leurs ailes;
Ils volent vers la mer, près de la chaîne des rochers.
Mon cœur s'est senti malade dans ma poitrine,
Depuis mes premiers jours jusqu'à l'heure présente.

Ils volent vers la mer, près de la chaîne de rochers...
Le vautour dirige son essor vers *Bandam*.
Depuis mes premiers jours jusqu'à l'heure présente,
J'ai admiré bien des jeunes gens :

Le vautour dirige son essor vers *Bandam*,...
Et laisse tomber de ses plumes à *Patani*.
J'ai admiré bien des jeunes gens;
Mais nul n'est à comparer à l'objet de mon choix.

Il laisse tomber de ses plumes à Patani...
Voici deux jeunes pigeons!
Aucun jeune homme ne peut se comparer à celui de mon choix,
Habile comme il l'est à toucher le cœur.

Nous n'avons point cherché à mettre d'ordre dans ces citations. C'est une poignée de pierres précieuses que nous prenons au hasard et à la hâte dans la grande mine d'Orient.

ROMANCE MAURESQUE. — XXX

12. Il y a deux romances, l'une arabe, l'autre espagnole, sur la vengeance que le bâtard Mudarra tira de son oncle Rodrigue de Lara, assassin de ses frères. La romance espagnole a été publiée en français dans la traduction que nous avons déjà citée (note 9). Elle est belle, mais l'auteur de ce livre a souvenir d'avoir lu quelque part la romance mauresque, traduite en espagnol, et il lui semble qu'elle était plus belle encore. C'est à cette dernière version plutôt qu'au poème espagnol, que se rapporte la sienne si elle se rapporte à l'une des deux. La

(a) Son cheval.

romance castillane est un peu sèche, on y sent que c'est un Maure qui a le beau rôle.

Il serait bien temps que l'on songeât à republier, en texte et traduit sur les rares exemplaires qui en restent, le *Romancero general*, mauresque et espagnol; trésors enfouis et tout près d'être perdus. L'auteur le répète ici : ce sont deux Iliades, l'une gothique, l'autre arabe.

LES BLEUETS. — XXXII

13. Nous avons cru devoir scrupuleusement conserver l'orthographe des vers placés comme épigraphe en tête de cette pièce :

> *Si es verdad ó non yo, no lo he hy de ver,*
> *Pero non lo quiero en olvido poner.*

Ces vers, empruntés à un poète curieux et inconnu, Segura de Astorga, sont de fort vieil espagnol. Si nous n'avions craint d'enlever sa physionomie au vieux *Joan* (et non pas Juan), il aurait fallu écrire : *si es verdad ó no yo no* le *he* aqui *de ver, pero* no le *quiero en olvido poner. Hy*, dans le passage ci-dessus, est pour *aqui*, comme il est pour *alli* dans un autre passage du même poète qui sert d'épigraphe à *Nourmakal-la-Rousse* :

> *No es bestia que non fus hy trobada.*

non fus pour *no fuese.*

BOUNABERDI. — XXXIX

14. Le nom de *Buonaparte* dans les traditions arabes est devenu *Bounaberdi*. Voyez à ce sujet une note curieuse du beau poème de MM. Barthélemy et Méry, *Napoléon en Egypte.*

LUI. — XL

15. Il eût fallu dire la route de Paestum ; car de Paestum même on ne voit pas le Vésuve.

NOVEMBRE. — XLI

16. L'ancien couvent des Feuillantines, quartier Saint-Jacques, où s'est écoulée une partie de l'enfance de l'auteur.

TABLE DES MATIÈRES

ODES

BALLADES (1823-1828)

APPENDICE AUX « ODES ET BALLADES »

LES ORIENTALES

GF — TEXTE INTÉGRAL — GF

2449-1968. — IMPRIMERIE-RELIURE MAME
N° d'édition 6181. — 2ᵉ trimestre 1968. — PRINTED IN FRANCE.

Janissaries - noble army
icoylans - sultans pages, brought up in harem
pelicane - a brave
Spahis - turkish cavalry
klephte - guerilla (see note P 381)